জলছবি
সুচিত্রা ভট্টাচার্য

Ruposhi Bangla Ltd.
220, Tooting High Street
London, SW 17 OSG
Tele 020-8672-7843
Fax : 020-8767-9214
e-mail : ruposhi@free net name.co.uk

আ ন ন্দ

প্রথম সংস্করণ জানুয়ারি ২০০৪

© সুচিত্রা ভট্টাচার্য

ISBN 81-7756-388-2

আনন্দ পাবলিশার্স প্রাইভেট লিমিটেডের পক্ষে ৪৫ বেনিয়াটোলা লেন
কলকাতা ৭০০ ০০৯ থেকে সুবীরকুমার মিত্র কর্তৃক প্রকাশিত এবং
স্বপ্না প্রিন্টিং ওয়ার্কস প্রাইভেট লিমিটেড
৫২ রাজা রামমোহন রায় সরণি কলকাতা ৭০০ ০০৯
থেকে মুদ্রিত।

মূল্য ১০০.০০

শ্রদ্ধেয় সাহিত্যিক
বিমল করের স্মৃতির উদ্দেশে

টানা দুটো অনার্স পিরিয়ড শেষ করে সোজা অফিসরুমে এসেছিল সোমনাথ। আজ আর ক্লাস নেই। মাইনেটা তুলবে, তারপর চারটে বাজলে কেটে পড়বে গুটিগুটি। কাল রাত্তিরে রুপাই ফোনে দাদুন দাদুন করছিল খুব, সেই থেকে টানছে নাতিটা, পারলে আজ একবার যাবে বরানগর।

কলেজে শুরু হয়েছে অ্যাডমিশনের মরশুম। ক্যাশকাউন্টারের সামনেটা ভিড়ে ভিড়। ভরতি হতে আসা ছাত্রছাত্রী আর অভিভাবকদের ক্যালরব্যালরে অফিস যেন এখন মেছোহাটা। একপাশে চেয়ার টেবিল নিয়ে থানা গেড়েছে ইউনিয়নের ছেলেমেয়েরা। চাঁদার বিল কাটছে ফটাফট, টাকা পুরছে টিনের বাকসে।

কোনওক্রমে স্যালারির চেকটা নিয়ে সোমনাথ বেরিয়ে আসছিল, হঠাৎই চিৎকার চেঁচামিচি শুনে থমকাল। ঘাড় ঘুরিয়ে দেখল ইউনিয়নের মাতব্বরদের সঙ্গে জোর কাজিয়া বেধেছে এক সদ্য-ভরতি-হওয়া তরুণীর। গলার শির ফুলিয়ে তর্ক জুড়েছে মেয়েটি,—কেন দেব চাঁদা? জোরজুলুম নাকি?

—সবাই দিচ্ছে, তুমিই বা দেবে না কেন?

—আমার ইচ্ছে। আমি কোনও ইউনিয়নে থাকতে চাই না।

—ওসব ইচ্ছে ফিচ্ছে বাইরে দেখিয়ো। অ্যাডমিশন নিয়েছ, এখানে টাকা ফেলে যাও।

—কী করবে না দিলে?

—এখান থেকে বেরোতে পারবে না।

—ভয় দেখাচ্ছ?

—যা খুশি ভাবতে পারো। ছাত্রস্বার্থ-বিরোধী কাজ আমরা

বরদাস্ত করব না।

আশপাশের কলরোল থেমে গেছে। নবাগত ছাত্রছাত্রী আর অভিভাবকরা থতমত মুখে দেখছে কোন্দল, রা কাড়ছে না কেউই।

সোমনাথ মেয়েটিকে দেখছিল। কোথায় যেন মিল আছে মিতুলের সঙ্গে। মুখশ্রীতে? বাচনভঙ্গিতে?

হঠাৎই মেয়েটার চোখ পড়েছে সোমনাথের দিকে। হাতের অ্যাটেন্ডেন্স রেজিস্টার দেখেই পলকে বুঝে নিল সোমনাথ এখানে জড়ো হয়ে থাকা অভিভাবকদের একজন নয়, সে এই কলেজের অধ্যাপক। প্রায় দৌড়ে এল সোমনাথের কাছে। উত্তেজিত স্বরে বলল,—এ কী অন্যায় কথা স্যার? আমি যদি কোনও পার্টির ইউনিয়ন না করি তা হলেও আমায় চাঁদা দিতে হবে? আপনি ওদের একটু বারণ করে দিন না প্লিজ।

সোমনাথ প্রমাদ গুনল। সে কোনও ঝঞ্ঝাটে জড়িয়ে পড়ার মানুষই নয়। চিরকালই ঝামেলা গণ্ডগোল থেকে সে শতহস্ত দূরে। কোথাও সামান্যতম অশান্তির সম্ভাবনা দেখলেই তার বুক ঢিপঢিপ করতে থাকে, হাঁটুর জোর কমে যায়, অবশ হয়ে আসে স্নায়ু। সবাইকে তুইয়ে বুইয়ে চলাটাই তার স্বভাব। সে কী বা ঘরে, কী বা বাইরে। এমন একটা মানুষকে সালিশি মানার কোনও অর্থ হয়?

চোরা চোখে ইউনিয়নের ছেলেমেয়েগুলোকে একবার দেখে নিল সোমনাথ। পরিচিত মুখ। জনা চারেক বর্তমান সংসদের, বাকিরা প্রাক্তনী। ছাত্র ফ্রন্টের স্থানীয় নেতা হওয়ার সুবাদে পাশ করে যাওয়া ছেলেরাও এসে জাঁকিয়ে বসে এই ভরতির সময়টায়। দু'হাত্তা টাকা তোলে প্রাদেশিক ইউনিয়নের জন্য। আগের প্রিন্সিপালের আমলে তাও একটা রাখঢাক ছিল, যতীন দাশগুপ্ত নরমে গরমে বশে রাখতেন এইসব ছেলেমেয়েদের, সেভাবে ট্যাঁফো করার সুযোগ দেননি কোনওদিন। তখনও টাকা তোলা চলত, তবে লুকিয়ে চুরিয়ে। কলেজগেটের

৮

বাইরে। পুলকেশ কুন্ডু আসার পরে আমূল বদলে গেছে ছবিটা। পুলকেশের নীরব প্রশ্রয়ে ছাত্র ইউনিয়নই এখন কলেজের সর্বেসর্বা।

এমন একটা পরিস্থিতিতে গলা বাড়িয়ে দিয়ে সোমনাথ মরবে নাকি?

মুখে স্মিত হাসি টেনে সোমনাথ মেয়েটিকে বলল,—আহা, মিছিমিছি বিবাদ করে কী লাভ? দিয়েই দাও। এক কলেজে পড়বে, সবাই বন্ধুবান্ধবদের মতো থাকবে...

মেয়েটার মুখ চুন হয়ে গেল। অসহায় স্বরে বলল, —দিতে পারব না স্যার। নেই। পাঁচ-দশ টাকা হলে নয় কথা ছিল, কিন্তু দুশো...!

এতক্ষণে সোমনাথের নজরে পড়ল মেয়েটার পোশাকআশাক মোটেই মহার্ঘ নয়। সস্তা ছিটের সালোয়ার কামিজ পরেছে মেয়েটা, চোখেমুখে দারিদ্র্যের ছাপ স্পষ্ট। কাঁধঝোলা কাপড়ের ব্যাগটারও রীতিমতো হতশ্রী দশা।

কেমন যেন মায়া হল সোমনাথের। মুহূর্তের জন্য একটা স্মৃতিও যেন দুলে গেল বুকে। ইন্টারমিডিয়েটে ভরতি হতে গেছে সোমনাথ, অ্যাডমিশন ফি-র সঙ্গে তিন মাসের মাইনেও জমা করতে হবে, অত টাকা সোমনাথের কাছে নেই...। কী করে? কী করে? ঠিক তখনই ঠোঁটের কোণে পাইপ চেপে করিডোর দিয়ে হেঁটে যাচ্ছিলেন ইংরিজির হরনাথ স্যার। সোমনাথ তখন তাঁকে চিনতও না, তবু সটান গিয়ে ধরেছিল। হরনাথ স্যার তাকে নিয়ে গেলেন অধ্যক্ষের চেম্বারে, অবস্থা খুলে বলায় মকুব হল টিউশ্যন ফি।

সেই ঘটনা আর এই ঘটনা কি এক? কিংবা সেই সময় আর এই সময়? তবু খানিকটা মায়ার বশে, খানিকটা বা স্মৃতিতাড়িত হয়ে, দুম করে একটা স্বভাববিরুদ্ধ কাজ করে বসল সোমনাথ। গলা খাঁকারি দিয়ে বলল,—অ্যাই, ও যা পারবে তাই নিয়ে নাও। জোরাজুরি কোরো না।

সঙ্গে সঙ্গে লম্বা মতন মেয়েটি, সম্ভবত বর্তমান এ-জি-এস, চোয়াল শক্ত করে বলে উঠেছে,—কেউ কাউকে জোর করছে না স্যার। আপনাকেও ইন্টারফিয়ার করতে হবে না। স্টুডেন্টদের ব্যাপার স্টুডেন্টদেরই বুঝে নিতে দিন।

সোমনাথ বলতে পারত, কী করছ না করছ সে তো দেখতেই পাচ্ছি। বলতে পারত, তোমাদের এই চাঁদা আদায় করাটাই তো বেআইনি। সারা বছরের খরচখরচা চালানোর জন্য কলেজ ফান্ড থেকে তো মোটা টাকা পাও তোমরা।

কিছুই বলতে পারল না সোমনাথ। উলটে নিবে গেল যেন। ঢোক গিলে বলল, —না মানে...ও বলছিল, তাই...। তোমাদের অ্যামাউন্টটা তো সত্যিই একটু বেশি।

—বেশি কি কম সে আমরাই বুঝে নেব স্যার। বিলবই নিয়ে বসে থাকা প্রাক্তন ছাত্রটির কড়া স্বর উড়ে এল,—কনসিডার করার হলেও আমরাই করব। কিন্তু আমাদের গণতান্ত্রিক অধিকারকে কারুর চ্যালেঞ্জ করাটা বরদাস্ত করব না। সে যেই হোক না কেন।

কাকে শাসায়? মেয়েটিকেই? নাকি সোমনাথকেও? চাঁদার পরিমাণের কথা তোলাটা কি বাড়াবাড়ি হয়ে গেল? ছাত্রছাত্রীরা একটু বেশিই স্পর্শকাতর হয়, যদি এই ইস্যু নিয়েই তুলকালাম বাধিয়ে বসে?

সোমনাথের গা ছমছম করে উঠল। তাকে ঘিরে হট্টগোল বাধবে কলেজে? সর্বনাশ!

তড়িঘড়ি আপসের সুরে সোমনাথ বলল,—না না, কনসিডার তো তোমরাই করবে। দ্যাখো, যা ভাল বোঝো করো।

এ-জি-এস মেয়েটি বলল,—ঠিক আছে স্যার, আপনি যান।

অফিসরুমের বাইরে এসে সোমনাথ হাঁফ ছেড়ে বাঁচল। মনে মনে কষে ধমকালও নিজেকে। বেমক্কা আগুনে হাত লাগানোর দরকারটা কী ছিল, অ্যাঁ? ছ্যাঁকা খেয়ে শিক্ষা হল তো!

১০

পায়ে পায়ে স্টাফরুমে এল সোমনাথ। ঘরখানা বেশ বড়সড়। মাঝখানটা দখল করে আছে এক অতিকায় আয়তাকার টেবিল, তাকে ঘিরে খান তিরিশেক চেয়ার। খুদে খোপঅলা লোহার আলমারি। অধ্যাপকদের নিজস্ব জিনিসপত্র রাখার ভল্ট। দেওয়ালের টঙে বিদ্যাসাগর রামমোহন রবীন্দ্রনাথ জগদীশ বোস প্রমুখ মনীষী বিরাজমান। প্রত্যেকেই মলিন, ঢেকে গেছেন ধুলোয়। বড় বড় তারিখওলা একটা ক্যালেন্ডার ঝুলছে এক দেওয়ালে, পাশে গোটা তিনেক নোটিসবোর্ড। ঠিক তার মাথায় প্রকাণ্ড ঘড়ি।

রেজিস্টারখানা স্বস্থানে রেখে সোমনাথ চেয়ার টেনে বসল। একবার আলগা চোখ বুলিয়ে নিল চারদিকে। অনেকেই আছে এখনও। বিশ্ববিদ্যালয়ের 'পাঁচদিন পাঁচ ঘণ্টা' আইন বছরখানেক হল চালু হয়েছে কলেজে, চারটের আগে তাই পুরো ফাঁকা হয় না স্টাফরুম। ক্লাস থাকল তো ভাল, নইলে বই নিয়ে বসে থাকো, কিংবা গল্প-আড্ডায় মাতো, কিংবা তরিজুত করে টিফিন খাও। আজও মোটামুটি দৃশ্যটা একই রকম।

ক্ষণপূর্বের কষ্টে অভিজ্ঞতাটা সরিয়ে রেখে ঢাউস ফোলিও ব্যাগখানা খুলল সোমনাথ। দুটো মোটা বইয়ের ফাঁকে অতি সাবধানে রাখল মাইনের চেকখানা। রেখেও আর একবার তুলে দেখে নিল টাকার অঙ্কটাকে। উনিশ হাজার ন'শো তিরাশি। ছোট্ট একটা শ্বাস পড়ল সোমনাথের। আঠাশ হাজার টাকার ওপর মাইনের কী হাল! চার হাজার ট্যাক্সে খায়, চার হাজার যায় পি-এফে। তাও ভাগ্যিস তুতুলের বিয়ের সময়ে তোলা পি-এফ লোনটা নন-রিফান্ডেবল। অবশ্য রিফান্ডেবল নিলেও লোন বোধহয় বছরখানেক আগে শোধ হয়ে যেত। ছোট্ট ডায়েরি বার করে এ মাসের হিসেবে ডুবে গেল সোমনাথ। এইচ-ডি-এফ-সি-কে দিতে হবে চার হাজার একশো ছাব্বিশ। কো-অপারেটিভকে চোদ্দশো। তুতুলের বিয়ের সময়ে মরিয়া হয়ে শেষ মুহূর্তে অমিয় সামন্তর থেকে ছত্রিশ পারসেন্ট সুদে

এক লাখ নিয়েছিল, সুদে আসলে মিলিয়ে তার মাসিক পাওনা চার হাজার। একটা এল-আই-সি প্রিমিয়াম এ মাসেই পড়েছে, অর্থাৎ আরও একুশশো সাতষট্টি। যোগ বিয়োগের শেষে হাতে পড়ে রইল আট। কী করে চলবে সারা মাস? আবার খামচা মারবে সেভিংস থেকে? আছে তো মাত্র তেইশ মতো, সেখান থেকেই নয় সাবসিডি ভরবে এবারও। একটাই বাঁচোয়া, এই এল-আই-সি-টার এটাই শেষ প্রিমিয়াম। সামনের বছর ম্যাচিয়োরিটির টাকা এসে গেলে এক লপ্তে শেষ হয়ে যাবে অমিয় সামন্তর দেনা। কো-অপারেটিভের লোনও অক্টোবরে খতম। পুজোর পর থেকে তবু যা হোক খানিকটা বাড়তি অক্সিজেন আসবে ফুসফুসে। এরপর ফেব্রুয়ারি-মার্চে শেষ প্রিমিয়াম দুটো চুকিয়ে দিতে পারলে অনেকটাই নিশ্চিন্ত। ওই দুটো টাকার জোগাড় অবশ্য হয়ে আছে। ডিসেম্বরে এন-এস-সি থেকে মিলবে কিছু, মাছের তেলেই মাছ ভেজে ফেলবে চাকরির অন্তিম লগ্নে।

আচমকা পিঠে ভারী হাতের চাপড়। সোমনাথ ফিরে তাকাল। নির্মল। হাসছে মৃদু মৃদু।

—কী এত লেখালেখি চলছে? বুড়ো বয়সে ঘোড়ারোগে, আই মিন পদ্য রোগে ধরল নাকি?

—না রে ভাই, হিসেব কষছি।

—জীবনের ডেবিট ক্রেডিট? কী পেলে, আর কী পেলে না? বলতে বলতে পাশের চেয়ারে বসেছে নির্মল,—একটা ব্যাপারে শিয়োর থাকতে পারো। পেনশানটি তুমি পাচ্ছ না।

—কেন?

—সার্ভিসবুকে তোমার হাজার গন্ডা ভুল। তোমার কনফার্মেশান সংক্রান্ত জি-বি রেজোলিউশানে মেমো নাম্বার নেই, ডেট নেই। ছুটির হিসেবে অন্তত চার জায়গায় ডিসক্রিপেন্সি।....পঁচানব্বইতে তুমি একটা আর্নড লিভ নিয়েছিলে না?

১২

—হ্যাঁ। একবার নয়, দু'বার। প্রথমটা তিরিশ দিন, দ্বিতীয়টা তিন সপ্তাহ। প্রথমবার মা'র সেরিব্রাল হল, দ্বিতীয়বার মা চলে গেলেন।

—কারেক্ট। জি বি রেকর্ড তো তাই বলছে। কিন্তু সার্ভিসবুকে দ্বিতীয়টার এন্ট্রি নেই। ব্যস, গোটা ছুটির ক্যালকুলেশানটাই গুবলেট।

—কী হবে?

—কিছু একটা করতে হবে। ফ্রেশ হিসেব, তারপর যতীন দাশগুপ্তর বাড়িতে ধরনা দিয়ে ইনিশিয়াল মারিয়ে আনা। দশাসই চেহারার নির্মল গাল চওড়া করে হাসল, —আরে শোনো শোনো, নির্মল রায় যখন সার্ভিসবুকগুলো কমপ্লিট করার দায়িত্ব নিয়েছে, কোনও ভুলই আর চুপচাপ শুয়ে থাকবে না।

সোমনাথ খানিকটা স্বস্তি বোধ করল। নির্মল কর্মী পুরুষ, নিজে যখন যেচে স্টাফদের হাত থেকে কাজটা নিয়েছে, নিখুঁতভাবে শেষ না করে সত্যিই ছাড়বে না। তা ছাড়া সোমনাথেরটা তো নির্মল করবেই। তাদের সম্পর্কটাও তো আলাদা। অনেক বেশি গভীর। একই দিনে দু'জনে এই কলেজে ঢুকেছিল যে।

তবু সোমনাথ বলে ফেলল, —আর কনফার্মেশানের ব্যাপারটা কী হবে?

—হবে রে ভাই, হবে। হয়ে যাবে। ঘাবড়াচ্ছ কেন? আমি সিরিয়ালি রেডি করছি। রিটায়ারমেন্টের ডেট ধরে। প্রথমে দেবব্রতবাবু, তারপর সীতাংশু ঘোষ, তার পরেই তুমি। ...তোমার তো নেক্সট ইয়ারের নভেম্বর, এখনও ঢের দেরি।

—তাও তো মাত্র ষোলো মাস। দেখতে দেখতে এসে যাবে। সোমনাথকে ঈষৎ উদাস দেখাল, —মনে পড়ে, এই সেদিন জয়েন করলাম? তুমি শিবতোষবাবুর ঘরে বসেছিলে, মিলিটারি গোঁফে পাক দিতে দিতে শিবতোষবাবু তোমায়

১৩

বলছিলেন, এত কচি ছেলে, কোএড কলেজের ক্লাস সামলাতে পারবে তো?...!

—শিববাবু নার্ভাস হয়েছিলেন অন্য কারণে। তখন আমিও আইবুড়ো কার্তিক তো!

—ভাবো, তারপর কোথা দিয়ে তিরিশটা বছর চলে গেল!

—ডোন্ট বি নস্টালজিক সোমনাথ। ওটা বুড়োমির লক্ষণ। পকেট থেকে সিগারেটের প্যাকেট বার করল নির্মল। ইতিউতি চাইল একটু। হালকা প্রশ্ন ছুড়ল, —ও মালবিকা ম্যাডাম, ধরাব?

দর্শনের মালবিকা টিফিনবক্স খুলে শীতল চাউমিন খাচ্ছিল। শীতলতর চোখে বলল, —একদম না। ধরালেই পুলিশে খবর দেব। অ্যাটেমপ্ট্ টু মার্ডার চার্জে ধরে নিয়ে যাবে। লাঙ্স ফুটো করার পরোক্ষ ষড়যন্ত্রের দায়ে।

—কী পুলিশ আসবে? ছেলে পুলিশ? না মেয়ে পুলিশ? হ্যা হ্যা হাসছে নির্মল, —মেয়ে পুলিশ হলে সঙ্গে সঙ্গে সারেন্ডার। আর একটা মেয়ে পুলিশের গারদ থেকে তো মুক্তি মিলবে।

—দাঁড়ান, বউদিকে বলছি।

—ভুলটা কী বলেছি ম্যাডাম? স্কুলের হেডমিস্ট্রেস আর মেয়েদারোগায় ফারাক কতটুকু? স্কুলে তিনি ছড়ি ঘোরান, আর বাড়িতে রুল।

ঘর জুড়ে হাহা হাসি, হোহো হাসি। বাচ্চা বাচ্চা পার্টটাইমার ছেলেমেয়েও আছে দু'-তিনজন, তারাও হাসছে মিটিমিটি। নির্মলের উপস্থিতিতে গোমড়া থাকা কঠিন।

নির্মল ফস্ করে ধরিয়েই ফেলেছে সিগারেট। ঝোলাব্যাগ কাঁধে নিয়ে সোমনাথকে বলল, —কী, উঠবে তো?

সোমনাথ ঘড়ি দেখল, —চারটে তো বাজেনি!

—ওফ্, সেই নিয়মের জালে বন্দি হয়ে গেছ? গভর্নমেন্টও পারে বটে। বেশিক্ষণ আটকে রাখলেই যেন কলেজে পড়াশুনো উপচে পড়বে। ওভাবে কি ফাঁকিবাজি রোখা যায়? গোয়ালঘরে

শেকল তুলে দিলে গরু কি বেশি দুধ দেয়? যার যেটুকু দেওয়ার সেটুকুই দেবে। আর যে বাছুরকে খাওয়ানোর জন্য মরিয়া, সে ঠিক বাছুরকে খাইয়ে আসবে।

ইঙ্গিতটা স্পষ্ট। সহসা আনমনা হয়ে গেল স্বপন, দেওয়াল দেখছে পল্লব, উঠে বাথরুমে চলে গেল অংশুমান।

সোমনাথের একটু একটু অস্বস্তি হচ্ছিল। এখন সে ব্রহ্মচারী বটে, খানিকটা ভয়ে, খানিকটা বা লোকলজ্জায়। তবে বহুকাল তো স্বপনদেরই সমগোত্রীয় ছিল সে। টিউশ্যনি নিয়ে খোঁচা উপভোগ করা তাকেও বোধহয় মানায় না।

ঝটপট কথা ঘুরিয়ে বলল, —পাঁচ ঘণ্টা থাকা অবশ্য আমার হয়ে গেছে। পৌনে এগারোটায় ঢুকেছিলাম আজ।

—তা হলে আর বসে কেন? এরপর বেরোলে চারটে চোদ্দো পাবে?

ফোলিও ব্যাগের চেন টানার আগে সোমনাথ ফের একবার দেখে নিল চেক স্বস্থানে আছে কিনা। উঠে নির্মলের সঙ্গে বেরিয়ে পড়ল। এগোচ্ছে করিডোর ধরে।

সিঁড়ির মুখে এসে দীপেনের সঙ্গে দেখা। হন্তদন্ত হয়ে স্টাফরুমে যাচ্ছিল দীপেন, দাঁড়িয়ে পড়েছে, —আপনারা চলে যাচ্ছেন?

নির্মল লঘু স্বরে বলল,—কলেজ তো আমাদের জন্য খাটবিছানার ব্যবস্থা রাখেনি ভাই। ...তা তুমি এই শেষবেলায় কোথ্‌থেকে? সারাদিন তো তোমার টিকিটি দেখিনি?

—একটু চপলানন্দ মহাবিদ্যালয়ে গেছিলাম।

—হঠাৎ? নির্মল চোখ টিপল, —সমিতির কাজে?

—ওই আর কী। ওখানে সমিতির জেলা কমিটির উদ্যোগে একটা সেমিনার হবে, তারই একটু গ্রাউন্ডওয়ার্ক টোয়ার্ক করা...

—একটা কথা বলব দীপেন? তোমার মাইনে কে দেয়, অ্যাঁ? সমিতি?

—মানে?

—ছেলেমেয়েরা স্টাফরুমে এসে তোমায় খুঁজছিল। তুমি বরং এবার থেকে তোমার একটা ভাল ছবি দিয়ে যেয়ো, স্টাফরুমে টাঙিয়ে রাখব। ছেলেমেয়েরা এলে দেখিয়ে দেব ছবিটা।

হেসে হেসেই বলছে নির্মল, সুরটাও তরল, তবু দীপেন যথেষ্ট আহত হয়েছে। গোমড়া মুখে বলল, —আমাদের অ্যাটেন্ডেন্স দেখার জন্য প্রিন্সিপাল আছেন নির্মলদা।

—হুম। তিনিও তো জানেন কোথায় চোখ বুজে থাকতে হয়। তুমি হচ্ছ বড় নাও-এর মাঝি, তোমাকে কি পুলকেশ কুন্ডু চটাতে পারে? তবে আমরা তো দীন অভাজন, আমাদের জানতে ইচ্ছে করে বিশ্ববিদ্যালয়ের পাঁচ দিন পাঁচ ঘণ্টা আইন নেতাদের ক্ষেত্রে খাটে কিনা।

দীপেন আরও গোমড়া। আড়চোখে সোমনাথকে দেখে নিয়ে বলল, —আমি আজ সি-এল নিয়ে নেব।

—নিয়ো কিন্তু। নির্মল হা হা হাসছে, —ভুল করে সই মেরে বোসো না।

দীপেনের মুখ আমসি। গত এপ্রিলে একদিন কলেজে না এসে সই মেরেছিল দীপেন, নির্মলের নজর এড়ায়নি, অনেককেই দেখিয়েছিল ডেকে। লজ্জা পেয়ে দীপেন সইটা কেটে দিয়েছিল। মুখফোঁড় নির্মল সেটাও শোনাতে ছাড়ল না। পারেও বটে।

সোমনাথ টানল নির্মলকে, —অ্যাই, চলো তো। এবার কিন্তু সত্যিই ট্রেনটা মিস করব।

নির্মল ঘড়ি দেখে বলল, —হ্যাঁ, তাই তো। ...চলি দীপেন।

দীপেন বুঝি হাঁপ ছেড়ে বাঁচল। পা রেখেছে করিডোরে।

একটু গিয়েও নির্মল ঘুরে দাঁড়িয়েছে, —দীপেন? অ্যাই দীপেন? চপলানন্দতে সেমিনারের টপিকটা তো বললে না? কোন কুমিরছানাটা দেখাচ্ছ? সাম্রাজ্যবাদ? না সাম্প্রদায়িকতা?

দীপেন এগিয়ে এল। গুমগুমে গলায় বলল, —আমাদের কি

আর কোনও বিষয় নেই?

—আছে?

—অবশ্যই। এবার আলোচনা হবে বিশ্বায়নের পটভূমিতে শিক্ষকদের কী ভূমিকা হওয়া উচিত, তাই নিয়ে।

—বাহ্, আর একটা কুমিরছানা আমদানি করেছ তো! এবার বুঝি এটাকেই কিছুদিন খেলাবে? ...তা নতুন নতুন ইঞ্জিনিয়ারিং কলেজগুলোতে যে বকলমে ক্যাপিটেশান ফি চালু হয়ে গেল, তাই নিয়ে বক্তব্য থাকবে তো শিক্ষকদের? তোমাদের বিশ্বায়নের পরিপ্রেক্ষিতে?

—সে আমি কী করে জানব? বক্তারা যা বলবে।

—এমন বক্তা আছে তাহলে যাদের বক্তব্য তোমরা আগে থেকে জানো না?

—আপনি বড্ড বেঁকিয়ে বেঁকিয়ে কথা বলেন নির্মলদা। ধরেই নিচ্ছেন কেন সবাই আমাদের লাইনেই কথা বলবে? সমিতি মোটেই পার্টিজান নয়, আমরা সব্বাইকে নিয়ে চলি।

—তা তো বটেই। সব লাইনের শিখণ্ডীই তো আমাদের সমিতিতে খাড়া করা আছে। বাম, ডান, অতি বাম, অতি ডান, মধ্যপন্থী, মৃদুপন্থী... গুদামে সব্বাই মজুত। শুধু ঠুলিপরা ঘোড়ার লাগামটা তোমাদের হাতে। তোমরা খাচ্ছ ক্ষীর, বাকিরা তোমাদের আঙুল চেটেই খুশি। কিছু মনে কোরো না, তোমাদের দোষ দিচ্ছি না। অন্যরা তোমাদের জায়গায় এলে তোমাদের মতোই গুলি ফোলাবে। রাদার দে উইল বি মোর ফেরোশাস। সেই আতঙ্কেই না তোমাদের আমরা মাথায় করে রেখেছি!

আবার নির্মল চড়ছে। নির্মলকে ফের টানল সোমনাথ, —তুমি যাবে? না আমি এগোব?

নির্মলের সংবিৎ ফিরেছে, —হ্যাঁ, চলো চলো।

কলেজ গেটের বাইরে এসে চটপট রিকশা নিল সোমনাথ। নির্মলকে বিশ্বাস নেই, আবার এক্ষুনি ক্যারা নড়ে উঠবে, ওমনি

১৭

ছুটবে দীপেনকে খেপাতে। পারেও বটে!

রিকশা চলছে। মফস্সল টাউনের বুক চিরে। একসময়ে জায়গাটা বেশ ফাঁকা ফাঁকা ছিল। গত ছ'-সাত বছরে দোকানপাট গজিয়েছে অজস্র। লোকজনও বেড়েছে। পথচারীদের সামলে সুমলে এগোচ্ছে বুড়ো রিকশাওয়ালা। সামনে টানা ঝিল পড়ল। স্নিগ্ধ সবুজ জল, চোখ জুড়িয়ে যায়।

সোমনাথ ঘাড় তুলে আকাশটাকে দেখল একঝলক। শেষ আষাঢ়ের ঘন আকাশ। কাল রাত্তিরেও বৃষ্টি হয়েছিল জোর, আজ দিনভর জিরিয়ে নিয়ে ফের বুঝি মাঠে নামার জন্য কোমর বাঁধছে মেঘবাহিনী। সোমনাথের আবছাভাবে মনে হল বরানগরে তুতুলদের পাড়ায় বড্ড জল জমে, সোমনাথ গিয়ে আটকে যাবে না তো?

কানের পরদায় নির্মলের নিচু গলা, —দীপেনটা আজ জোর বেঁচে গেল। ওকে আর একটু ঝাড়ার ইচ্ছে ছিল।

সোমনাথ হাসল, —তুমি দীপেন বেচারাকে এত হ্যাটা করো কেন বলো তো?

—ওদের দ্বিচারিতাটা আমার সহ্য হয় না। মুখে বড় বড় আদর্শের বুলি কপচাবে, কিন্তু কাজের বেলায় ফাঁকিবাজদের শিরোমণি। এবং ধান্দাবাজ। সব সময়ে লাইন করে চলেছে কী ভাবে কিছু একটু বাগানো যায়। তুমি তো জানো না ও ব্যাটা কলকাতায় ইতিহাসের একটা অ্যাডভান্স স্টাডি সেন্টারের মাথায় বসার জন্য ইদানীং তুড়ে লাইনবাজি চালাচ্ছে। দেখে নিয়ো, উইদিন টু ইয়ারস দীপেন উইল লিভ আওয়ার কলেজ। অথচ তুমি শুনে অবাক হবে, এই দীপেন কিন্তু কলেজ লাইফে সম্পূর্ণ বিপরীত মেরুর রাজনীতির ছেলে ছিল।

—কী করা যাবে বলো, এটাই এখন যুগের ধারা।

—আমরা অ্যালাও করেছি বলেই ধারাটা এমন হয়েছে। সর্বংসহা ধরিত্রীর মতো আমরা শুধু সয়ে যাচ্ছি।

১৮

—তুমি আর সইছ কোথায়? অবিরাম চেঁচাচ্ছ তো।

—চেঁচানিটুকুই সার। কে শোনে? এখন একার চেঁচানো হাওয়ায় উড়ে যায়। চিৎকার করার জন্যও এখন একটা দল লাগে।

— তা দল একটা গড়ে ফ্যালো। অল বেঙ্গল চিৎকার সমিতি।

—আওয়াজ মারছ? ভাল মতোই জানো ওই ধরনের দলে আমার বিশ্বাস নেই। এখন দল মানে তো অন্ধত্ব। একটা ডগ্মা খাড়া করে গ্রুপবাজি। নির্মল ফের একটা সিগারেট ধরাল। হাওয়া বাঁচিয়ে। কায়দা করে। পোড়া দেশলাই কাঠিটা টোকা মেরে ফেলে দিয়ে বলল, —তবে একটা সিদ্ধান্ত আমি নিয়ে ফেলেছি। আমি আর কোনও দলেফলে নেই। সমিতিকেও আর চাঁদা দেব না। দীপেন চাইতে এলে ওর ধুধ্ধুড়ি নেড়ে দেব।

—দিয়ো।

—তুমি নিশ্চয়ই আমার সঙ্গে একমত নও?

—আমাকে আবার জড়াচ্ছ কেন? তোমার এখনও সাড়ে তিন বছর চাকরি আছে, আমার সামনে রিটায়ারমেন্ট...

—তাই ঝুটঝামেলা এড়াতে চাও? শনিঠাকুরের প্রণামীর বাকসে সিকিটা আধুলিটা ফেলে দেবে... শনিঠাকুর তুষ্ট হলেন তো ভাল, নইলে অন্তত যেন কুপিত না হন তিনি।

সোমনাথ মনে মনে বলল, সে তুমি যাই ভাবো, তুমি আর আমি তো এক নই নির্মল। হাতের পাঁচটা আঙুলই সমান হয় না, সব মানুষ এক মাপের হবে কী করে? তোমার মতো বুক ফুলিয়ে চলার কথা ভাবলেই যে আমার হাত-পা কাঁপতে থাকে। তা ছাড়া তোমার বউ চাকরি করে, ছেলে দাঁড়িয়ে গেছে, মাথার ওপর কোনও দায়দায়িত্ব নেই, দেনা নেই, তোমার সঙ্গে আমার তুলনা চলে? চারদিকে এমন মিডিয়ার হল্লাগুল্লা উঠল, আমি টিউশ্যনিগুলো পর্যন্ত ছেড়ে দিলাম, এখন তো আমায় প্রতিটি পা সতর্কভাবে ফেলতে হবে, নয় কি?

১৯

স্টেশন এসে গেছে। প্ল্যাটফর্মে ঢুকে চটপট দু'ভাঁড় চা নিল নির্মল। শেষ চুমুক দেওয়ার আগেই ট্রেন হাজির। চারটে চোদ্দো চারটে চৌত্রিশে ঢুকছে। এখনও ট্রেনে ভিড় হয়নি তেমন, বসার জায়গা না মিললেও শান্তিতে একটু দাঁড়ানো গেল। মাত্র চার-পাঁচটা তো স্টেশন, এটুকু পথ দাঁড়িয়ে থাকতে কী বা কষ্ট!

নির্মল নামল দমদম ক্যান্টনমেন্টে। আপাত দৃষ্টিতে নির্মলকে খানিক বেহিসেবি মনে হয় বটে, আদতে সে রীতিমতো গোছানো মানুষ। চাকরি পাওয়ার সাত-আট বছরের মধ্যে ক্যান্টনমেন্ট স্টেশনের কাছে দিব্যি একটা প্লট কিনে ফেলেছিল, চমৎকার একটা বাড়িও বানিয়ে ফেলেছে। তুলনায় অনেক সতর্ক অনেক হিসেবি সোমনাথ তো যাকে বলে একজন দ-এ পড়া মানুষ। সাতচল্লিশ বছর বয়সে সাতশো তিরানব্বই স্কোয়্যার ফিটের ফ্ল্যাট কিনে আজ নাভিশ্বাস উঠছে সোমনাথের। এখনও আটটা কিস্তি বাকি, টানতে হবে সেই সামনের এপ্রিল পর্যন্ত। চাকরিজীবনের ক'টা দিনই বা সে অঋণী হয়ে কাটাতে পারবে?

এইসব টুকরোটাকরা দীর্ঘশ্বাসের মাঝে ট্রেন ঢুকছে দমদমে। ফোলিওব্যাগ সাপটে ধরে নেমে পড়ল সোমনাথ। প্ল্যাটফর্মের বাইরে আসতে না আসতেই বৃষ্টি। মোটা মোটা দানা ঝরছে টুপটাপ। হাওয়াও উঠল একটা। শিরশিরে। শীতল।

দু'-চার মিনিটের মধ্যেই তেজ বাড়ল বর্ষণের। বিদ্যুৎ চমকাচ্ছে। বাজ পড়ছে। উদ্দাম ছুটন্ত জলকণায় পথঘাট ধোঁয়া ধোঁয়া।

সোমনাথ প্রায় পঁয়তাল্লিশ মিনিট ঠায় একটা দোকানের শেডে দাঁড়িয়ে রইল। বরানগর যাওয়ার আর প্রশ্নই নেই, বৃষ্টি একটু ধরতেই রিকশা নিয়ে সোজা বাড়ি। হুড তুলে দিয়েছে রিকশার, প্লাস্টিকের পরদা নামানো, তবু সোমনাথ ভিজেমিজে একসা।

সোমনাথের ফ্ল্যাটখানা তিনতলায়। দরজা খুলেছে মৃদুলা। সোমনাথকে ঝলক দেখে ধমকের সুরে বলল —ছাতা নিয়ে যেতে কী হয়?

সোমনাথ জুতো ছাড়তে ছাড়তে বলল, —এই বৃষ্টি ছাতায় আটকায় না।

—তবু লোকে বর্ষাকালে একটা রাখে সঙ্গে। তুতুলের দেওয়া ফোল্ডিং ছাতাটা তো ব্যাগেই রেখে দিতে পারো।

ওরেব্বাস, ওটা যা দামি! হারিয়ে গেলে তুমি আস্ত রাখবে? মনে এলেও কথাটা অবশ্য মুখে আনল না সোমনাথ। মৃদুলার কাঠ কাঠ বাক্য বলে দিচ্ছে আজ গিন্নির মেজাজ ভাল নেই।

মৃদুলা চা বানিয়ে ফেলেছে। বাথরুম ঘুরে সোমনাথ ডাইনিং টেবিলে এল। সঙ্গে সঙ্গে কর্ণকুহর বিদীর্ণ করে মাইকে গান বেজে উঠেছে। চটুল হিন্দি সংগীত।

সোমনাথ বিরক্ত মুখে বলল, —এ আবার কী আরম্ভ হল?

—কী-একটা পুজো। মনসা না শীতলা। পেছনের বস্তিতে। চিঁড়েভাজার বাটি এগিয়ে দিল মৃদুলা, —সকাল থেকেই তো চলছে। বৃষ্টিতে একটু দমেছিল, আবার...। দশ টাকা চাঁদা নিয়ে গেছে, মনে নেই?

—তার জন্য আমাদের দিকে মাইক ফিট করে দেবে?

—তোমার মনোরঞ্জন করছে।

—ওফ্, যন্ত্রণা!

—গিয়ে বলে এসো না কমাতে। যদি তোমার কথা শোনে। ব্যঙ্গ করছে মৃদুলা। জানে সোমনাথ কিছুই পারবে না।

চায়ে চুমুক দিয়ে মৃদুলা ফের বলল, —মিতুল গিয়েছিল। মোড়ের ছেলেদের বলতে। তারা স্ট্রেট বলে দিল, গরিব ছেলেগুলো একটা দিন ফুর্তিফার্তা করছে...। সব সমান। সব সমান। তারাও তো এসে পার্টির নাম করে মাসে মাসে বিল ধরিয়ে যাচ্ছে!

২১

সোমনাথ চুপ মেরে গেল। চিঁড়েভাজা খুঁটতে খুঁটতে ঘোরাল প্রসঙ্গটাকে, —মিতুল কোথায়?

—পড়াতে গেছে।

—এই বৃষ্টিতে বেরোল?

—আগেই বেরিয়েছে। মেঘ দেখে বারণ করেছিলাম, শুনলই না। তারও তো আজ ফুর্তির প্রাণ...

—ফুর্তি কীসের?

—তার আজ অ্যাপয়েন্টমেন্ট লেটার এসেছে। স্কুল সার্ভিস কমিশানের।

—তাই নাকি? স্পনসর লেটার এসে গেল? আগে বলবে তো! মিইয়ে যাওয়া সোমনাথ সহসা উজ্জীবিত, —কোথায় দিল পোস্টিং?

—মাটিকুমড়া বালিকা বিদ্যালয়।

—ক্‌ক্‌কী?

—মা-টি-কু-ম-ড়া।

—সেটা আবার কোথায়?

—কী করে বলব? হবে কোনও গণ্ডগ্রাম। মৃদুলা ঝনঝনিয়ে উঠল।—কবে থেকে তোমায় বলছি, মেয়েটার ইন্টারভিউ হয়ে গেল, এবার একটু ধরাকরা করো...।

—কাকে ধরব? কোথায় চেনাজানা আছে আমার? সোমনাথের ভুরুতে ভাঁজ পড়ল, —জায়গাটার লোকেশান দেওয়া নেই?

—আছে। থানা বামুনঘাটা। পোস্ট মুন্সিডাঙা।

—বামুনঘাটা? সে তো বিস্তর দূর। নাগেরবাজার থেকে বাসে কম করে দু'ঘণ্টা।

—ট্রেন রুট নেই?

—জানি না ঠিক। দেখতে হবে। সোমনাথকে ভারী উদ্বিগ্ন দেখাল, —মিতুলের কী রিঅ্যাকশান?

—বললাম তো। সে নাচছে। অচেনা অজানা জায়গা দেখে

কোথায় ঘাবড়ে যায় মানুষ...! কালই তো বোধহয় ডি-আই অফিস ছুটবে।

মাইকের ঝংকার আছড়ে পড়ছে কানে। ঝিমঝিম করছে মাথা। সোমনাথ চুল খামচে ধরল। আবার একটা টেনশান? কোনও মানে হয়?

॥ দুই ॥

দুপুরের ভাতঘুমটি সেরে বেরোনোর জন্য সাজগোজ করছিল তুতুল। তখনই ফোনটা বেজে উঠল। এই অসময়ে কার বংশীধ্বনি? প্রতীক নাকি?

মহার্ঘ ক্রেপ সিল্কের আঁচল সামলাতে সামলাতে তুতুল বিছানা থেকে তুলল কর্ডলেসখানা, —হ্যালো?

—আমি কি মিসেস অনন্যা চ্যাটার্জির সঙ্গে কথা বলতে পারি?

—আমিই মিসেস চ্যাটার্জি। বলুন?

—গুড আফটারনুন ম্যাডাম। আমার নাম সুদেব সামন্ত। আপনার সঙ্গে লাস্ট মানডে আমার ব্যাঙ্কে দেখা হয়েছিল। আপনি বলেছিলেন পরে ফোন করতে। রিগার্ডিং ক্রেডিট কার্ড।

মনে পড়েছে। সেই কালো মতন স্মার্ট ছেলেটা। মুখে টকাটক ইংরিজির খই ফোটাচ্ছিল। কিন্তু সেদিনই তো তুতুল হাবেভাবে বুঝিয়ে দিয়েছিল সে ক্রেডিট কার্ডে আগ্রহী নয়! তবু ছেলেটা হাল ছাড়েনি, লেগে আছে পিছনে! বেচারা। ক'টাকা কমিশানের জন্য কী মরিয়া!

তুতুল নির্লিপ্ত স্বরে বলল, —সরি। আয়াম নট ইন্টারেস্টেড।

—আমাদের কিন্তু একটা ভাল স্কিম চলছিল ম্যাডাম। কার্ড

করলে ফার্স্ট ইয়ারের জন্য নো অ্যানুয়াল চার্জ। প্লাস আপনি পাচ্ছেন হানড্রেড রিওয়ার্ড পয়েন্টস্। প্লাস ইউজুয়াল ফেসিলিটিজ। ভেবে দেখুন, আজকের দিনে পথেঘাটে টাকা ক্যারি করা কত আনসেফ। অথচ কার্ড সঙ্গে থাকলে ইউ ক্যান হ্যাভ এনিথিং ইউ লাইক।

—আপনি মিছিমিছি সময় নষ্ট করছেন। বললাম তো, করাব না।

—আমাদের ইনস্ট্যান্ট লোন ফেসিলিটিজও আছে ম্যাডাম। ছেলেটা শুনছে না, উগরে যাচ্ছে নিজের বক্তব্য, —ওভার ফোন রিকোয়েস্ট করলেই উইদিন টোয়েন্টিফোর আওয়ারস্ আপনার হাতে ড্রাফট পৌঁছে যাবে।

—বলছি তো লাগবে না। সরি।

রুক্ষ্মভাবে কথাটা ছুড়েই ফোন কেটে দিল তুতুল। হুঁহ, লোভ দেখায়। তুতুলের বাবা ক্যাশই ভাল। ব্যাগে গোছা গোছা নোট নিয়ে না বেরোতে পারলে মার্কেটিংয়ে সুখ কোথায়! ফের ড্রেসিং টেবিলের সামনে ফিরল তুতুল। ন্যাচারাল শাইন বিদেশি ওষ্ঠরঞ্জনী বোলাচ্ছে পাতলা ঠোঁটে। মোম মসৃণ নিটোল মুখখানা দেখতে দেখতে ভ্রূভঙ্গি করল আপন মনে। ক্রেডিট কার্ডে কিনলেই তো চুকে গেল না, পেমেন্ট তো করতে হবে চেকেই। বেশি চেক চালাচালি পছন্দ করে না প্রতীক। কী সব অ্যাসেট স্টেটমেন্টের ঝামেলা ফামেলা আছে বেচারার। টাকা যখন আছেই, কেন ফালতু ঝঞ্ঝাটে যাবে?

তুতুলের রূপটান প্রায় শেষ। এবার ফিনিশিং টাচ। প্লাক করা ভুরুর ওপর আঙুল বোলাল আলতো করে, কম্প্যাক্টের পাফ আলগা থুপল গালে কপালে, ডিওডোরেন্ট ছড়াল বাহুসন্ধিতে, স্তনের খাঁজে, ঘাড়ে গলায়। ব্যস, সে এখন অপরূপা।

ঝুঁকে শাড়ির কুঁচি ঠিকঠাক করছিল, হুড়মুড়িয়ে ঘরে রুপাই। পরিপূর্ণ উদোম, গায়ে খাবলা খাবলা বেবিপাউডার। পিছন থেকে মাকে বেড় দিয়ে ধরে হাসছে খিলখিল।

চম্পাও এসেছে পিছন পিছন,—দ্যাখো না বউদি, কিছুতেই ডায়াপার পরছে না।

তুতুল আহ্লাদি গলায় বলল,—অমন করে না সোনা, লক্ষ্মীটি। আমরা বেই বেই যাব।

—না। পুচকে রুপাই জোরে জোরে মাথা ঝাঁকাল,—আমাল দলম লাগে। বলেই হাত ছুড়ে ছুড়ে চম্পাকে তাড়াচ্ছে,—যাহ্, যাহ্...

—আচ্ছা বাবা আচ্ছা। তুতুল হেসে ফেলল,—জামাপ্যান্টটা দে, আমি পরিয়ে দিচ্ছি।

—ডায়াপার পরাবে না? বৃষ্টিবাদলার দিন, শুশু করে ভাসাবে যে!

—ব্যাগে গোটা পাঁচেক প্যান্ট নিয়ে নে। বোতলে দুধ ভরেছিস? জল?

—সব রেডি।

—এবার তুই রেডি হ চটপট।

চম্পা বেরিয়ে যেতেই ছেলেকে পেড়ে ফেলল তুতুল। রুপাই একটু মুক্তপুরুষ ধরনের, গায়ে সুতোটি পর্যন্ত রাখা পছন্দ করে না, রীতিমতো কসরত করে প্যান্ট পরাল তাকে, যুদ্ধ করে জামা। বারবার পিছলে পিছলে যাচ্ছে ছেলে, তাকে সভ্যভব্য করতে গিয়ে তুতুলের যত্নের সাজ লন্ডভন্ড হওয়ার জোগাড়। উফ, প্রতীকের মতো শান্ত বাপের ছেলে কী করে যে এমন দুরন্ত হল! শাশুড়ি তো বলেন ছোটবেলাতেও প্রতীক নাকি খুব নিরীহ গোছের ছিল, কোথাও বসিয়ে দেওয়া হল তো বসেই আছে, বসেই আছে ঘণ্টার পর ঘণ্টা। শাশুড়ির অবশ্য একটু রং চড়ানোর অভ্যেস আছে, বিশেষত ছোটছেলের বেলায়। বেশি বয়সের সন্তান তো, তাই বুঝি মাত্রাজ্ঞান থাকে না। তবে প্রতীক যে মোটামুটি ধীরস্থির ছিল তা অবশ্য এখনও আন্দাজ করা যায়। কথা বলে কম, তেমন একটা উচ্ছ্বাস নেই, ছটফটানি নেই, হাহা হাসে না...। তবে কথার ওজন আছে।

২৫

এখনও তুতুলের মনে গেঁথে আছে প্রথম আলাপের দিনটা, যেদিন দিদি-জামাইবাবুর সঙ্গে তাকে দেখতে গিয়েছিল প্রতীক। আগেই তুতুল শুনেছে ছেলে লেখাপড়ায় খুব ব্রিলিয়ান্ট, এম-এ-তে ফার্স্ট ক্লাস, মাত্র বত্রিশ বছর বয়সেই একটা প্রোমোশান পেয়ে মোটামুটি ভারী গোছের গেজেটেড অফিসার, কিন্তু তখনও তুতুল অজস্র দ্বিধাদ্বন্দ্বে। একান্ত কথোপকথনের সামান্য সুযোগ মিলেছিল সেদিন। প্রতীক তখনই শান্ত স্বরে বলেছিল, আমি কিন্তু বিশাল মাপের মানুষ কিছু নই। নিতান্তই অ্যাভারেজ। গুণে। দোষে। শুধু এটুকুই কথা দিতে পারি, আমাকে বিয়ে করলে তুমি ঠকবে না। কী যেন এক জাদু ছিল কথাটায়, পলকে ঘুচে গেল তুতুলের দোলাচল।

সেই মানুষের ছেলে রুপাই জুতো গলিয়ে ধাঁ। সারা বাড়ি ছুটে বেড়াচ্ছে। তুতুলও উঠে পড়ল। ভ্যানিটিব্যাগ কাঁধে ঝুলিয়ে শাশুড়ির দরজায় এসেছে। সুসজ্জিত দু'কামরার ফ্ল্যাটে এই ঘরখানা মাপে অপেক্ষাকৃত ছোট, তবে নেহাত খুপরি নয়। সিংগলবেড খাট আলমারি আলনা ফেলার পরেও যথেষ্ট ফাঁকা ফাঁকা লাগে। এক কোণে স্ট্যান্ডে শোভা পাচ্ছে কালার টিভি। চোদ্দো ইঞ্চির। গত বছর কিনে দিয়েছে প্রতীক। মায়ের নিজস্ব পছন্দসই প্রোগ্রাম দেখার জন্য।

ওই টিভিতেই শেফালি মগ্ন এখন। বাংলা ফিল্ম দেখছে। উত্তম সাবিত্রী। দরজায় পুত্রবধূকে দেখে প্রশ্ন করল,—বেরোচ্ছ নাকি?

—হ্যাঁ। বাপের বাড়ি যাচ্ছি। বৃষ্টি এলে জানলাটানলাগুলো বন্ধ করে দেবেন।

—চম্পাকেও নিয়ে যাচ্ছ?

—তো রুপাইকে কে সামলাবে?

—ও। শেফালির মুখ সামান্য ভার দেখাল,—বিকেলে রুণুর বাড়ি যাব ভাবছিলাম...

তুতুল মনে মনে বিরক্ত হল। যত তোলা তোলা করে রাখা

২৬

হয়, তত বায়নাক্কা বাড়ে। সপ্তাহে দু'দিন-তিন দিন তো মেয়ের বাড়ি ছুটছে, তবু যেন আশ মেটে না। কী এত টান সেখানকার? ঘোঁট? তুতুলকে নিয়ে? তাই হবে। মনের সুখে ছেলের বউয়ের নিন্দে না করলে কি পেটের ভাত হজম হয়! প্লাস, চলবে রিপোর্টিং। আজ তুতুল এই কিনল, কাল তুতুল ওই কিনল...! ননদই ছোটভায়ের বিয়ের মূল হোতা ছিল বটে, কিন্তু এখন প্রতীক-তুতুলের সুখসমৃদ্ধি দেখে তারও বেশ চোখ টাটায়। তুতুল হাবেভাবে টের পায়। নাহ্, ও বাড়িতে শাশুড়ির যাওয়াটা এবার বন্ধ করতে হবে।

তুতুল গলা ভারী করে বলল,—অন্য দিন যাবেনখন। সুষমা এলে রাত্তিরের রান্না ঠিকঠাক করিয়ে রাখবেন। রুটি আপনাদের দু'জনের মতো হবে। আপনি, আর আপনার ছেলে। আর হ্যাঁ, উলটোপালটা লোককে দরজা খুলবেন না।

শুভ্রবসনা শেফালি ঈষৎ কম্পিত গলায় বলল,—খুলি না তো।

—কেন মিথ্যে বলছেন মা? কালই তো আপনি উটকো সেল্সম্যানের কাছ থেকে দু'দুটো ফিনাইল কিনেছেন।

—তখন তো চম্পা বাড়িতে ছিল। ফিনাইলের সঙ্গে একটা বালতি দিল বলে...

—ওই বালতিতে হবেটা কী? থুতুও ফেলা যাবে না। সংসারের জিনিস কেনার আপনার দরকারটাই বা কী? কোনটা আসে না বাড়িতে? শুধু শুধু অপচয়।

থমকে গেল শেফালি। মুখ বুজে আছে।

রুপাইয়ের হাত ধরে চম্পা সমভিব্যাহারে বেরিয়ে পড়ল তুতুল। শাশুড়িকে খানিক ঝাড়তে পেরে মনটা বেশ ফুরফুরে হয়ে গেছে। মহিলাকে মাঝে মাঝেই স্মরণ করিয়ে দেওয়া দরকার কে এই সংসারের আসল কর্ত্রী। ছোটছেলে কাছে এনে রেখেছে, যথেষ্ট খাতিরযত্ন করা হয়, বুড়ো বয়সে দুধটা ঘিটা ফলটা মাখনটা কোনও কিছুরই কমতি নেই, তা বলে তো

২৭

মাথায় বসতে দেওয়া যায় না!

তুতুলদের হাউজিং কমপ্লেক্সটা আয়তনে বিশাল। চারদিকে খানিকটা করে ফাঁকা জায়গা রেখে মাথা তুলেছে এগারোটা পাঁচতলা বাড়ি। নীচের জমিতে কিছু গাছপালাও লাগিয়েছে প্রোমোটার, বানিয়েছে মনোরম সবুজ লন। সঙ্গে একটা মিনি চিলড্রেনস পার্কও। সন্ধে হলেই জ্বলে ওঠে সারি সারি হ্যালোজেন বাতি, আলোয় আলোময় হয়ে ওঠে গোটা কমপ্লেক্স।

ভেতরের পরিবেশ যতই দেখনবাহার হোক, এই অঞ্চলটা মোটেই পছন্দ নয় তুতুলের। শহরের এদিকটা যা ঘিঞ্জি। বাড়ির গায়ে বাড়ি, সরু সরু রাস্তা, মলিন দোকানপাট, বড্ড বেশি ধুলোময়লা, যানবাহনের উৎকট কোলাহল...কেমন বাজার বাজার লাগে। তার ওপর কাছেই ননদের বাড়ি, সেটাও একধরনের উৎপাত। বিয়ে দিয়েছে বলে মাঝেমাঝেই এসে গার্জেনি ফলিয়ে যায় দিদি। উফ্, কেন যে প্রতীক জামাইবাবুর কথা শুনে এইখানেই ফ্ল্যাটটা কিনেছিল! আর কি জায়গা ছিল না কলকাতা শহরে? প্রথম সুযোগেই তুতুলকে এ তল্লাট ছেড়ে সরে পড়তে হবে।

গেটের বাইরে এসে তুতুল দাঁড়িয়ে পড়ল। ট্যাক্সি চাই। আজকাল এই এক অভ্যেস হয়েছে, বাস মিনিবাসে আর উঠতেই পারে না। ঠেলাঠেলি আর ভিড়ের কথা ভাবলেই বুক ধড়ফড় করতে থাকে। প্রতীকই করিয়েছে অভ্যেসটা। রুপাই পেটে আসার পর থেকে তার কড়া নির্দেশ, হয় ট্যাক্সি চড়ো, নয় ভাড়ার গাড়ি, নো বারোয়ারি যানবাহন।

হাত তুলে একটা ট্যাক্সি থামাল তুতুল। গন্তব্যস্থল দমদম শুনেই হলদে-কালো ধাঁ। পরেরটাও তথৈবচ, তার পরেরটাও। তুতুলের মেজাজ তেতো মেরে গেল। পয়সা ফেলে ট্যাক্সিতে চড়ব, তাও কী রকম রোয়াব দেখায় দ্যাখো! এইসব অভদ্র ট্যাক্সিঅলাগুলোকে ঘাড় ধরে গারদে পুরে দেওয়া উচিত। কী করে যে সওয়ারি প্রত্যাখ্যান করার মতো বেআইনি কাজ

করেও এরা বুক ফুলিয়ে ঘুরে বেড়ায়!

একপাশে ঝোলাকাঁধে চোদ্দো বছরের চম্পা, অন্য হাতে রুপাই, দু'জনকে নিয়ে তুতুল ছোটাছুটি করল খানিক। সপ্তম প্রচেষ্টায় ভাগ্য খুলেছে। অবশেষে দর্শন মিলল দয়ালু ট্যাক্সিঅলার। রুপাই-চম্পাকে নিয়ে পিছনের সিটে গুছিয়ে বসল তুতুল। ব্যাগ থেকে মিহি সুগন্ধি টিস্যুপেপার বার করে ঘাম মুছছে নিজের, মুছিয়ে দিল ছেলের মুখও। বড্ড ভ্যাপসা গরম আজ। সকাল থেকে বৃষ্টি নেই বলেই বোধহয় বাতাস বড় বেশি আর্দ্র। পুঞ্জ পুঞ্জ মেঘে ভারী হয়ে আছে বিকেল। কে জানে সন্ধেবেলা কালকের মতো ঢালবে কিনা।

ঢিকিয়ে ঢিকিয়ে চলেছে ট্যাক্সি। জ্যামে ঠোক্কর খেতে খেতে। সিঁথির মোড়ে এসে ড্রাইভারকে একটু দাঁড়াতে বলল তুতুল। নেমে বড় দোকান থেকে রাবড়ি কিনে নিল এক কেজি। একদম খালি হাতে বাপের বাড়ি যেতে আজকাল কেমন বাধো বাধো ঠেকে। মনে হয় নিজের সুখটুকু বুঝি পুরোপুরি দেখানো হচ্ছে না।

আবার ট্যাক্সি নড়ে উঠতেই ভ্যানিটিব্যাগে বাজনার সুর। চটপট চেন খুলে সেলফোনখানা বার করল তুতুল। জন্মদিনের উপহার। গত মাসেই দিয়েছে প্রতীক। পারলার, মার্কেটে যেখানেই থাকুক না কেন তুতুল, অন্তত রুপাইয়ের খোঁজখবরটা তো রাখতে পারবে।

চোখ কুঁচকে নম্বরটা দেখে নিয়েই তুতুল কানে চেপেছে খুদে টেলিফোন,—তুমি?

ও প্রান্তে প্রতীকের ঠান্ডা স্বর—বাড়িতে করেছিলাম। মা বলল তোমরা বেরিয়ে পড়েছ...

—হুঁ। এখন ট্যাক্সিতে। তুতুল গলা নামিয়ে ঠাট্টা জুড়ল,—হঠাৎ ফোন কেন? প্রেমালাপ করার শখ জাগল নাকি?

প্রতীক যেন শুনতেই পেল না। একই রকম স্বরে বলল,—এক ভদ্রলোক এসেছেন অফিসে। আমার চেম্বারেই রয়েছেন।

পার্ক স্ট্রিটের এক নামকরা অকশন শপের মালিক। ওঁর দোকানে নাকি ভাল ভাল ঝাড়লণ্ঠন এসেছে। পাথুরিয়াঘাটার সিংহবাড়ির।... তুমি তো ড্রয়িংহলের জন্য একটা ঝাড়লণ্ঠনের কথা বলছিলে সেদিন। গিয়ে দেখবে?

—ধ্যাৎ। বনেদি বাড়ির পেল্লাই মাল আমাদের ফ্ল্যাটে ধরবে কেন?

—ডিফারেন্ট সাইজ আছে। সরেজমিন করেই এসো না, যদি কোনওটা পছন্দ হয়ে যায়...

—কী রকম দাম? অনেক, তাই না?

—ওটা তো তোমার ভাবার কথা নয়।... কবে যাবে? কাল? পরশু? মিস্টার দত্ত তা হলে সেদিন প্রেজেন্ট থাকবেন।

—তুমি বলো কবে যাব?

—কালই চলো। কাল অমাবস্যা, ওখান থেকে একবার কালীঘাটেও ঘুরে আসব। একসঙ্গে তো অনেকদিন মন্দির যাওয়া হয়নি।

—বেশ। তাই চলো।

—ও কে। ছাড়ছি।

প্রতীক টেলিফোন ছাড়ার পরে মনে মনে খানিক হাসল তুতুল। মুখে প্রেমের কথা বলে না বটে, তবে তুতুল কোন ক্ষণে কী একটা চেয়েছে ঠিক মগজে ভরে রেখে দেয় প্রতীক। তারপর থেকেই বুঝি তক্কে তক্কে ছিল কখন একটা মুরগি ফাঁদে পড়ে। অ্যাসিস্ট্যান্ট কমিশনার প্রতীক চ্যাটার্জি সাহেবের কাছ থেকে কি হাত পেতে দাম নিতে পারবে নিলাম ঘরের দত্ত! আর ওই যে একসঙ্গে মন্দিরে যাওয়ার বাসনা প্রকাশ করল, ওটাও তো ভালবাসা। নিয়ম করে প্রতি সপ্তাহে অন্তত একবার কালীঘাট, ঠনঠনে, দক্ষিণেশ্বর ছোটে প্রতীক, তবে বউ সঙ্গে থাকলে পুণ্যটা বুঝি তার আরও বেশি হয়। পুণ্য? না তৃপ্তি? প্রতীক বলে, সংসার আমাদের দু'জনেরই, একসঙ্গে দু'জনে মা'র সামনে হাত জোড় করে দাঁড়ালে প্রার্থনার জোর আরও

বাড়ে। মুখে যাই বলুক, আসলে জীবনের প্রতিটি পদক্ষেপেই তুতুলকে ভীষণভাবে পাশে চায় প্রতীক। তুতুল জানে।

পুলকিত মুখে রুপাইয়ের গাল টিপল তুতুল, —কার ফোন ছিল বলো তো রুপাইবাবু?

রুপাইয়ের মধ্যে তেমন ঔৎসুক্য দেখা গেল না। তার চোখ ছোট হয়ে এসেছে, ঘাড় কাত হচ্ছে ক্রমশ।

চম্পা বলল, —ওর দম শেষ বউদি। এক্ষুনি ঘুমোবে।

—না রুপাই, না। ঘুমোয় না। আমরা এক্ষুনি দমদম পৌঁছে যাব। এই তো ছানাপট্টি এসে গেছে, এবার লাইনটা পেরোব, মাথার ওপর দিয়ে ট্রেনগাড়ি যাবে...। দমদমে দাদুন আছে, দিদুন আছে, মাসিমণি আছে...

জাগতিক কোনও আকর্ষণেই প্রলুব্ধ হল না রুপাই। ঢক করে ঝুলে গেছে ঘাড়। ট্যাক্সি যখন মতিঝিলের স্বপ্ননিবাসে পৌঁছোল, সে তখন পুরোপুরি স্বপ্নরাজ্যে।

মিতুল ব্যালকনিতে ছিল, ট্যাক্সি দেখেই লাফাতে লাফাতে নেমে এসেছে। রুপাইকে কাঁধে ফেলে ওপরে এনে শুইয়ে দিল। তুতুল উঠেই হাঁপাচ্ছে। রাবড়ির হাঁড়ি মা'র হাতে ধরিয়ে দিয়ে ধপাস বসে পড়ল সোফায়। ঘুরন্ত ফ্যানের দিকে তাকিয়ে বলল, —উফ্, তোমাদের ফ্যানটা আর একটু জোর হয় না?

সোমনাথ কলেজ থেকে ফিরেছে এইমাত্র। সবে শার্ট ছেড়েছে। হেসে বলল, —ফুলস্পিডেই তো আছে রে। দু'মিনিট বোস, আরাম লাগবে।

মিতুল হাসছে হিহি। বলল, —এত মুটোলে গরম লাগবে না?

—অ্যাই, ঠুকিস না তো। মৃদুলা ছদ্ম ধমক দিল ছোট মেয়েকে, —বাচ্চাকাচ্চা হয়ে গেলে মেয়েদের শরীর একটু ভারী হয়। এতেই বেশ দেখায় মেয়েদের।

—ওটা মোটেই পোস্ট ন্যাটাল ফ্যাট নয় মা। খেয়ে ঘুমিয়ে জমানো চর্বি।

—বেশ করি খাই ঘুমোই। তাতে তোর কী রে শাকচুন্নি?

৩১

তোর মতো প্যাংলা থাকব নাকি চিরকাল, অ্যাঁ?

পলকে সোমনাথের গৃহ সরগরম। রুপাইয়ের দুধের বোতল ফ্রিজে পুরে দিয়ে চম্পা চলে গেছে মিতুলের ঘরে, খাটে শোয়ানো রুপাইকে পাহারা দিচ্ছে। সোমনাথ বারবার ঘুরে আসছে সেখান থেকে, উৎসুক মুখে দেখছে নাতি চোখ খুলল কিনা।

কথার মাঝেই বড়মেয়ের জন্য নুন চিনি লেবুর শরবত বানিয়ে আনল মৃদুলা। বলল, —তুই অত রাবড়ি আনতে গেলি কেন রে তুতুল? কে খাবে?

—তোমরাই খাবে। মিতুলকে বেশি করে দেবে।

মিতুল মুখ বেঁকাল, —আমার আজকাল রাবড়ি ভাল্লাগে না।

—সে কী রে? তোর নাম করেই আনলাম... তুই লাউকুমড়োর দিদিমণি হয়েছিল, সেই অনারে...

—লাউকুমড়ো নয় দিদি, মাটিকুমড়া। একটা জায়গার নামের সঙ্গে সেই জায়গার মানুষের সেন্টিমেন্ট জড়িয়ে থাকে। ভুলভাল নাম বললে মানুষগুলোকে অপমান করা হয়।

—বাবা দেখেছ, মিতুলের এখনই মাটিকুমড়ার ওপর কী টান!

সোমনাথ মৃদু হাসল, —টান বলে টান! কাল থেকে কত বোঝাচ্ছি অত দূরে চাকরি করতে যাওয়ার দরকার কী... শুনছেই না।

—কিছুই এমন সাঙ্ঘাতিক দূর নয় বাবা। মিতুল প্রতিবাদ জুড়ল, —আজ ডি-আই অফিস থেকে খোঁজ নিয়ে এসেছি। বামুনঘাটায় নেমে বাস চেঞ্জ করতে হবে। বাসে আর চার-পাঁচ কিলোমিটার রাস্তা।

—সেটা কম দূর হল? নির্ঘাত আড়াই-তিনঘণ্টা লেগে যাবে।

—লাগবে। সাতটার মধ্যে বাড়ির থেকে বেরিয়ে পড়ব।

৩২

আবার চারটেয় বাস ধরে ব্যাক।

—অত সোজা! মৃদুলা গরগর করে উঠল, —সব যেন তোমার ঘড়ি মেপে চলে। দু'দিনে বিছানায় পড়ে যাবে।

—শরীরে না কুলোলে ওখানেই নয় থেকে যাব মা। আস্তানা ঠিক একটা জুটিয়ে নেব। শনিবার বাড়ি চলে আসব, সোমবার ভোরে ফুড়ুৎ।

—ওসব মতলব ছাড়ো। অচেনা জায়গায় তোমার একা থাকা চলবে না।

—আহা, জায়গাটা তখন তো আর অচেনা থাকছে না মা। মিতুল চোখ টিপল, —যাতায়াত করলেই সব চেনা হয়ে যাবে।

—তক্কো কোরো না মিতুল। সাফ কথা শুনে রাখো, চাকরি করো আর যাই করো, এবার তোমার বিয়ে দেবই। তারপর শ্বশুরবাড়ি গিয়ে তাদের সঙ্গে বোঝাপড়া করো কী করবে, কোথায় থাকবে...

—উফ্ মা, কতবার বলেছি, ওই চিন্তাটি মাথা থেকে ঝেড়ে ফ্যালো। বিয়ে করে কোনও মোক্ষলাভ হয় না।

তুতুল ফুট কাটল, —তুই কী করে বুঝলি রে মোক্ষলাভ হয় না?

—তোকে দেখে। ছিলি ছেচল্লিশ কেজির ফুরফুরে যুবতী, হয়েছিস বাষট্টি কেজির কেঁদো গিন্নি।

—মোটেই আমি বাষট্টি নই। ছাপ্পান্ন।

—ওই হল।

তুতুল হেসে ফেলল, —তার মানে তুই শুধু মোটা হওয়ার ভয়ে বিয়ে করবি না?

—তা কেন। বিয়ে করে মোক্ষলাভ হয় না বলেছি, বিয়ে করব না তো বলিনি। করতেও পারি, না-ও করতে পারি। আপাতত আমার টপ প্রায়োরিটি চাকরি। আগে সেট্ল করা। বলেই মিতুল সোমনাথের দিকে তাকিয়েছে, —বাবা, তুমি মোটামুটি পাকা চাকরি পাওয়ার আগে বিয়ে করার কথা ভেবেছিলে?

৩৩

—অ্যাই, বড় বড় লেকচার ঝাড়িস না তো। মৃদুলা ঝামটে উঠল, —বিয়ে আমরা করিনি? লেখাপড়া তো আমরাও শিখেছিলাম। আগে চাকরি, পরে বিয়ে এমন ধনুর্ভাঙা পণ করে আমরা তো ঘাড় টেড়া করিনি। বাবা-মা যা বলেছে, সমাজ যা নিয়ম করেছে, সেই মতোই আমরা চলেছি। বাধ্য মেয়ের মতো। দরকার হলে চাকরি করতাম। প্রয়োজন হয়নি, করিনি। চাকরি করিনি বলে কি আমাদের জীবন বিফলে গেছে? সংসারধর্ম করাও তো একটা কাজ, না কী? ...এই যে তোর দিদি, তোর মতো অসভ্যতা করেনি, বাবা-মা যা বলেছে শুনেছে... বিয়ে করে সে খারাপ আছে? সেও তো তোর মতো জেদ ধরতে পারত। পারত না?

—সকলের মেন্টাল স্ট্রাকচার তো এক হয় না মা। দিদি দিদির মতন। আমি আমার মতন। দিদি প্রতীকদার ওপর বডি ফেলে দিয়ে নিশ্চিন্ত। ভাল। আমি নিজের পায়ে দাঁড়িয়ে লাইফ শুরু করতে চাই, সেটাই বা কী এমন দোষের? লেখাপড়া শেখার পরও আমি অন্যের পয়সায় খাব পরব, এ আমি ভাবতেই পারি না মা।

কথাটায় সোজাসুজি খোঁচা আছে। তুতুলের মুখ কালো হয়ে গেল। মিতুলও কি তাকে হিংসে করে? দিদির মতো সুন্দরী নয় বলে মিতুলের মনে চোরা কমপ্লেক্স আছে, তাই বুঝি জ্বলছে মনে মনে। পেটি একটা চাকরি জুটিয়ে কী বড় বড় বুকনি, ফুঃ।

বড়মেয়ের মুখভাব সোমনাথের বুঝি চোখে পড়েছে। হাসি আনন্দের এই আসরে ছন্দপতনটা মোটেই ভাল লাগল না তার। তাড়াতাড়ি বলে উঠল, ভ্যাজরভ্যাজর থামা তো। এই তুতুল, ছেলেটাকে তোল, একটু পাকা পাকা কথা শুনি।

—ওফ্, তুমি একেবারে নাতি নাতি করে পাগল হয়ে গেলে। মৃদুলাও কথা ঘোরাল, —বেচারাকে একটু শান্তিতে ঘুমোতে দাও তো। কাঁচা ঘুম ভাঙালে খুব খেপে যাবে। বলতে বলতে

তুতুলের দিকে ফিরেছে, —হ্যাঁ রে, প্রতীক আসবে তো? তোদের নিতে?

—না মা। ওর কাজ আছে।

—সে কী, এতবার করে বলে দিলাম সবাই রাতে খেয়ে যাবি...! প্রতীক ভালবাসে বলে আমি রসমালাই বানালাম...

তুতুল চুপ করে রইল। কথায় কথায় শ্বশুরবাড়ি আসা পছন্দ করে না প্রতীক। বলে, জামাইয়ের মর্যাদা নাকি তাতে খাটো হয়। একথা কি মাকে বলা যায়? মা আহত হবে না?

মৃদুলা ঈষৎ ভার মুখে বলল, —তোরা খেয়ে যাবি তো? নাকি তোদেরও কাজ আছে?

তুতুল হেসে ফেলল, —চটে যাচ্ছ কেন? আমি গান্ডেপিন্ডে গিলে যাব।

—রুপাই এখন ঘুম থেকে উঠে কী খাবে? দুধ?

—আগে দুধই খাবে। তারপর ম্যাগি ট্যাগি গোছের কিছু করে দিতে পারো। চাউমিনটা তাও আজকাল ভালবেসে খাচ্ছে, অন্য কিছু তো মুখে তোলে না।

—আর রাতে?

—অত ভেবো না মা। দুধে রুটি ভিজিয়ে দিয়ো, চম্পা খাইয়ে দেবে।

খানিকটা যেন স্বস্তি পেল মৃদুলা। উঠে গেছে রান্নাঘরে। চা বানাতে। রান্নাঘর থেকেই প্রশ্ন ছুড়ল, —তোর শাশুড়ির শরীর এখন কেমন রে?

—কেমন মানে? দিব্যি আছেন। সারাদিন বসে টিভি সিরিয়াল দেখছেন। আর উইকে তিনদিন নিয়ম করে মেয়ের বাড়ি।

—পরশু বিকেলে ফোন করেছিলাম...তুই বোধহয় তখন রুপাইকে নিয়ে নীচে গেছিলি। ...বলছিলেন গা'টা কেমন ম্যাজম্যাজ করছে...

তুতুলের মনে পড়ল পরশু রাতে খাননি শাশুড়ি। বলছিলেন,

পেটটা দম মেরে আছে, আজ রাতটা উপোস দিই...। আশ্চর্য, গা ম্যাজম্যাজ করার কথা একবারও বলেননি তো? কী যে স্বভাব! অসুখবিসুখ বাধিয়ে ছোটছেলেকে অপ্রস্তুতে ফেলার চেষ্টা! লোককে দেখাবেন, ছেলে-ছেলের বউ আমার খোঁজখবর রাখে না !

ঝটপট মাথা নেড়ে তুতুল বলল,—সেদিনই ঠিক হয়ে গেছেন। প্রতীক তো এসেই ওষুধ দিয়েছিল।

—কবে যেন উনি বড়ছেলের কাছে যাবেন বলছিলেন?

এ গল্পও করা হয়ে গেছে? তুতুল সোফায় বাবু হয়ে বসল,— সে তো ঢের দেরি। পুজোয়। তোমায় সেদিন বললাম না এবার পুজোয় আমরা রাজস্থান যাচ্ছি...তখনই মাসখানেক বহরমপুরে থেকে আসবেন।

সোমনাথ ফস করে জিজ্ঞেস করল, —তোর শাশুড়ি যাচ্ছেন না তোদের সঙ্গে?

—প্রতীকের তো খুব ইচ্ছে মা যাক। এবারও দ্রুত উত্তর দিয়ে দিল তুতুল, —মা'র তো কখনও কোথাও যাওয়া হয়নি, বহরমপুরের ওই প্রাচীন বাড়িটাতেই পড়ে থেকেছেন চিরকালটা...তা উনি রাজি হলে তো। তোমরা তো জানোই প্রতীক কী মাতৃভক্ত, ঘুম থেকে উঠে ঠাকুর প্রণাম করার আগে মাকে প্রণাম করে। ....কিন্তু ওঁর মন পড়ে আছে সেই বড়ছেলের কাছে।

সোমনাথ বলল,—তা তো হবেই। যার যেখানে শিকড়। এতকাল উনি বহরমপুরে রইলেন, হঠাৎ তাঁকে উপড়ে এনে এখানে পুরে ফেললে চলবে কেন !

—পুরে ফেলা কেন বলছ বাবা? প্রতীক তো তাঁকে মাথায় করে রেখেছে। আসলে উনি বহরমপুরে গিয়ে বড়ছেলের বউয়ের মুখঝামটা খেতে বেশি ভালবাসেন।

কথাটা বলেই তুতুল ঠোঁটের কোণ দিয়ে হাসল একটু। এ ধরনের অনৃত ভাষণে সে আজকাল ভারী মজা পায়। এ যেন এক ধরনের খেলা। ভাবমূর্তি গড়ার। ভাবমূর্তি ভাঙার।

৩৬

মৃদুলা চা এনেছে, কাপে চুমুক দিয়ে বলল,—যাক গে, আমাদের কর্তব্য আমরা করছি। তারপরও যদি ছোটছেলের সংসারকে তিনি ভালবাসতে না পারেন, এত আদরযত্ন পাওয়ার পরেও...

মিতুল উঠে গিয়েছিল কখন। ঘর থেকে ডাকছে,—দিদি শোন।

তুতুল গলা ওঠাল, —কী রে?

—আয় না। দেখে যা কী সুন্দর একটা সালোয়ার কামিজ কিনেছি।

চা শেষ করে তুতুল ঘরে এল। সালোয়ার কামিজটা দেখে খুব খুশি হল না। বেবি পিংকের ওপর ছাইরং সুতোর কাজ, এ রংটাই তার একদম পছন্দ নয়। তা ছাড়া মিতুলের গায়ের রং বেশ চাপা, তাকে এটা মানাবেও না। মুখে অবশ্য প্রশংসাই করল। জিজ্ঞেস করল,—কত নিল?

—সাড়ে চারশো।

—কটন?

—সিন্থেটিক মিক্সড। খুব গরম হবে না, বর্ষায় পরা যাবে। কামিজ ভাঁজ করছে মিতুল। রুপাইয়ের ঘুম ভাঙবে এবার, নড়াচড়া করছে। ঝুঁকে তাকে থাবড়ে দিতে দিতে বলল,—তোকে একটা খবর দেওয়া হয়নি রে দিদি।

মিতুলের গলা হঠাৎ কেমন অন্য রকম।তুতুলের চোখ সরু হল,—কী রে?

—অতনুদার সঙ্গে একদিন দেখা হয়েছিল।

তুতুল ঝাঁকুনি খেল একটা। দু'-চার সেকেন্ড নীরব থেকে অস্ফুটে প্রশ্ন করল,—কবে? কোথায়?

—দিন পাঁচ-সাত আগে। নন্দনে মেঘে ঢাকা তারা দেখতে গেছিলাম, তখনই হঠাৎ...

নিজেকে সামলে নিয়েছে তুতুল। প্রতীক চ্যাটার্জির স্ত্রীর অকারণ চিত্তচাঞ্চল্য শোভা পায় না। উদাসীন মুখে জিজ্ঞেস করল,— ওখানে কী করছিল?

৩৭

—গ্রুপের শো ছিল। শিশির মঞ্চে।

—অ। এখনও দিনরাত নাটকই করে বেড়ায়?

—কী একটা চাকরিও করছে বলল। সেল্‌সলাইনে।

—অর্থাৎ ফেরিওলা?

—ওভাবে বলছিস কেন? জব ইজ জব। তুতুলের চোখে চোখ রাখল মিতুল, —তুই কিন্তু কাজটা ভাল করিসনি রে দিদি।

—ভুলও কিছু করিনি। ওরকম ভ্যাগাবন্ডের সঙ্গে সংসার পাতা যায় না।

—কিন্তু চার বছর প্রেম প্রেম খেলা খেলা যায়! আঙুলে নাচানো যায়! মিতুল তীক্ষ্ণ হাসল, —এবং অবলীলায় তাকে ডিচ মারা যায়, তাই না?

—অ্যাই, জ্ঞান মারিস না তো। তুতুল ঝপ করে রেগে গেল,—আমি যা ভাল বুঝেছি, করেছি।

—তা ঠিক। তোর ভাল তো তুইই বুঝবি। মিতুলকে কেমন বিষণ্ণ দেখাল, —তবে অতনুদাকে দেখে খুব খারাপ লাগছিল রে। তোর কথা বারবার জিজ্ঞেস করছিল। তুই কেমন আছিস, কী করছিস...। অতনুদার মধ্যে সেই লাইভলি ভাবটাই আর নেই। বড় মায়া হচ্ছিল রে।

—হুঁহ্‌। ভেতরের আলোড়নটাকে থামাতে গিয়ে মুখ বিকৃত হয়ে গেল তুতুলের। —বিদ্রুপের সুরে বলল,—অত যদি মায়া লাগে, তুই নিজেই ঝুলে পড় না।

দিদির দিকে তীব্র দৃষ্টি হানল মিতুল। তুতুল গ্রাহ্য করল না, রাজহংসীর চালে বেরিয়ে এল ঘর থেকে।

রাতে বাড়ি ফেরার পথে কে জানে কেন বারবার আনমনা হয়ে যাচ্ছিল তুতুল। পাশে চম্পার সঙ্গে খুনসুটি করছে রুপাই, দেখেও দেখছে না। অতনু কি তাকে এখনও ভালবাসে? ভাবে তার কথা?

বাদামি-রং অতনুর প্রাণবন্ত মুখখানা আবছাভাবে মনে পড়ল তুতুলের। মিলিয়েও গেল।

॥ তিন ॥

ঝাঁকড়া এক শিশুগাছের নীচে পাশাপাশি তিনটে চালা। প্রথমটা চায়ের দোকান, দ্বিতীয়টা সাইকেল সারাইয়ের, তৃতীয়টির ঝাঁপ বন্ধ। পিচ রাস্তার উলটোপারে একটা ছাদবিহীন অর্ধসমাপ্ত ইটের কাঠামো, দেখে মনে হয় বহুকাল ধরেই পরিত্যক্ত। কালচে মেরে যাওয়া ইটের গাঁথুনি ঢেকে আছে সিনেমা আর রাজনৈতিক দলের পোস্টারে।

মিতুল বাস থেকে নেমে এদিক-ওদিক তাকাচ্ছিল। অস্বস্তি ভরা চোখে। কী নিঝুম জায়গা রে বাবা! পাশের দোকানদুটো ছাড়া আর তো তেমন লোকজনও চোখে পড়ছে না! কনডাক্টর এটাই মাটিকুমড়া বলে নামিয়ে দিয়ে গেল, কিন্তু মাটিকুমড়া গ্রামটা কোথায়? রাস্তার দুধারে টানা চাষজমি, দু'দিকেই সবুজ খেত চিরে ভেতরে ঢুকে গেছে খোয়াবাঁধানো রাস্তা, দু'পাশেই চোখে পড়ে গ্রামের আভাস, কোন পথে এখন যাবে মিতুল? এহ্, বোকামি হয়ে গেছে, নামার আগে কনডাক্টরকে ভাল মতন পুছতাছ করে নিলে হত।

কব্জি ঘুরিয়ে ঘড়ি দেখল মিতুল। সওয়া এগারোটা। সাতটার মধ্যেই বেরিয়ে পড়েছিল বাড়ি থেকে, বামুনঘাটা এসে এ রুটের বাসের জন্য দাঁড়িয়ে থাকতে হল পাক্কা পঞ্চাশ মিনিট। এই লাইনের বাস পাঁচ কিলোমিটার এল আধ ঘণ্টায়। আজ প্রথম দিন, আজই হয়তো পড়াতে হবে না। কিন্তু কাল থেকে বাসের টাইম মাথায় রাখতে হবে, সেই মতো রওনা হতে হবে বাড়ি থেকে। দশ মিনিট আগে বামুনঘাটা পৌঁছোলে আগের বাসটা পাওয়া যেত।

যাক গে, আজকের দিনটা আগে পার হোক তো। সামান্য ইতস্তত করে মিতুল চায়ের দোকানটায় এল। খুপরি চালায় গোটা দুয়েক বেঞ্চি, একটায় বসে খবরের কাগজ পড়ছে এক

ধুতিশার্ট আধবুড়ো, অন্যটায় বাবু হয়ে বসে মাঝবয়সি লুঙ্গি খালি গা, কচাকচ আলু কুটছে। দোকানের মুখেই নিবন্ত উনুনে বসানো আছে ছ্যাতলা পড়া কেটলি, রাখা আছে এক বালতি জল। মাটির কাউন্টারে চায়ের গ্লাস, সস্তা দামের কেক বিস্কুটের বয়াম। দু'-চারটে ডুমো ডুমো মাছি উড়ছে।

মিতুল গলা ঝাড়ল,—শুনছেন?

দুটো ঘাড়ই ঘুরেছে একসঙ্গে। দু'জোড়া চোখেই কৌতূহল।

আধবুড়ো কাগজ মুড়ল, —আপনি বুঝি এই বাসে এলেন?

—হ্যাঁ। মাটিকুমড়া গ্রামটা কোথায়?

—মাটিকুমড়া যাবেন? কাদের বাড়ি?

—মাটিকুমড়া বালিকা বিদ্যালয়ে যাব।

—মাটিকুমড়ায় তো কোনও মেয়েদের স্কুল নাই!

—না, না, নতুন খুলছে। নিউ সেট আপ। মিতুল তাড়াতাড়ি বলে উঠল, —আমি সেখানে জয়েন করতে এসেছি।

—অ।

আধবুড়ো মাঝবয়সির দিকে তাকাল। কী যেন চোখে চোখে কথা হল দু'জনের। মাঝবয়সি বিচিত্র এক হাসি হেসে বলল, —পরশুও একটা মেয়েছেলে এসেছিল। বলছিল চাকরি পেয়েছে। বলেই মিতুলকে আঙুল তুলে দেখাল, —ওই তো, ওপারের রাস্তা ধরে চলে যান। আধ মাইলটাক হাঁটতে হবে।

হাঁটায় মিতুল পিছ-পা নয়। কিন্তু এখন কেমন যেন লাগল। ক'দিন পর আজ বেশ রোদ উঠেছে, গরমে চিটপিট করছে গা, এই বেলায় এখন অতটা রাস্তা...

মুখ দিয়ে বেরিয়ে গেল, —রিকশা পাওয়া যায় না?

পাশের সাইকেল সারাইয়ের ছেলেটাও উঠে এসেছিল দোকান ছেড়ে। সম্ভবত অচেনা মহিলা দেখেই। হাঁ করে শুনছিল কথাবার্তা। টুপ করে বলে উঠল, —ভ্যানরিকশা

আছে। তবে এখন পাওয়া যাবে কি? সব তো আজ চলে গেছে মুন্সিডাঙার হাটে। বিকেলের আগে কেউ ফিরবে না।

—ও।

একটু দাঁড়িয়ে যাওয়া যেতে পারে। ওদিক থেকে যদি কোনও ভ্যান এসে পড়ে... দাঁড়াবে মিতুল? না হাঁটাই লাগাবে? দাঁড়ালেও বা কতক্ষণ দাঁড়াতে হবে কে জানে!

মিতুল হাঁটাই শুরু করল। গ্রামের স্কুলে আসবে বলে শাড়ি পরেছে আজ। মা'র শাড়ি। ঘামে ভিজে সায়া চিপকে চিপকে যাচ্ছে পায়ে, চলতে অসুবিধে হচ্ছে বেশ। রাস্তাটাও মোটেই সমতল নয়, যথেষ্ট এবড়োখেবড়ো, যত্রতত্র উঠে আছে খোয়া। নির্ঘাত রোলার চালায়নি, দুরমুশ করেছে, বৃষ্টিতে খসে গেছে ছালচামড়া। এমন একটা পথে হাঁটা কি সহজ কাজ? চলতে চলতে বার কয়েক তো টুকটাক হোঁচটই খেল মিতুল। ইস, কতক্ষণে পৌঁছোবে কে জানে! একটু আগেও তেমন একটা টেনশান ছিল না মিতুলের, হঠাৎই কেমন নার্ভাস নার্ভাস লাগছে এখন। জীবনের প্রথম চাকরিতে যোগ দিতে যাচ্ছে বলে কি? নাকি জায়গাটা এক্কেবারে অজানা, তাই...? বাবা বারবার সঙ্গে আসতে চাইছিল। প্রথম দিন বাবাকে নিয়ে এলেই বোধহয় ভাল হত। গোঁ ধরে এমন গণ্ডগ্রামে চাকরি করতে আসাটাও কি বাড়াবাড়ি হয়ে গেল? কিন্তু অত পড়ে টড়ে পরীক্ষা দিল, কোয়ালিফাই করল, তার পরেও হাতের লক্ষ্মী পায়ে ঠেলাটা কি বুদ্ধিমানের কাজ হত? চান্স ছেড়ে দিলে ফের চান্স মিলবে তারই বা নিশ্চয়তা কোথায়? হয়তো এ বছরের পুরো প্যানেলটাই দুম করে কোনও একদিন বাতিল হয়ে যাবে! এ বছরটা ছেড়ে দিয়ে সামনের বছর আবার পরীক্ষায় বসা যায়। অবশ্যই যায়। হয়তো মিতুল বসবেও। হয়তো অন্য কোনও কম্পিটিটিভ পরীক্ষাতেও মিতুল লড়ে যেতে পারে। কিন্তু সেই সব পরীক্ষার ফল কী হবে তা তো আর মিতুল আগাম দেখতে পাচ্ছে না! তা হলে এই চাকরিটা সে প্রত্যাখ্যান

৪১

করে কোন যুক্তিতে? ঠিক জায়গায় ধরাধরি করতে পারলে হয়তো বেটার পোস্টিং পাওয়া যেত। যেমন পারমিতা পেয়ে গেল। পারমিতার কাকা রাইটার্সের কোন মন্ত্রীর যেন পি-এ, তিনি দিব্যি ম্যানেজ ট্যানেজ করে ভাইঝিকে ফিট করে ফেললেন লেক টাউন স্কুলে। অথচ পারমিতা মোটেই মিতুলের চেয়ে বেটার ছাত্রী নয়, এম এ-তে মিতুলের চুয়ান্ন পারসেন্ট, পারমিতার একান্ন। গ্র্যাজুয়েশান, হায়ার সেকেন্ডারি, মাধ্যমিক, প্রতিটি ধাপেই মিতুলের চেয়ে কম মার্কস ছিল পারমিতার। কী আর করা, মিতুলের তো ওরকম কোনও কাকা-মামা নেই! শ্রাবণীর বাবাও তো কোন এক এমপি-কে ধরে বাগুইআটিতে শ্রাবণীর ব্যবস্থা করে ফেললেন। মিতুল মরে গেলেও বাবাকে ওসব বলতে পারবে না। বাবা পারবেই বা কী করে? মুখচোরা মানুষ, কোথাও সাতেপাঁচে থাকে না, রাজনীতির ছায়াও এড়িয়ে এড়িয়ে চলে, এমন লোককে কে'ই বা আমল দেবে?

চিন্তার ঝাঁপি খুলে পথ ভাঙতে ভাঙতে মিতুল থমকাল হঠাৎ। সামনে এক বিশাল গর্ত। জমে আছে কাদাজল। শাড়ি পরে পারবে টপকাতে? উঁহু, পারতেই হবে। চওড়া সবুজকালো পাড় সাদা শাড়ির কুঁচিখানা তুলে ধরে চোখ বুজে একখানা লাফ দিল মিতুল। ভাবনা ভুলে হাসল মনে মনে। নিজেকে বলল, এভাবেই ছোট-বড় খানাখন্দগুলো পার হতে হবে রে মিতুল, অসুবিধেগুলোকে মানিয়ে নিতে হবে আস্তে আস্তে। দূর হোক আর যাই হোক, চাকরি তো বটে। কত লোক আরও দূরে দূরে কাজ করতে যায়। মাইনেকড়িও তো মিতুল মন্দ পাবে না। জুনিয়ার হাইস্কুল, মানে এখন এইট পর্যন্ত আছে, পরে বোধহয় মাধ্যমিক হবে। তবে সে তো পাবে অনার্সের স্কেল। ডি-আই অফিস থেকে সেদিন হিসেব করে দেখিয়ে দিল সব মিলিয়ে হবে এখন নয় থেকে সাড়ে নয়। এই বাজারে ন'হাজার টাকার চাকরি কি টুসকি বাজালেই পাওয়া যায়?

এতক্ষণে সামনে একটা সাইকেল। কেরিয়ারে বড় ঝুড়ি

৪২

বাঁধা। হাটে যাচ্ছে বোধহয়। আরোহী প্যান্টশার্ট পরা এক যুবক।

মিতুল ইতস্তত করে থামাল ছেলেটাকে, —ভাই, মাটিকুমড়া কদ্দূর?

—এই তো সামনেই। যুবকটি সাইকেল থেকে নেমেছে, —ডাইনে একটা পুকুর পাবেন, তার পরেই...

—আর মাটিকুমড়া বালিকা বিদ্যালয়?

—বালিকা বিদ্যালয়? মাটিকুমড়ায়? ছেলেটাও যেন আকাশ থেকে পড়ল। —বলতে পারব না তো।

মিতুল রীতিমতো বিস্মিত। এ অঞ্চলে লেখাপড়ার হাল তো বেশ খারাপ! নতুন একটা মেয়েদের স্কুল তৈরি হয়েছে, স্থানীয় মানুষ খোঁজখবরই রাখে না?

কথা বাড়াল না মিতুল। ব্যাগ থেকে স্পনসর লেটারখানা বার করল। তলায় সেক্রেটারির নাম দেওয়া আছে, তার কাছেও পাঠানো হয়েছে চিঠির কপি। নামটায় চোখ বুলিয়ে মিতুল বলল, —বিশ্বম্ভর দাস মাটিকুমড়ায় থাকেন তো?

—হ্যাঁ হ্যাঁ, তাঁর বাড়ি কাছেই। ঢুকেই শিবমন্দির পাবেন, তারপর দেখবেন একটা মুদিখানা, সেটা পেরোলেই...

মিতুল সিদ্ধান্ত নিয়ে ফেলল। আগে তবে সেক্রেটারির বাড়িই যাওয়া যাক। আশা করা যায় তিনি নিশ্চয়ই স্কুলের খবর রাখেন!

মাটিকুমড়া গ্রামটার আলাদা করে তেমন বিশেষত্ব নেই কিছু। আর পাঁচটা গ্রামের মতোই এলোমেলো মেঠো পথ, খড়ে-ছাওয়া মাটির ঘরবাড়ি, দাওয়া উঠোন পুকুর, পুকুরঘাট, সবুজের সমারোহ, ধুলোবালি, গোরু ছাগল হাঁস মুরগি সবই চোখে পড়ে। বিদ্যুৎ আছে গ্রামে। টেলিভিশানের অ্যান্টেনাও দেখা যায়।

ছোটখাটো পুরনো শিবমন্দিরের কাছে এসে বিশ্বম্ভর দাসের বাসস্থান খুঁজে পেতে সময় লাগল না মিতুলের। আশপাশের

মানুষরাই আগ্রহী হয়ে দেখিয়ে দিল।

মাটির পাঁচিল ঘেরা বড়সড় বাড়ি। দরজা ঠেলে ভেতরে ঢুকতেই প্রশস্ত উঠোন। দেখেই বোঝা যায় সেক্রেটারিমশাই রীতিমতো অবস্থাপন্ন মানুষ। মাটির দোতলা বাড়ির মাথায় টিনের চাল। দোতলার বারান্দা নকশাদার গ্রিলে ঘেরা। উঠোনের এক ধারে বড় বড় দু'খানা ধানের মরাই। একপাশে কুয়োতলা, লাগোয়া টিউবওয়েলও আছে। গাছও আছে কয়েকটা। লেবুগাছে লেবু ঝুলছে, গন্ধরাজ গাছ ছেয়ে আছে শুভ্র ফুলে। আলাদাভাবে বানানো একতলা বাড়ির মতো রান্নাঘরটা থেকে ছ্যাঁকছোক আওয়াজ ভেসে আসছে, সঙ্গে মশলার ঘ্রাণ। তুলসীমঞ্চের কাছে এক্কাদোক্কা খেলছে দুটি মেয়ে, ছানাপোনা নিয়ে মুরগি চরছে উঠোনে। তারই মাঝে নিঃসাড়ে দাঁড়িয়ে এক ঢাকা দেওয়া মোটরসাইকেল।

মিতুলের আগমন সংবাদ পেয়ে বিশ্বম্ভর নামল দোতলা থেকে। বছর পঞ্চাশ বয়স, থলথলে দেহ, ফোলা ফোলা গাল, গায়ের রং মিশকালো। তেল চুপচপে চুল ব্যাকব্রাশ করে আঁচড়েছে লোকটা, পরনে লুঙ্গি হাফপাঞ্জাবি।

সামনে এসে নমস্কারের মতো ক'রে একটু হাত ওঠাল, —জয়েন করতে এসেছেন?

মিতুল সসম্ভ্রমে বলল, —হ্যাঁ। আমি সুকন্যা। সুকন্যা মুখার্জি।

—উম্। ধ্বনিটুকু বার করে প্রায় মিনিট দুয়েক চুপ করে দাঁড়িয়ে থাকল বিশ্বম্ভর। তারপর খুদে খুদে চোখদুটো পিটপিট করে বলল, —আসেন। ভেতরে আসেন।

দোতলা বাড়ির একতলার একটা ঘরে বিশ্বম্ভর নিয়ে এল মিতুলকে। ছোট ঘর। মাটির দেওয়াল গাঢ় সবুজ। খান চারেক হাতলঅলা কাঠের চেয়ার আছে ঘরে, একটা উঁচু গোলটেবিল। কুলুঙ্গিতে হ্যারিকেন, সম্ভবত লোডশেডিংয়ের জন্য। দেওয়ালে ক্যালেন্ডার। তিনখানা। লেনিন। সিংহবাহিনী দুর্গা। মাঝখানে

হাস্যমুখ শিশু। এক দেওয়ালে ঝুলছে বাঁধানো ফটো। মিলিটারি পোশাকে সুভাষচন্দ্র বসু।

মিতুলকে বসতে বলে বিশ্বম্ভর পাখা চালিয়ে দিল। জ্বেলে দিয়েছে টিউবলাইটটাও। সামনে আসন গ্রহণ করেছে রাজসিক ভঙ্গিতে। বসে আছে তো বসেই আছে, কোনও কথাই বলে না। যেন তার সামনে মিতুল নয়, কোনও জড়বস্তু বিদ্যমান, এমনই অভিব্যক্তিহীন তার মুখাবয়ব।

কিছু লোক আছে যারা কথা শুরুর আগে নির্বাক গাম্ভীর্য দিয়ে নিজের ব্যক্তিত্ব বাড়িয়ে নেয়। অনেকটা প্রতীকদার মতো। লোকটা কি সেরকমই...? নাকি মিতুল সরাসরি বাড়িতে এসেছে বলে ক্ষুব্ধ হয়েছে সেক্রেটারিমশাই?

আমতা আমতা করে মিতুল বলল, —আমি স্কুলেই যাচ্ছিলাম, ভাবলাম তার আগে আপনার সঙ্গে একবার দেখা করে যাই।

লোকটা যেন শুনেও শুনল না। অদ্ভুত মোলায়েম স্বরে বলল, —আপনার চিঠিটা কিন্তু এখনও দেখান নাই দিদিমণি।

ও, এই জন্য পোজ মেরে বসে আছে? চটপট ব্যাগ থেকে উইন্ডো খামটা বার করে বাড়িয়ে দিল মিতুল।

কোনও তাড়াহুড়ো নেই, কণামাত্র ব্যস্ততা নেই, ধীরেসুস্থে খাম থেকে চিঠি বার করল বিশ্বম্ভর। হাফপাঞ্জাবির পকেট থেকে চশমা বার করে চোখে লাগাল। অনেকটা সময় নিয়ে পড়ল নিয়োগপত্র। খুঁটিয়ে খুঁটিয়ে। যেন কোনও গুপ্তচরের সংকেতলিপির কোড ডিসাইফার করছে। তারপর চিঠি টেবিলে রেখে আবার বসে আছে চুপচাপ।

এবার রীতিমতো মানসিক চাপ অনুভব করছিল মিতুল। গলা খাকারি দিয়ে বলল, —আমি কি জয়েনিং লেটারটা আপনাকেই দেব?

বিশ্বম্ভর শম্বুক গতিতে ঘাড় নাড়ল—তাই তো দেওয়ার কথা।

৪৫

—আমি দু'কপি এনেছি। সোমনাথের শেখানো বুলি আউড়ে দিল মিতুল,—একটা কপি কাইন্ডলি রিসিভ করে দিন।

—দেব'খন। স্ট্যাম্প মারতে হবে। দুটো কপিই বিশ্বম্ভর পুরে ফেলল পকেটে। খুদে খুদে চোখ থেকে চশমা সামান্য নামিয়ে বলল,—আপনাকে কিন্তু স্কুলের তরফ থেকে এখনও অ্যাপয়েন্টমেন্ট লেটার দেওয়া হয় নাই দিদিমণি।

—মানে?

—মানে সার্ভিস কমিশন তো শুধু আপনাকে পাঠিয়েছে। এবার তো আপনাকে নিয়োগ করবে স্কুল। মানে আমি।

—ও।

—দুশ্চিন্তার কিছু নাই। বলেই মন্থর হাতে গোলটেবিলের তলা থেকে একখানা ফোলিওব্যাগ টেনে তুলেছে বিশ্বম্ভর। ভেতরের তাড়া কাগজ বার করে স্তূপ করল টেবিলে। অলস ভঙ্গিতে কাগজ ঘাঁটতে ঘাঁটতে বলল,—আমি প্রোফর্মা টাইপ করেই রেখেছি। নাম ঠিকানা শুধু বসিয়ে দেব, ব্যস।

নিয়োগপত্র খোঁজা, এবং স্বাক্ষর, এতেই প্রায় মিনিট দশেক গেল। শুধু মিতুলের নামটুকু লিখতেই সময় লাগল তিনমিনিট। মুখার্জি বানান জে আই হবে, না জে ই ই, তাই মেলাতে লোকটা স্পনসর লেটারে চোখ চালাল বার চারেক। স্ট্যাম্প বার করে ধরে ধরে ছাপ মারল। মিতুলের জয়েনিং লেটারেও দেখে শুনে সিলমোহর লাগাল একটা।

চিঠিদুটো হস্তগত করে হাঁপ ছেড়ে বেঁচেছে মিতুল। হাসি হাসি মুখে বলল, —এবার কি আমি স্কুলে যেতে পারি?

আবার পাক্কা তিন মিনিট মিতুলকে অবলোকন। আবার চোখ পিটপিট,—আপনার মার্কশিট অ্যাডমিট কার্ডের অ্যাটেস্টেড জেরক্স কিন্তু এখনও দ্যান নাই দিদিমণি। অরিজিনালও দেখান নাই।

—ও হ্যাঁ, তাই তো।

—দ্যান।

সেক্রেটারি মহাশয়ের কর্মপ্রক্রিয়া দেখতে দেখতে মিতুল এবার প্রায় ধৈর্যের শেষ সীমায়। তেষ্টা পাচ্ছে। চাইবে জল? দেবে কি?

আশ্চর্য, লোকটা যেন মনের কথা পড়ে ফেলেছে! মিতুলের স্কুল সার্টিফিকেট নিরীক্ষণ করতে করতে হঠাৎ বাজখাঁই গলায় হেঁকে উঠল, —বাসন্তী, এ ঘরে এখনও জল দাও নাই কেন? দিদিমণি কত দূর থেকে তেতেপুড়ে এসেছেন...

প্রায় সঙ্গে সঙ্গে এক গোলগাল মহিলার প্রবেশ। বছর তিরিশ বয়স, কমলারং তাঁতের শাড়ি কুঁচি দিয়ে পরা, মাথায় আলগা ঘোমটা। মুখখানা বেশ ঢলোঢলো, কপালে সিঁদুরের ছোট্ট টিপ। চায়ের প্লেটে করে খানিকটা সন্দেশও এনেছে বউটি, সঙ্গে চামচ। বিশ্বম্ভরের আদেশের অপেক্ষায় দরজার আড়ালে ঘাপটি মেরে দাঁড়িয়ে ছিল নাকি?

মোটা বড় কাচের গ্লাস এক ঢোকে শেষ করল মিতুল। বেশ ঠান্ডা জল, স্বাদটাও ভাল। খেয়ে যেন প্রাণ জুড়োল। বিনয়ী মুখে বলল, মিষ্টি লাগবে না।

—খান খান। এতক্ষণে এই প্রথম বিশ্বম্ভরের কালো মুখে সাদা হাসি দেখা দিয়েছে—এ মিষ্টি আমার ঘরে বানানো। মাখা সন্দেশ। ঘরের গোরু, ঘরের ছানা... এত খাঁটি কাঁচাগোল্লা আপনি দোকানে পাবেন না। আপনাদের বড় দিদিমণি তো খেয়ে একেবারে ফ্ল্যাট হয়ে গেছিলেন।

মিতুল আর বিশেষ আপত্তি করল না। খিদে তো পেয়েছেই, মিষ্টিই সই। চামচে একটুখানি সন্দেশ তুলে মুখে পুরল। উৎসাহভরে জিজ্ঞেস করল,—বড়দিদিমণি বুঝি অনেক দিন জয়েন করে গেছেন?

—দিন কুড়ি। আরও দু'জন জয়েন করেছেন। আপনার মতোই। অ্যাসিস্ট্যান্ট টিচার। অপর্ণা ধর, আর মুনমুন সর্দার। অপর্ণা ধর আসবেন চন্দ্রপল্লি থেকে, মুনমুন সর্দার থাকেন বামুনঘাটার কাছে। শিমুলপুরে।

আসবেন আসবেন কেন করে রে লোকটা? এখনও ঠিকঠাক ক্লাস শুরু হয়নি? সংশয়ান্বিত মুখে মিতুন ফের প্রশ্ন করল— স্কুলে আপাতত কত ছাত্রী হয়েছে?

—আপনারা এসে গেছেন, এবার সব ভরতি হয়ে যাবে। নতুন নতুন সব কিছুতেই খানিক টাইম লাগে তো। বলেই বিশ্বম্ভর আবার মৌনী নিয়েছে। চোখের ইশারায় চলে যেতে নির্দেশ দিল বউটিকে। তারপর হঠাৎই মুখখানা বেজায় ভারিক্কি করে বলল, —আমি ঘোরপ্যাঁচ ভালবাসি না দিদিমণি। স্পষ্ট কথা স্পষ্ট ভাষায় বলে দিতে চাই। স্কুল কিন্তু এখন নাই।

সন্দেশ গলায় আটকে মিতুল প্রায় বিষম খাওয়ার জোগাড়,—মানে?

—নাই মানে নাই। স্কুল এখনও ওঠে নাই।

—সে কী! আমাকে যে জয়েন করতে পাঠানো হল...?

—আগে স্কুল? না আগে মাস্টার? যেন কোনও জটিল দার্শনিক প্রশ্ন হেনেছে, এমনই বিশ্বম্ভরের মুখভঙ্গি! যেন মিতুলের কাছ থেকে শুনতে চায় আগে মুরগি, না আগে ডিম! আগে বীজ, না আগে গাছ!

থতমত মিতুলকে বিশ্বম্ভরই জবাবটা শুনিয়ে দিল, —ভাবেন দেখি, স্কুলবাড়ি তৈরি করে বসে রইলাম, মাস্টার এল না! তখন কী হবে? তো এখন আর চিন্তা নাই। আপনাদের অ্যাপয়েন্টমেন্ট যখন করিয়ে আনতে পেরেছি, এবার স্কুলটাও বানিয়ে ফেলব।

মিতুলের বাক্যস্ফূর্তি হচ্ছিল না। এ আবার হয় নাকি? স্কুল যদি নাই থাকে, স্কুল সার্ভিস কমিশন চাকরি দেয় কী করে? ডি আই অফিস বলেছিল বটে নতুন সেটআপ্‌। কিন্তু তার মানে কি স্কুলের অস্তিত্বই না থাকা?

বিশ্বম্ভর সামান্য গলা নামিয়েছে। শীতল স্বরে বলল,— অনর্থক উদ্বিগ্ন হওয়ার কারণ নাই দিদিমণি। আপনার চাকরি পাওয়া নিয়ে কথা, চাকরি আপনি পেয়ে গেছেন। এবার যত

৪৮

বাধাই আসুক, স্কুলবাড়ি আমি তুলবই। আমার ঠাকুরমার বড় সাধ ছিল এই মাটিকুমড়ায় মেয়েদের জন্য একটি স্কুল হোক। আমার ঠাকুরদাদা সেই পুণ্য কাজে আড়াই বিঘা জমি দান করে গেছিলেন। এখন আমার একমাত্র ব্রত ওই জমিতে মাটিকুমড়া বালিকা বিদ্যালয় প্রতিষ্ঠা করা। প্রয়োজনে আমি যে-কোনও ধরনের লড়াই চালিয়ে যেতে প্রস্তুত। কোনও অশুভ শক্তি আমায় দমিয়ে রাখতে পারবে না।

মিতুলের মগজে ঢুকছিল না কথাগুলো। সব কেমন গুলিয়ে যাচ্ছে। কীসের বাধা? অশুভ শক্তিটাই বা কী? দমিয়ে রাখার প্রশ্নই বা আসছে কেন? বক্তৃতার ভঙ্গিতে কথা বলে কেন বিশ্বম্ভর?

বিশ্বম্ভরের স্বর আরও নামল,—আপনাকে একটা কথা জিজ্ঞেস করব দিদিমণি?

—কী?

—আপনি তো দমদমে থাকেন, এত দূরে পোস্টিং নিলেন কেন?

—আমি তো নিইনি। স্কুল সার্ভিস কমিশন আমায় পাঠিয়েছে।

—অ।

—হঠাৎ এ-প্রশ্ন করলেন কেন?

—এমনিই। জেনে নিলাম। বাকি দিদিমণিরা তো সবাই কোনও না কোনও কানেকশনে এসেছেন। এই যেমন ধরেন, বড়দিদিমণি। তিনি আমাদের পাশের কন্সটিটুয়েন্সির এম-এল-এ'র ওয়াইফ। অপর্ণা ধরের কাকা মিউনিসিপ্যালিটির কাউন্সিলার। আর মুনমুন সর্দারের বাবা কৃষক রাজনীতির নেতা, তাকে এ-তল্লাটের অনেকেই চেনে। অথচ আপনি বলছেন আপনার গায়ে কোনও গন্ধ নাই?

—বিশ্বাস করুন, আমি কোনও পার্টি ফার্টি করি না।

—অ। বিশ্বম্ভরের তবু যেন পুরোপুরি প্রত্যয় হল না। চশমার

ফাঁক দিয়ে মিতুলকে দেখতে দেখতে বলল,—যাক গে, বলবেন না যখন, থাক। তবে আমার স্কুলে জয়েন যখন করেছেন, কিছু নিয়মকানুন আপনাকে মানতে হবে। সেক্রেটারি হিসেবে আমি দায়িত্ব নিয়ে বলছি, মাটিকুমড়া বালিকা বিদ্যালয় আছে। আপনি দেখতে পেলেও আছে, না দেখতে পেলেও আছে। সুতরাং আপনি নিয়মিত আসবেন, আমার এই অফিসঘরে এসে বসবেন। ইতিমধ্যে স্কুলও তৈরি হয়ে যাবে, ছাত্রীও পেয়ে যাবেন।

অসাড় মস্তিষ্ক নিয়ে মিতুল বেরিয়ে এল। মাটিকুমড়া গ্রামে এখন দ্বিপ্রাহরিক আমেজ। পুকুরে স্নানে নেমেছে মেয়েবউরা, কাপড় কাচছে, বাসন মাজছে। ধুলোকাদা মেখে রোদ্দুরে ছোটাছুটি করছে একদল খালি-গা বাচ্চা। জনাচারেক যুবক ছায়ায় মাদুর পেতে তাস পেটাচ্ছে। পাশে ট্রানজিস্টর। বাজছে এফ-এম চ্যানেল।

চারদিকের প্রতিটি চোখ ঘুরে ঘুরে দেখছিল মিতুলকে। কোনও দিকে না তাকিয়ে মিতুল হাঁটছিল ধীর পায়ে। চুঁই চুঁই করছে পেট, জ্বালা জ্বালা করছে মাথা। কিন্তু খিদে তেষ্টার অনুভূতিও যেন দম মেরে গেছে এক অচেনা বিস্ময়ে।

শিবমন্দির পেরিয়ে গ্রামের বাইরে এসেছে, তখনই পিছন থেকে ডাক,—এই যে দিদি, শুনছেন? দাঁড়াবেন একটু?

মিতুল চমকে ফিরে তাকাল। তাকেই ডাকল কি? হ্যাঁ, তাকেই তো! পাজামা-পাঞ্জাবি গায়ে বছর পঁয়ত্রিশের লোকটা তার কাছেই আসছে!

সামনে পৌঁছে বলল,—চলে যাচ্ছেন?

মিতুলের ভুরুতে ভাঁজ পড়ল।

—বিশ্বম্ভর দাসের কাছে এসেছিলেন তো?

—হ্যাঁ। কেন?

—স্কুলে জয়েন করলেন?

মিতুল উত্তর দিল না।

৫০

—কিছু মনে করবেন না দিদি, কাজটা কিন্তু আপনার ভুল হয়ে গেল।

মিতুলের ভুরুর ভাঁজ বাড়ল।

—বিশ্বম্ভর দাসের কাছে আপনার জয়েন করার কোনও অর্থই হয় না।

—কেন বলুন তো?

—কারণ বিশ্বম্ভর দাস স্কুলের সেক্রেটারি নন।

মস্তিষ্ক অবশ হয়ে আছে বলেই বোধহয় তেমন ভয়ংকর চমকাল না মিতুল। এক দিনে, মাত্র ঘণ্টা খানেকের ব্যবধানে মানুষ ক'বার চমকাতে পারে? তবে তাকিয়ে আছে ফ্যালফ্যাল।

লোকটা আবার বলল,—বিশ্বম্ভর দাস এখন আর স্কুলের সেক্রেটারি নেই। অনেকদিন আগেই তাকে পদ থেকে বহিষ্কার করা হয়েছে। স্কুলের বর্তমান সেক্রেটারি সনৎদা। সনৎ ঘোষ। ...সনৎদাই আমাকে আপনার কাছে পাঠাল। আপনাকে কিন্তু আলটিমেটলি সনৎদার কাছেই জয়েন করতে হবে।

—তাই নাকি? ভেতরের ভ্যাবাচ্যাকা ভাব কাটিয়ে মিতুল হঠাৎই খানিকটা সপ্রতিভ,—তা আপনাদের মাটিকুমড়া বালিকা বিদ্যালয়টি কোথায় জানতে পারি?

—স্কুলবাড়ি তৈরি হয়নি এখনও। তবে হয়ে যাবে। জমি রেডি আছে।

—যদি ভুল না শুনে থাকি, সে জমি তো বিশ্বম্ভরবাবুদের? মানে বিশ্বম্ভরবাবুর ঠাকুরদার?

—ছিল একসময়ে। তবে তিনি সেই জমি স্কুলকমিটিকে দান করে গেছিলেন। ওই জমিতে বিশ্বম্ভরবাবুর আর কোনও অধিকারই নেই। ম্যানেজিং কমিটির কাছে কাগজপত্র সব আছে।

—বুঝলাম। তবে স্কুল সার্ভিস কমিশান কিন্তু বিশ্বম্ভরবাবুর কাছেই রিপোর্ট করতে বলেছে। জানেন কি সেটা?

—ও তো বিশ্বম্ভর দাসের কারসাজি। ডি-আই অফিসে

৫১

গিয়ে কী সব কলকাঠি নেড়েছে...। সনৎদার কাছে চলুন না, ভাল করে শুনবেন।

মিতুল মুহূর্তের জন্য দ্বিধায়। যাবে, কি যাবে না? একটা উটকো লোক কোত্থেকে এসে কী বলল তার পিছন পিছন ছোটাটা কি শোভন হবে? লোকটাকে আপাত দৃষ্টিতে ভদ্র বলে মনে হয়, কিন্তু পেটে কী মতলব আছে বোঝা ভার, বিপদ আপদ ঘটতে পারে। আবার একটা কৌতূহলও টানছে যে! মাটিকুমড়া জায়গাটা তো ভারী রহস্যময়! একটা অস্তিত্ববিহীন স্কুল... সেই স্কুলে দু'দুজন সেক্রেটারি পদের দাবিদার...! গিয়ে একবার ব্যাপারটা দেখলে হয়!

কয়েক সেকেন্ডের মধ্যে ইতিকর্তব্য স্থির করে ফেলল মিতুল। উঁহু, আজ নয়। আগে ডি-আই অফিস, তারপর অন্য কিছু।

॥ চার ॥

পরদা সরিয়ে মৃদুলা ডাকল,—কী হল, খেতে আসবে না?

—হুঁ।

—হুঁ নয়, এসো। অনেকক্ষণ খাবার দেওয়া হয়েছে।... তোমার ছোট কন্যের তো কাল আবার সকাল সকাল বেরোনো আছে।

—এক সেকেন্ড, এই খাতাটা শেষ করে নিই।

পলকের জন্য ঘাড় তুলেই আবার পরীক্ষার খাতায় মাথা নামাল সোমনাথ। অনার্স। থার্ড পেপার। এহ্, কী হাবিজাবি লিখেছে ছেলেটা! রাষ্ট্রপতি নির্বাচনের কিছু জানে না। আনুপাতিক প্রতিনিধিত্ব ব্যাপারটাই বোঝেনি। পুরো গোল্লা দিয়ে দেবে উত্তরটায়? থাক, দু'নম্বর দিয়ে দিক। শূন্য দেখলেই স্ক্রুটিনিয়ারের চোখে পড়বে, হয়তো বা প্রশ্ন তুলবে টানা দু'পাতা লেখার পরেও একটি নাম্বারও না দেওয়া কি উচিত হয়েছে

সোমনাথের? আজকাল কথায় কথায় কোর্ট কেস হচ্ছে, কোত্থেকে কী ফ্যাসাদে পড়ে যায়...!

পাতা উলটে উলটে সোমনাথ নম্বরগুলো যোগ করল। বত্রিশ। মন্দের ভাল। বাকি তিনটে পেপার মিলিয়ে নিশ্চয়ই কোয়ালিফাই করে যাবে। দেখা খাতার স্তূপের নীচে উত্তরপত্রটা চালান করল সোমনাথ। চেয়ার ছেড়ে ওঠার আগে গুনে নিল এখনও ক'টা খাতা দেখা বাকি। ঊনত্রিশ। সর্বনাশ, কালকের মধ্যে জমা দেবে কীভাবে? কিন্তু না দিয়েও তো উপায় নেই, আজকে আবার ফোন করেছিল হেড এগ্‌জামিনার। এতগুলো পার্টওয়ানের খাতা কেন যে তার ওপর চাপাল? মুখ ফুটে কিছু বলতে পারে না বলে তাকেই বোঝা বইতে হবে? নাহ্, রাতটা আজ জাগতেই হবে। পারবে কি? শরীরে আজকাল আর দেয় না, অজান্তেই জড়িয়ে আসে চোখ। তেমন হলে সক্কালবেলাই নয় বসে যাবে খাতা নিয়ে। এবং কলেজ ডুব। যাবে নয় একটা সি-এল, কী আর করা। ইস, কেন যে মাঝে ক'টা দিন গা-ছাড়া দিয়ে বসে রইল!

অবশ্য গা-ছাড়া বলাটা বোধহয় পুরোপুরি ঠিক হল না। সোমনাথ পরীক্ষার খাতা এমনি এমনি ফেলে রাখে না, তাড়াতাড়ি কাজ চুকিয়ে ফেলতে পারলেই তো শান্তি। কিন্তু এবার মিতুলকে নিয়ে যা টেনশান যাচ্ছে। প্রথম দিন মাটিকুমড়া ঘুরে এসে মিতুল যা শোনাল তাতে তো সোমনাথের মাথা খারাপ হওয়ার উপক্রম। এ কাদের মাঝে গিয়ে পড়ল মেয়ে? মৃদুলা হাউমাউ করে আরও বাড়িয়ে দিল উদ্বেগটা। মেয়েকে বোঝাও, মেয়েকে সামলাও, নয়তো নিজে গিয়ে দ্যাখো ঘটনাটা কী! তা মেয়ে সোমনাথকে যেতে দিলে তো! তার এক গোঁ, আমার সমস্যা আমায় বুঝে নিতে দাও, প্লিজ! বলছি তো, তেমন ঝামেলা হলে আমি একাই ফেস করতে পারব! কিন্তু মেয়ে বলল, আর ওমনি বাপ-মায়ের দুশ্চিন্তা চলে গেল, তাই কখনও হয়? পরদিন মৃদুলা প্রায় জোর করে ঠেলে পাঠাল

সোমনাথকে। প্রথমে স্কুল সার্ভিস কমিশনের অফিস। সেখানে বাপ-মেয়েকে তো প্রায় হাঁকিয়েই দিল। আমরা কিছু জানি না মোওয়াই, ডি-আই অফিস থেকে রিকুইজিশান করেছিল, আমরা সেই মতো ক্যান্ডিডেট অ্যালট করে ছেড়ে দিয়েছি,স্কুল আছে কি নেই তা দেখা আমাদের কাজ নয়! শুনে সঙ্গে সঙ্গে ছোট্ ছোট্ ছোট্, সোজা ডি-আই অফিস। ডি-আই সাহেব ছিলেন না, কোথায় যেন ইন্সপেকশানে গেছিলেন, হেডক্লার্কের সঙ্গে মোলাকাত করেই সাঙ্গ করতে হল অভিযান।

বড়বাবুর কথাবার্তা ধুরন্ধর রাজনীতিককেও হার মানায়। প্রতিটি প্রশ্নেরই কাটা কাটা উত্তর, কিন্তু সঠিক জবাবটি মেলা মুশকিল।

—মাটিকুমড়া স্কুলে অ্যাপয়েন্টমেন্ট পেয়েছে আমার মেয়ে। সেই মতো সে জয়েনও করেছে। কিন্তু সেখানে তো আদৌ কোনও স্কুল নেই?

—এমন তো হওয়া উচিত নয়। হলে অবশ্যই দেখা হবে।

—স্কুলের সেক্রেটারি বিশ্বম্ভর দাসকে জয়েনিং লেটার দিয়েছিল আমার মেয়ে। তারপরই লোকাল একজনের কাছে সে জানতে পেরেছে বিশ্বম্ভর দাস নাকি আর স্কুলের সেক্রেটারিই নন!

—হতে পারে। বছর দুয়েক আগে স্কুল সার্ভিস কমিশানে রিকুইজিশান পাঠানো হয়েছিল, তখন হয়তো ওই বিশ্বম্ভর দাসই সেক্রেটারি ছিলেন।

—কিন্তু এখন তো জনৈক সনৎ ঘোষ দাবি করছেন তিনিই স্কুলের সেক্রেটারি?

—তাও সম্ভব। হয়তো ইতিমধ্যে নতুন কমিটি ফর্ম হয়েছে।

—তা নতুন কমিটি ফর্ম হলে তারা নিশ্চয়ই আপনাদের জানায়?

—জানানোটাই তো নিয়ম।

—তা হলে নিশ্চয়ই আপনাদের রেকর্ডে আছে কে এখন নতুন সেক্রেটারি?

—কাগজপত্র ভাল করে দেখতে হবে।

—যদি দেখা যায় সনৎ ঘোষই স্কুলের সেক্রেটারি, তা হলে আমার মেয়ের জয়েনিং লেটারটার কী হবে?

—এক কথায় বলা যাবে না। খতিয়ে দেখতে হবে তখন।

শুনে মিতুল আর চুপ থাকতে পারেনি। পাশ থেকে বলে উঠেছিল,—কিন্তু স্কুলই যে নেই, তার কী হবে? নিউ সেটআপই হোক, আর যাই হোক, একটা ঘরদোর তো থাকবে!

—হুম। অন্তত একটা ঘর তো থাকাই উচিত। ঘর দেখে এসে ইন্সপেকশান রিপোর্ট দিলে তবে টিচার পোস্টে লোক চাওয়া হয়।

—বিশ্বাস করুন, ওখানে কিচ্ছু নেই। বিশ্বম্ভরবাবুই বললেন...

—শুনেছি। আপনাদের হেডমিস্ট্রেসও জানিয়ে গেছেন।

—এসেছিলেন তিনি?

—হুম্। কালও তো একবার ঘুরে গেলেন। আরও দুই দিদিমণিকে সঙ্গে নিয়ে।

বোঝো অবস্থা! পাক্কা পনেরো মিনিট বাতচিত চালানোর পর প্রকাশ হল বড়বাবুটি মাটিকুমড়া এপিসোড সম্পর্কে ভাল মতোই ওয়াকিবহাল!

মিতুল জেরার ঢঙে প্রশ্ন ছুড়েছিল,—আমি তো জয়েন করার আগে এই অফিসে এসেছিলাম, তখন নিশ্চয়ই আপনারা জানতেন স্কুলটি আদৌ নেই? এবং স্কুলের সেক্রেটারি পদ নিয়ে কনট্রোভার্সি আছে?

বড়বাবু চুপ। সাংবাদিক সম্মেলনে মন্ত্রীরা যেভাবে 'নো কমেন্টস' বলেন, অবিকল সেই ভঙ্গি।

সোমনাথ আহত মুখে বলেছিল, —আপনারা সেইদিনই মেয়েটাকে তো বলে দিতে পারতেন। অত দূর গিয়ে তা হলে

ওভাবে হ্যারাসড হতে হত না।

—উনি তো জিজ্ঞেস করেননি।

—এখন জিজ্ঞেস করছি। এখন বলুন আমার কী করণীয়?

—যাবেন স্কুলে।

—স্কুলটা কোথায়?

আবার মুখে কুলুপ। 'নো কমেন্টস'-এর সাইনবোর্ড।

—আমি রিপোর্ট করবই বা কোথায়? কার কাছে?

—সেটা আপনি আপনার নিজস্ব বুদ্ধি বিবেচনা মতন স্থির করুন। আমার পরামর্শ যদি শোনেন তা হলে বলব রোজ অন্তত হাজিরাটা দিয়ে আসুন। নইলে কিন্তু সার্ভিসের প্রথমেই একটা স্পট পড়ে যাবে। যদি আদৌ ওখানে স্কুলটা না হয়, যদি গভর্নমেন্ট কনসিডার করে আপনাদের আর কোথাও শিফ্ট করে, তখন তো দেখা হবে আপনারা আদৌ চাকরিতে উইলিং কিনা। রেগুলার অ্যাটেন্ডেন্সটাও তো তখন কাউন্ট করা হবে।

কার কাছে অ্যাটেন্ডেন্স দেবে মিতুল? কে রাখবে রেকর্ড? গিয়ে বসবেই বা কোথায়? সোমনাথের মাথায় কিছুই ঢুকছিল না। কিন্তু মিতুলকে দমিয়ে রাখে কে! সে প্রতিদিন নিয়ম করে সকালবেলা বেরিয়ে যাচ্ছে। হেডমিস্ট্রেস রেখা সেনগুপ্ত আর বাকি দুটি মেয়ের সঙ্গে আলাপ পরিচয়ও হয়ে গেছে মোটামুটি। মাটিকুমড়ায় গিয়ে সবাই মিলে নাকি মাঠের ধারে দাঁড়িয়ে থাকে খানিকক্ষণ, গল্পগুজব করে, তারপর চারটে-সাড়ে চারটের মধ্যে বাড়ি। অ্যাটেন্ডেন্সের ব্যাপারে মাথা খাটিয়ে একটা বন্দোবস্তও হয়েছে। হেডমিস্ট্রেসের বুদ্ধিতেই। গাঁটের কড়ি খরচা করে অ্যাটেন্ডেন্স রেজিস্টার কিনে সই মারছে সকলে, খাতা থাকছে রেখা সেনগুপ্তর জিম্মায়। সেক্রেটারি নিয়ে যতই মতভেদ থাকুক, ওই হাজিরাখাতা তো উড়িয়ে দেওয়া যাবে না! স্কুলে তো হেডমিস্ট্রেসের কাছেই সই করতে হয় শিক্ষিকাদের।

তবু মিতুল যতক্ষণ না ফেরে, কাঁটা হয়ে থাকে মৃদুলা। কলেজে গিয়েও সোমনাথের বুক ধড়ফড় করে, ঘন ঘন ফোন

৫৬

করে বাড়িতে। কবে কী অশান্তি বেধে যায়, কোন গণ্ডগোলে পড়ে যায় মিতুল, এই চিন্তা কুরে কুরে খায় অহর্নিশি। মাথার ঠিক না থাকলে কি কাজকর্মে মন বসে?

বাথরুম থেকে হাত ধুয়ে সোমনাথ টেবিলে এসে দেখল মা-মেয়ে খেতে বসে গেছে। সাদামাটা মেন্যু। আলু-পটলের ডালনা, মাখা মাখা ডিমের কারি, আর রুটি।

চেয়ার টেনে বসল সোমনাথ। ক্যাসারোল খুলে রুটি নিতে নিতে বলল, —আজ স্যালাড করোনি?

মৃদুলা চোখ ঘোরাল, —বাজার গেছিলে আজ? শসা এনেছ?

—কলেজ বেরোনোর সময়ে বলতে পারতে, শসা নিয়ে আসতাম।

—আমাদের ওখানকার শসা খাবে? দারুণ শসা। যেমনি সাইজ, তেমনি টেস্ট। একেবারে ফ্রেশ ফ্রম খেত। কাল নিয়ে আসব, দেখো।

—না। তোমাদের মাটিকুমড়ার শসা আমার দরকার নেই।

—মাটিকুমড়ার ওপর রাগ করছ কেন মা? মিতুল মুচকি হাসল, —মানুষগুলো হয়তো একটু তেড়াবেঁকা, তাতে জায়গাটার কী দোষ?

—মানুষ দিয়েই জায়গা চেনা যায়!

মৃদুলার কথার উত্তরে কিছু বলবে মিতুল, তার উত্তরে মৃদুলা, ক্রমশ উত্তপ্ত হয়ে উঠবে খাবার টেবিল, এই আশঙ্কাতেই বুঝি সোমনাথ তাড়াতাড়ি বলে উঠল, —হ্যাঁ রে, তোদের সনৎ ঘোষ আর এসেছিল? তোদের সঙ্গে যোগাযোগ করেছে?

—একদিনই এসেছিল। ওই একদিনই মুখ দেখিয়ে গেছে। তোমাকে তো বলেছি। বড়দি মানে রেখাদিকে ডাকল, রেখাদি কায়দা করে এড়িয়ে গেলেন...

—আর সেই বিশ্বম্ভর? সে কিছু বলছে না?

—তার বোধহয় একটু গোঁসা হয়েছে। তার অফিসঘরে

৫৭

গিয়ে বসছি না তো। লোক পাঠিয়ে দেখে নেয় আমরা এসেছি কিনা, তবে আর ডাকে না।

—তা তার বাড়ি গিয়ে বসলেই পারিস। তাও তো একটা ঘর।

—রেখাদি বারণ করেন। বলেন, একটু সরে সরে থাকাই ভাল। লোকাল পলিটিক্সে জড়িয়ে পড়া কোনও কাজের কথা নয়।

—সে কী রে? তার বরই তো পলিটিক্সের লোক!

—ওটাই তো আমারও খুব আশ্চর্য লাগে বাবা। রেখাদি বরের প্রসঙ্গ তোলেনই না। কতবার ভেবেছি জিজ্ঞেস করব, সাহস হয় না। বড্ড গম্ভীর। তবে হাবেভাবে মনে হয় উনি খানিকটা আদর্শবাদী ধরনের। নইলে একটা স্কুলে কুড়ি বছর চাকরি করছিলেন, সেটা ছেড়ে দুম করে এমন একটা উদ্ভট স্কুলে জয়েন করলেন, এ কিন্তু মুখের কথা নয়।

—চাকরি ছেড়ে এসেছেন? তুই শিয়োর? লিয়েনে নেই তো?

—লিয়েন? সেটা কী?

—পারমানেন্ট চাকরি হলে সেটা না ছেড়েও একটা সার্টেন টাইম অব্দি সিমিলার টাইপ অফ জবে চলে যাওয়া যায়। যেমন গভর্নমেন্ট টু গভর্নমেন্ট, সেমি গভর্নমেন্ট টু সেমি গভর্নমেন্ট...স্কুল টু স্কুল অর কলেজ...

—এমন নিয়ম আছে বুঝি? হয়তো তাহলে রেখাদিও সেরকম কিছু...

—খবর নিয়ে দ্যাখ, তাই। হেডমিস্ট্রেসের স্কেল খুব ভাল তো, বোধহয় সেই আশাতেই উনি অকূল পাথারে ঝাঁপ দিয়েছেন। খাবার টেবিলের পরিবেশ খানিকটা লঘু করে দিল সোমনাথ। তরল স্বরে বলল, —আর তোর সেই দুই কলিগ? তারা রোজ আসছে তো?

—হুঁউউ।

—তারা কী বলে?

—বাড়িফাড়ির গল্প করে, স্কুল নিয়ে বিশেষ একটা আলোচনায় যায় না। মনে হয় ওরা একটু ভয়ে ভয়ে থাকে।

—কেন? তাদের তো খুঁটির জোর আছে।

—হয়তো সেই জন্যই ভয়। ভাবছে হয়তো খুঁটির জোরটাই বুমেরাং হয়ে গেল। ধরাকরা করে কাছাকাছি পোস্টিং পেয়েছিল, এবার স্কুল না হলে যদি চাকরিটাই চলে যায়! কী বলে ফেলবে, কে কোথায় কী লাগাবে, তার ঠিক আছে?

—আর তুমি কী করো? মৃদুলা এক ঢোক জল খেয়ে বলল, —ডোন্ট কেয়ার হয়ে লম্বা লম্বা লেকচার ঝাড়ো তো?

—কেউ কথা না বললে সময়টা কাটবে কী করে মা? সারাক্ষণ মাঠের ছাগল চরা দেখে?

—কিচ্ছু করবে না। অনেক অ্যাডভেঞ্চার হয়েছে, এবার থামো। কালও তো দুর্গাপুর থেকে ফোন এসেছিল। তোমার কাকা-কাকি দু'জনেই পইপই করে বলল, মিতুলকে মানা করো, মনে হচ্ছে ও কোনও পলিটিকাল ফিউডের মধ্যে পড়ে গেছে। ওসব স্কুল কস্মিনকালেও হবে না, মাঝখান থেকে কোনও একটা পলিটিকাল পার্টির গ্রাজে পড়ে যাবে মিতুল, কোত্থেকে কী বিশ্রী বিপদ ঘটে যাবে!

মিতুল গ্রাহ্যই করল না। ডিমের কুসুমে নুন মাখাতে মাখাতে বলল,—তুমি রেগে গেলে আমায় 'তুমি তুমি' কেন করো মা?

—ফাজলামি কোরো না। যে শুনছে সে-ই এক কথা বলছে। তোমার মামা মাসি পিসি প্রত্যেকের এক মত। মিতুলের এসব গোঁয়ারতুমি ছাড়া উচিত। মৃদুলা ফোঁস করে শ্বাস ফেলল, —তুতুল ঠিকই বলে। ছোট বলে তুমি বেশি আশকারা পেয়েছ তো, তাই মাথায় উঠে গেছ।

—আর তোমার জামাই কী বলে মা? ঠাকুরের যখন ইচ্ছে নয় তখন সুকন্যার এই চাকরি না করাই শ্রেয়... বলে না?

প্রতীককে নকল করার ঢঙে সোমনাথ হেসে ফেলছিল প্রায়,

মৃদুলার গুমগুমে মুখের দিকে তাকিয়ে গিলে নিল হাসিটা। প্রতীকের প্রগাঢ় ঈশ্বর ভক্তি নিয়ে মাঝেসাঝেই রঙ্গরসিকতা করে মিতুল। সেদিনই তো বলছিল, বাথরুমে ঢোকার আগেও নাকি ঠাকুর প্রণাম করে প্রতীকদা! প্রার্থনা করে, হে মাকালী, আজকের মতো কোষ্ঠটা সাফ করে দাও! এই ধরনের ব্যঙ্গবিদ্রূপ মৃদুলার একেবারেই না-পসন্দ্। কৃতী জামাইয়ের ওপর শাশুড়ির দুর্বলতা তো থাকতেই পারে।

সোমনাথ সামান্য ধমকের সুরে বলল, —মানুষের বিশ্বাস নিয়ে সবসময়ে ঠাট্টা বিদ্রূপ করিস না মিতুল। করতে নেই। ভক্তি করে প্রতীক যদি তৃপ্তি পায়, শক্তি পায়... থাকুক না ওর মতো।

—তো আমিই বা কেন আমার মতো থাকতে পারব না? কেনই বা আমাকে নিয়ে তোমরা সবাই মিলে ঘোঁট পাকাচ্ছ? মিতুল সহসা সিরিয়াস, গলায় বিষণ্ণতার আভাস, —তুমিই বলো বাবা, আমি কি কিছু অন্যায় করেছি? পড়াশুনো করে পরীক্ষা দিলাম, একটা চাকরি পেয়েছি, আশা নিয়ে জয়েন করতে গেলাম... এর কোনওটা নিশ্চয়ই অন্যায় কাজ নয়? কপাল খারাপ, চাকরিটা দূরে হয়েছে। কপাল আরও খারাপ, চাকরিস্থলে নানা ধরনের সমস্যা রয়েছে। কিন্তু সেগুলো তো আমার দোষ নয়। তা ছাড়া আমার চাকরি করা নিয়েও তোমাদের তো সেভাবে আপত্তি নেই। তা হলে তোমরা আমাকে আটকাতে চাইছ কেন? তোমাদের ইচ্ছেটাই বা কেন আমার ঘাড়ে চাপাতে চাইছ?

—তা নয় রে মিতুল। সোমনাথ নরম স্বরে বলল, —আমরা ভয় পাচ্ছি। তুই মা হলে তুইও বুঝবি।

—কীসের ভয় বাবা? কার ভয়? আমি তো কারুর সঙ্গে শত্রুতা করতে যাইনি। আমাকে একটা চাকরি দেওয়া হয়েছে, অ্যান্ড আই ওয়ান্ট টু স্টিক টু দ্যাট জব। কাল্পনিক একটা ভয়ের অজুহাত খাড়া করে কেন আমি পিছিয়ে আসব? ত্রুটি যখন

আমার নয়, কেন আমি শেষ পর্যন্ত দেখব না?

মিতুলের চোখ জ্বলছে। ভেতর থেকে কেঁপে উঠল সোমনাথ। এ মেয়ে যেন তার একেবারেই অচেনা। কবে তার ছোট্ট মিতুল এত বড় হয়ে গেল?

গোমড়া মুখে খাওয়া সেরে উঠে গেছে মৃদুলা। সিঙ্কে বাসন নামাচ্ছে। সোমনাথও উঠে পায়ে পায়ে বেসিনে গেল। আঁচিয়ে তোয়ালেতে মুখ মুছছে, ড্রয়িংস্পেসে টেলিফোনের ঝংকার।

মিতুলই দৌড়ে গিয়ে রিসিভার তুলেছিল, বলল, —তোমার ফোন। স্বপনকাকু।

এত রাতে স্বপন? সোমনাথ তাড়াতাড়ি এসে টেলিফোন ধরল।

—সরি সোমনাথদা, আপনাকে রাত্তিরে ডিসটার্ব করছি।

—আরে না না, বলুন।

—খাওয়াদাওয়া কমপ্লিট?

—এই তো, জাস্ট...

—কাল রুটিন সাব কমিটির মিটিংয়ে আসছেন তো? কাল কিন্তু আমি কয়েকটা ভাইটাল প্রশ্ন তুলব। আমাদের পল সায়েন্সের সঙ্গে এ বছরও ইকনমিক্স কম্বিনেশান রয়ে গেল, এতে কিন্তু আমাদের ক্লাস অ্যাডজাস্টমেন্টে খুব সমস্যা হবে। চারদিন অনার্সের ক্লাস ফেলা হচ্ছে সাড়ে তিনটের পর, এ কী? এমন জোরালোভাবে বলতে হবে যেন সামনের বছর অন্তত সিচুয়েশানটা পালটায়। আপনি কিন্তু আমায় ডিটো দেবেন।

সোমনাথ মাথা চুলকোল, —কিন্তু আমি যে কাল... কাল আমায় ছেড়ে দেওয়া যায় না?

—সে কী? কাল আপনি আসবেন না? ...ভাবলাম কাল র‍্যালি আছে, বারোটায় বেরিয়ে দুটোর মধ্যে ফিরে আসব... সেই হিসেব করে মিটিংয়ের ডেট টাইম ফিক্স করলাম, আপনি নোটিসে সই করলেন...!

—সই করেছিলাম, না?

—ওহ্, সোমনাথদা, আপনাকে অ্যালজাইমার ধরল নাকি?
ও প্রান্তে স্বপনের গলায় ঠাট্টার সুর। এবং প্রায় সঙ্গে সঙ্গে সুরটা
পালটেও গেছে, —আপনি কি কাল র‍্যালিতেও আসছেন না?

র‍্যালির কথাটা মাথাতেই ছিল না সোমনাথের। অপ্রস্তুত
স্বরে বলল, —না মানে... এখনও পার্টওয়ান অনার্সের একগাদা
খাতা দেখা বাকি, কাল লাস্ট ডেট...!

—প্রিন্সিপাল কিন্তু খুব এক্সেপশান নেবেন। এমনিতেও
আজ দেখলাম উনি আপনার ওপর বেশ অফেন্ডেড হয়ে
আছেন।

—কেন?

—আপনি নাকি ইউনিয়ানের ছেলেমেয়েদের সঙ্গে ঝগড়া
করেছেন? এ-জি-এস মেয়েটি, ওই যে কী যেন নাম... তাকে
নাকি আপনি কবে শাসিয়েছেন? বলেছেন, তোমরা এরকম
বেআইনিভাবে চাঁদা তুলতে পারো না...?

—না তো। বলিনি তো। সোমনাথ মরিয়া হয়ে প্রতিবাদ
জুড়ল, —একটা মেয়ে ভরতির সময়ে আমায় খুব ধরেছিল,
আমি জাস্ট ওদের রিকোয়েস্ট করেছিলাম যেন একটু
কন্সিডার করে। তা সেও তো হপ্তা দুয়েক আগের কথা। সেই
পে-ডের দিন।

—আমি কিছু জানি না। প্রিন্সিপালের মুখে যা শুনলাম, তাই
বলছি। উনি গজগজ করছিলেন সিনিয়ার টিচাররা যদি
ইউনিয়ানের সঙ্গে মানিয়ে গুনিয়ে না চলতে পারেন, তা হলে
আমি কলেজে ডিসিপ্লিন রাখব কী করে? ...যাই হোক, মনে
রাখবেন কালকের র‍্যালিটা কিন্তু স্টুডেন্ট ইউনিয়ানেরই। যুদ্ধ
বিরোধী মিছিলে আমরা নেহাতই নৈবেদ্যর ওপর বাতাসা।
আপনি না গেলে দুয়ে দুয়ে চার হয়ে যেতে পারে কিন্তু।

ফোনটা রেখে রগ টিপে সোফায় বসে পড়ল সোমনাথ। কী
গেরো রে বাবা! সেদিন তো সোমনাথ মানে মানে সরেই
গেছিল, তারপরও মেয়েটা গিয়ে নালিশ করল? আর

৬২

প্রিন্সিপালও মনে মনে পুষে রেখে দিয়েছে ব্যাপারটা? কতবার তো দেখা হয়েছে এর মধ্যে, একবারও তো মুখ ফুটে উচ্চারণ করল না? সোমনাথকে সোজাসুজি জিজ্ঞেস করলেই ব্যাপারটা ক্লিয়ার হয়ে যেত? কেন করল না? নির্মলের সঙ্গে একটা অন্য ধরনের বন্ধুত্ব আছে সোমনাথের, পুলকেশ কুন্ডু জানে। নির্মলের সঙ্গে মোটেই বনে না পুলকেশের, মাঝে মাঝেই নির্মল তাকে চ্যাটাং চ্যাটাং কথা শুনিয়ে দেয়। সেই সূত্রে এদিকেও দুয়ে দুয়ে চার হয়ে গেল নাকি? পুলকেশ কুন্ডু কি ধরেই নিল সোমনাথও নির্মলের দলে? অথচ কী আয়রনি, নির্মলের সত্যিই কোনও দল নেই।

নির্মলকে একটা ফোন লাগাবে? নির্মল নিশাচর প্রাণী, সাড়ে দশটা তো ওর সন্ধে। হয়তো তাসটাস খেলে সবে ক্লাব থেকে ফিরছে। কম্পিউটার খুলেও বসতে পারে। ইদানীং ইন্টারনেট চষার নেশা হয়েছে নির্মলের। সদ্য চাকরি পেয়ে বাঙ্গালোর চলে যাওয়া ছেলের সঙ্গেও চ্যাটে বসে প্রায়ই। তেমন হলে তো লাইনই পাওয়া যাবে না।

তবু ডায়াল করে দেখবে একবার? কী লাভ, নির্মল কী কী বলবে তা তো সোমনাথ মোটামুটি জানে। তুমি পুলকেশ কুন্ডুর ভয়ে থরথর কাঁপছ? ছোঃ। ও ব্যাটা তো চামচার চামচা। দাদাদের পায়ের কাছে লেজ নেড়ে নেড়ে, আর কুইন্টাল কুইন্টাল তেল ঢেলে প্রিন্সিপালের পোস্টটা বাগিয়েছে। স্টুডেন্ট ইউনিয়ানকে তোয়াজ না করলে দাদারা ওর কান মুলে দেবে না? ছাত্রদের ডাকা যুদ্ধবিরোধী মিছিলে ওকে তো একটা লিডিং পার্ট নিতেই হবে। তা বলে আমরাও ওর ল্যাংবোট হতে যাব কোন পুলকে? তা ছাড়া ওরকম একটা হাস্যকর র‍্যালিতে যাবই বা কেন? মফস্‌সলের রাস্তায় ট্যাবলো নিয়ে ঘুরলেই বন্ধ হয়ে যাবে আমেরিকার দাদাগিরি? ওরে, বঙ্গসন্তানরা চেঁচাচ্ছে রে বলে চম্পট লাগাবে মার্কিন সেনা? জর্জ বুশের হাঁটু কাঁপবে? নিজের ঘরে দাদাগিরি চললে টুঁ শব্দটি নেই, হাজার

মাইল দূরে কোন মস্তান কাকে মাসল্ দেখাচ্ছে তাই নিয়ে যত লম্ফঝম্ফ! তাও যদি তোমার নিজের বিবেক চায়, তো যাও তুমি যুদ্ধবিরোধী মিছিলে। কিন্তু কারুর চোখ রাঙানোর ভয়ে? নৈব নৈব চ।

হায় রে, নির্মলের মতো সোমনাথও যদি সরব হতে পারত! তাকে কাল কলেজে যেতেই হবে, মিছিলে হাঁটতেই হবে, মিটিংয়েও বসতে হবে, আবার খাতাও জমা দিতে হবে হেড এগ্‌জামিনারের কাছে। রাত জাগা ছাড়া তার আজ উপায় নেই।

দীর্ঘশ্বাস ফেলে শোওয়ার ঘরে এল সোমনাথ। বসল চেয়ার-টেবিল টেনে, ডুবছে খাতার ডাঁইয়ে। বিরস মুখে। পঞ্চম উত্তরপত্রটা দেখতে দেখতে থমকাল একটু। ভারতীয় রাজনৈতিক সংস্কৃতির রূপরেখা বর্ণনা করতে গিয়ে কাঁড়ি কাঁড়ি নিজস্ব মন্তব্য জুড়েছে পরীক্ষার্থীটি। ...আগেকার দিনের নেতারা ধুতিখদ্দর ছাড়া পরত না, এখন তাদের দু'পকেটে মোবাইল। কথায়বার্তায়, আচারআচরণে দক্ষিণপন্থী নেতাদের সঙ্গে বামপন্থীদের এখন পৃথক করা কঠিন। দু'পক্ষই ঝুড়ি ঝুড়ি মিথ্যে কথা বলে, গুন্ডা-মস্তান পোষে, যে যার মতো নিজের আখের গোছায়, জনগণ এখন তাদের খেলার পুতুল...। কোনও পাঠ্যবইতে এ ভাষায় লেখা নেই কথাগুলো, উত্তরের এই অংশটা কি ভুল বলে লাল কালির আঁচড় টানবে সোমনাথ? কোনটা সত্যি? বই? না বাস্তব অবস্থা?

মৃদুলা জলের জগ নিয়ে ঘরে ঢুকেছে। টেরচা চোখে সোমনাথকে দেখে নিয়ে বলল, —তোমার আজ ঘুমটুম নেই?

—নাহ্। তুমি শুয়ে পড়ো।

—ম্যাট জ্বালিয়ে নাওনি কেন? মশা কামড়াচ্ছে না?

—তিনতলায় আর তেমন মশা কোথায়?

—বোকো না। সন্ধেবেলা জানলা বন্ধ না করে দিলে এতক্ষণে ছিঁড়ে খেয়ে নিত। এবার বর্ষায় আরও যেন বেড়ে গেছে। টেবিলের কাছে এসে মশক বিতাড়ন যন্ত্রের সুইচ অন

করে দিল মৃদুলা। একটুক্ষণ দাঁড়িয়ে থেকে বলল, —একটা কথা শুনবে আমার ?

—কী ?

—মিতুল যতই না না করুক, একদিন মাটিকুমড়া ঘুরে এসো না। সরেজমিন করে দ্যাখো ওখানের কী হালচাল। ইয়াং মেয়ে... জেদ করে যাচ্ছে... কতটা রিস্ক আছে না আছে একবার তো বুঝে নেওয়া উচিত।

—ছাড়ো না ওর ওপর। মিতুল এখন যথেষ্ট ম্যাচিয়োর। ডি-আই অফিসে গিয়ে কী রকম টকটক কথা বলছিল! ও ঠিক ম্যানেজ করে চলতে পারবে।

মৃদুলা কণামাত্র স্বস্তি পেল না। অপ্রসন্ন মুখে বলল, — তোমার প্রশ্রয়েই মেয়ে এত বেড়েছে।

—আমার প্রশ্রয়ে ?

—না তো কী ? মেয়ে যা বায়না করছে, তাই মেনে নিচ্ছ। ...কী ভাল একটা সম্বন্ধ আনল দাদা... ছেলে সেরামিক ইঞ্জিনিয়ার, এম-বি-এ, গুরগাঁওতে কত বড় চাকরি করে, মোটা স্যালারি...। মেয়ে না বলল বলে তুমি নেগোসিয়েশানেই এগোলে না !

—ওখানে হত না। ওরা ফরসা মেয়ে চায়...।

—হত না তো হত না। তুমি হাত গুটিয়ে বসে থাকলে কেন ?

সোমনাথ চোখ থেকে চশমা নামাল। ডটপেনটাও রাখল খাতার ওপর। ঈষৎ ঘুরে বসে বলল, —শোনো, বি প্র্যাকটিকাল। মিতুল যে এক্ষুনি বিয়ে করতে চাইছে না এ তো মন্দের ভাল।

—মানে ?

—টাকা। টাকার কথাটা ভাবো। আমার লোনটোনগুলো চুকতে এখনও এক বছর। তুমি কি চাও রিটায়ারমেন্টের মুখে এসে আবার নতুন ধারকর্জে জড়িয়ে পড়ি? ভুলে যেয়ো না,

৬৫

তুতুলের সময়ে আমার হাতে তাও ক'টা বছর ছিল। সঞ্চয়ও ছিল কিছু। টিউশ্যনি করেও খানিকটা সামাল দিয়েছি। এখন তো ফুটো সামলাতে ন্যাংটো দশা।

—আবার ধরছ না কেন টিউশ্যনি? নির্মলবাবু তো বলছিলেন তোমাদের অনেকে নাকি আবার লুকিয়ে চুরিয়ে শুরু করেছে!

—সে তাদের বুকের পাটা আছে। আমি পারব না।

—তুমি কিসুই পারবে না। ভিতুর ডিম একটা! সারাজীবন গর্তে ঢুকেই কাটালে।

মৃদুলা সরে গেল। মশারি টাঙাচ্ছে। সোমনাথ সঙ্গে সঙ্গে খাতায় মন ফেরাতে পারল না। মৃদুলার শেষ কথাটুকু যেন বাজছে বুকে। সত্যি, আতঙ্কের সুড়ঙ্গেই কেটে গেল সারাটা জীবন। সেই কোন ছোটবেলায় বাবা মারা গেল, তিন ছেলেমেয়ে নিয়ে প্রায় নিঃসম্বল মা'র আশ্রয় জুটল জেঠার সংসারে। তখন থেকেই কি রোপিত হয়েছিল ভয়ের বীজ? মাথার ওপর ছাদ না থাকার ভয়? দু'বেলা দু'মুঠো ভাত না জোটার ভয়? পড়াশুনো চালিয়ে যেতে না পারার ভয়? জেঠিমা শ্যেন দৃষ্টিতে তাকিয়ে দেখত কতটা করে খাচ্ছে তারা পিঠোপিঠি তিন ভাইবোন। মনে আছে একবার জেঠিমার ছোট বোন এসেছিল বেড়াতে। তখন সোমনাথ কলেজে পড়ে। সোমনাথের পাতের দিকে তাকিয়ে বলেছিল, ওমা, এ যে বেড়াল টপকানো ভাত খায়! সোমনাথ অধোবদন, সেদিন থেকেই খাওয়া অর্ধেক হয়ে গিয়েছিল। এখনও নিজের সংসারে দ্বিতীয়বার ভাত চাইতে কেমন বাধো বাধো লাগে। জেঠার বাড়ির সবচেয়ে ছোট ঘরখানা জুটেছিল তাদের কপালে, গাদাগাদি করে সেখানে থাকত চারজন। সারাদিন ঝিয়ের মতো খাটত মা, মন জুগিয়ে চলত জেঠিমার, তবু মাকে কত মুখঝামটা সহ্য করতে হয়েছে। জেঠিমার তপ্ত গলা কানে এলে ঘরের ভেতর ঠকঠক কাঁপত সোমনাথ। হাড়ের সেই কাঁপুনি

৬৬

আজও থামল না? সব সময়ে মনে হয়, এই যে ছোট্ট বৃত্ত, এই যে সামান্য একটু নিশ্চিন্ততা সে অর্জন করেছে, এই বুঝি সেটা উবে গেল। আশ্চর্য, দীপু আর খুকুও তো একসঙ্গেই মানুষ হয়েছে, তাদের মধ্যে তো এই হীনম্মন্যতা নেই? তারা তো দিব্যি বুক ফুলিয়ে বেঁচে আছে!

আরও বেশি অবাক লাগে মিতুলকে দেখে। তার ছত্রছায়ায় বড় হয়েও ভয়ডরের কোনও বালাই নেই? কোত্থেকে এত জোর পায় মিতুল? ঠাকুমার ধাত? শত কষ্টের মধ্যেও মাকে কখনও ভেঙে পড়তে দেখেনি সোমনাথ। কানের কাছে পাখি পড়ার মতো আওড়াত মা, ঘাবড়াস না, সমু, দিন বদলাবে, দিন বদলাবে।

দিন তো অনেকটাই বদলেছে, সোমনাথ নিজের বদল ঘটাতে পারল কই!

॥ পাঁচ ॥

বর্ষা যেন এবার বড় তাড়াতাড়ি চলে গেল। শ্রাবণ সংক্রান্তির অনেক আগেই আকাশে ফিরে এসেছে নীল, এক-আধটুকরো ভারী মেঘ দর্শন দেয় ক্বচিৎ কখনও, ঝমাঝম ঝরে খানিক, তারপর আবার সে ঝকঝকে তকতকে। দিনের বেলা সূর্যের তাপ বড্ড চড়া, চব্বিশ ঘণ্টাই এখন ভ্যাপসা গুমোট। এক মুহূর্ত শান্তি নেই, সারাক্ষণ চ্যাটচ্যাট করছে গা হাত পা, ফ্যানের হাওয়া গায়েই লাগে না যেন।

গরমে হাঁসফাঁস করতে করতে কম্পিউটারে ডাটা ফিড করছিল প্রতীক। পুরনো এক অ্যাসেসির রেকর্ড ভরে রাখছে যন্ত্রগণকে। কাজে উৎসাহ পাচ্ছে না। তার পাঁচতলার চেম্বারে দুটো জানলাই পশ্চিমমুখো, দুপুরের পর থেকে অসম্ভব তেতে যায় ঘরখানা, এই বিকেলের দিকটায় বসে থাকতে প্রাণ

ওষ্ঠাগত। শরীর থেকে নুন বেরিয়ে যাচ্ছে অবিরাম, শ্রান্ত লাগছে খুব। আপন মনে মুখ বিকৃত করল প্রতীক। সরকারের এই এক দোষ, অকাজে হাতি গলে যায় তাতে হুঁশ নেই, কর্মচারীদের কাজকর্মের সুবিধের জন্য সুচটুকু কিনতেও লাখো ফ্যাকড়া। ফান্ড দেখাবে, ফিনান্স দেখাবে, অডিট দেখাবে, রুল দেখাবে...! ঘরে একটা এসি মেশিন থাকলে কত আরামে কাজ করা যায়। প্রতীকরা নয় দাঁতে দাঁত চেপে সহ্য করে গেল, কিন্তু ঘরে যে কম্পিউটারটি রয়েছে তাকে কি এত তাপ খাওয়ানো ভাল? সাধে কি বাবা যন্ত্রগণক মাঝে মাঝেই বিগড়ে বসে। তিনি হ্যাং করে গেলে কাজের তো দফারফা।

চেম্বারে প্রতীকের সঙ্গে বসে আর একজন অফিসারও। যোগব্রত চৌধুরী। প্রতীকের চেয়ে দু'-চার বছরের বড়। যোগব্রতর টেবিলে দু'জন অবাঙালি বসে, তাদের সঙ্গে অনুচ্চ স্বরে কথা বলছিল যোগব্রত, লোকদুটো ফাইলপত্র নিয়ে বেরিয়ে যেতে বড়সড় একটা আড়মোড়া ভাঙল। এবার আঙুল মটকাচ্ছে। দশটা আঙুল গুনে গুনে কুড়ি বার। ডেভিড কপারফিল্ডের নিউম্যান নগ্‌স্! টেবিলের ওপর রেখে যাওয়া প্যাকেট খুলে বিদেশি সিগারেট ধরাল একখানা। আয়েস করে ধোঁয়া ছাড়ছে।

প্রতীক বিরক্ত হল বেশ। সিগারেটের গন্ধ তার সহ্য হয় না। যোগব্রত ভালমতোই জানে, তবু ইচ্ছে করে ধরায়। অন্যের অসুবিধে করে কী যে আনন্দ পায়! সরকার কবে থেকে তড়পাচ্ছে অফিসে ধূমপান নিষিদ্ধ করবে, কেন যে আইনটা চালু হচ্ছে না এখনও?

ছাই ঝাড়তে ঝাড়তে যোগব্রত কথা ছুড়ল— কী চ্যাটার্জিসাহেব, কিছু শুনছেন নাকি?

প্রতীক টেরিয়ে তাকাল—কী ব্যাপারে বলুন তো?

—আমাদের অ্যানুয়াল টার্গেট নাকি আবার রিভাইজ হচ্ছে? বাড়িয়ে নাকি ডবল করে দেবে?

—দিতেই পারে। গভর্নমেন্টের ফান্ডের যা দশা।

—একটা ব্যাপার লক্ষ করেছেন? গভর্নমেন্ট যখনই পাঁকে পড়ে, তখনই আমাদের মতো রেভিনিউ আর্নিং ডিপার্টমেন্টগুলোকে ডলা দেওয়া শুরু হয়। কী করে কালেকশান হবে তা নিয়ে ডেফিনিট প্ল্যান প্রোগ্রাম নেই, শুধু মাল্লু এনে দাও, মাল্লু এনে দাও! কাঁহাতক পার্টির ওপর প্রেশার করা যায় বলুন?

প্রতীক মনে মনে বলল, চাপ দিলে আপনার আমার লোকসান তো নেই। নীচের তলা ব্লেড মেরে দেবে, আপনি বসে বসে মুরগির ছাল ছাড়াবেন।

মুখে বলল,—সত্যি, আমাদের হয়েছে যত জ্বালা। কী সব অড সিচুয়েশানই না ফেস করতে হয়!

যোগব্রত চোখ ছোট করে সামান্য নিরীক্ষণ করল প্রতীককে। বুঝি বুঝে নিতে চাইল কথাটায় কোনও টিটকিরি আছে কিনা।

তখনই দরজা ঠেলে ঝোড়ো বাতাসের মতো দেবীপ্রসাদের প্রবেশ। ঢুকেই হইহই করে উঠেছে,—ব্যাপার কী হে প্রতীককুমার? আমার ঘরে ঢুঁ মারছ না কেন?

—আরে ডিপিদা যে! প্রতীক হাসল,—পরশুই গিয়েছিলাম। এরকম সময়ে। আপনি ছিলেন না তখন।

—পরশু?...ও হ্যাঁ, শালীর বাচ্চার মুখ দেখতে গেছিলাম। চেয়ার টেনে বসল দেবীপ্রসাদ,—বউ বাচ্চা পাড়ার সময়ে কাছে থাকতে পারিনি তো, সেটাই পুষিয়ে দিলাম আর কী! জানোই তো, শালী মানে আধি ঘরওয়ালি। হা হা হা।

দেবীপ্রসাদের বয়স বছর পঁয়তাল্লিশ। টকটকে ফরসা রং, লম্বাটে মুখ, খাড়া নাক, চোখে সবসময়ে খেলা করছে কৌতুক। দেবীপ্রসাদ সেই প্রজাতির মানুষ যার আবির্ভাব মাত্রই যে-কোনও আবহাওয়া লঘু হয়ে যায়।

প্রতীকের সঙ্গে দেবীপ্রসাদের আলাপ শিলিগুড়িতে।

প্রতীকের ফার্স্ট পোস্টিংয়ের সময়ে। পদমর্যাদায় তখন তার চেয়ে এক ধাপ ওপরে ছিল দেবীপ্রসাদ। বয়সের অনেকটা ফারাক সত্ত্বেও বছর দু'-আড়াই একত্রে চাকরি করার সুবাদে বেশ গাঢ় বন্ধুত্ব তৈরি হয়ে গিয়েছিল দু'জনে। শিলিগুড়িতে ছোট একটা ঘর ভাড়া নিয়ে একা থাকত প্রতীক, প্রায় প্রতি সন্ধেতেই চলে যেত ডিপিদার ফ্ল্যাটে, চলত অনন্ত আড্ডা আর হইহই। প্রতীক খানিকটা মুখচোরা, কথা বলে কম, তাতে কিছু যেত-আসত না দেবীপ্রসাদের। যে-কোনও আসরে সে একাই একশো।

প্রোমোশান হওয়ার পর প্রতীক আর দেবীপ্রসাদ এখন একই ধাপে। অবশ্য শিগগিরই আর একটি প্রোমোশান পেয়ে যাচ্ছে দেবীপ্রসাদ, বর্ধমান থেকে কলকাতায় বদলি হয়ে তারই অপেক্ষায় রয়েছে। সিনিয়রিটি জুনিয়রিটি নিয়ে এখনও তার কণামাত্র ছুঁৎমার্গ নেই, প্রায়শই সে এ-ঘরে হানা দিয়ে পুরনো সম্পর্কটা ঝালিয়ে যায়।

প্রতীক হাসি হাসি মুখে বলল,—তা কেমন দেখলেন শালীর মেয়ে?

—চমৎকার। বিলকুল আমার শালীর ছাঁচে গড়া। তৈরি মেয়ে, জন্মানোর এক ঘণ্টা পর থেকেই চোখ মারছে।

যোগব্রত পাশ থেকে টিপ্পনী কাটল,—আপনার শালী বুঝি খুব চোখ মারে?

—মারে মানে? আই এক্সারসাইজ করতে করতে বেচারি ট্যারা হয়ে গেল। তাই নিয়ে আমার ভায়রার কম আফশোস।... তা আপনার শরীর কেমন এখন? সেই কোমরের ব্যথাটা গেছে?

যোগব্রত বিরস মুখে বলল,—কই আর। পেনকিলার খেয়ে খেয়ে চালাচ্ছি।

—শরীরটাকে আর ওষুধে ওষুধে দূষিত করবেন না। আড়াই প্যাঁচের তামা পরুন একটা। কারেন্ট পাস করানো। সঙ্গে গোমেদ ধারণ করুন। আড়াই থেকে তিন রতির।

—আমাকে একজন ম্যাগনেটিক বালার কথা বলছিল...

—দেখতে পারেন। তবে স্টোনের এফেক্ট আরও বেটার।

—বলছেন? যোগব্রত রক্তপ্রবাল আর পোখরাজ শোভিত নিজের আঙুলদুটো দেখাল,—এগুলো থাকবে?

—ক্ষতি নেই। পোখরাজ আপনাকে কে পরতে বলেছে?

—সিদ্ধাই মা। বউবাজারে একটা দোকানে বসেন। খুব ভিড় হয়। আমাকে অবশ্য স্পেশাল অ্যাপয়েন্টমেন্ট দিয়েছিলেন।

—পোখরাজের সঙ্গে একটা চুনি পরলে আরও ভাল কাজ হত।

—বলছেন?

—দেখুন না পরে।

আরও দু'-চার মিনিট পাথর সংক্রান্ত আলোচনা করে উঠে পড়ল যোগব্রত। ধর্মতলায় কী কাজ আছে, ব্রিফকেস গুছিয়ে বেরিয়ে পড়েছে।

যোগব্রত চলে যাওয়ার পর প্রতীক বলল,—আপনি আজকাল জ্যোতিষ চর্চাও করছেন নাকি ডিপিদা?

—একটু-আধটু। অ্যাপ্রেনটিস বলতে পারো। দেবীপ্রসাদ চেয়ারে হেলান দিল।

—হঠাৎ এ লাইনে আপনার আগ্রহ হল যে?

—আরে ভাই, গভর্নমেন্টের যা হাল, যে-কোনও দিন তো ঝাঁপ বন্ধ হয়ে যেতে পারে। দেবীপ্রসাদ মুচকি হেসে চোখ টিপল,—একটা অলটারনেটিভ ফ্রন্ট খুলে রাখা আর কী।

—আপনি তো নিজে পাথর টাথরে তত বিশ্বাস করতেন না?

—আরে বাবা, যাদের বলি তারা তো বিশ্বাস করে। তাহলেই হল।

প্রতীক হেসে ফেলল। ডিপিদা মানুষটাই এরকম। নিজে বিশ্বাস করুক, বা না করুক, অদ্ভুতভাবে অন্যের ভেতরে বিশ্বাসটা চারিয়ে দিতে পারে। চাকরিতে জয়েন করার বছরখানেকের মাথায় বিচ্ছিরি এক গাড্ডায় পড়ে গেছিল

৭১

প্রতীক। শিলিগুড়ির প্রধান নগরের এক খুদে কারখানার মালিক জোর করে টাকা আদায়ের অভিযোগ এনেছিল প্রতীকের নামে, সাক্ষ্যপ্রমাণও জোগাড় করে ফেলেছিল। তখন প্রতীকের কীই বা বয়স, মেরেকেটে ছাব্বিশ। চাকরিতে মোটেই হাড় পাকেনি তখনও। বাড়তি অর্থোপার্জনের বাহারি প্যাঁচ-পয়জারগুলো তার রপ্ত হয়নি তেমন। জোশের মাথায় চোখ রাঙিয়ে অত বড় একটা বিপদে পড়ে যাবে এ ছিল তার কাছে অভাবনীয়। খোদ কমিশনারের কাছ থেকে শো-কজ খেয়ে তার প্রায় থরহরি কম্পমান দশা। খেতে পারে না, ঘুমোতে পারে না, কীভাবে উদ্ধার পাবে ভেবে ভেবে মাথার চুল ছিঁড়ছে...। ডিপিদাই তখন বলেছিল, তোমার এখন প্রথম কাজ মাথা ঠান্ডা রাখা। স্ট্রেট মায়ের পায়ে পড়ে যাও, সব ভাবনা ছেড়ে দাও তাঁর ওপর, চিত্ত শান্ত থাকবে। তারপর আস্তে আস্তে আত্মরক্ষার জন্য গুটি সাজাও। আশ্চর্য ফল পেয়েছিল ডিপিদার উপদেশে। শান্তাবউদির সঙ্গে রক্ষাকালীর মন্দিরে গিয়ে প্রাণ ভরে ডাকল মাকে, অদ্ভুত এক প্রশান্তিতে ছেয়ে গেল মনটা, ভেতর থেকে একটা অন্য রকম বল পেয়ে গেল যেন। প্রধাননগরে গিয়ে নতমস্তকে হাত মেলাল ব্যবসায়ীটির সঙ্গে, কারণ দর্শানোর চিঠির জবাবে অভিযোগটা সত্য নয় বলে জানিয়ে দিল। ব্যবসায়ীটির সঙ্গে একটা মাখো মাখো সম্পর্কও তৈরি করে নিয়েছিল প্রতীক, লোকটা আর অভিযোগ নিয়ে নাড়াচাড়াই করল না। অবশ্য বছর দুয়েক পর শিলিগুড়ি ছেড়ে মালদা চলে আসার ঠিক আগে আগে ব্যবসায়ীটির নামে প্রতীক একটা জব্বর কেস ঠুকে দিয়ে এসেছিল। সমস্ত আটঘাট বেঁধে। সেই কেসের ধাক্কা সামলাতে পঙ্কজ রায়বর্মনের কারবার লাটে ওঠার জোগাড়। তখন থেকেই প্রতি পদে মা মহামায়া বুদ্ধি জুগিয়েছেন প্রতীককে, তাকে অভয় দিয়েছেন। মাকালীর প্রতি প্রতীকের অচলা ভক্তির সূচনাও সেই তখন থেকেই। মায়ের পায়ে আত্মনিবেদন করে এই বয়সেই এক আশ্চর্য সুখের সন্ধান

৭২

পেয়ে গেছে প্রতীক। পাপ পুণ্যের বোধ তাকে আর সেভাবে পীড়িত করে না।

কিন্তু যার হাত ধরে প্রতীকের ভক্তিমার্গে প্রবেশ, সেই দেবীপ্রসাদ ঘোষাল আদৌ তেমন ভক্তিমান নয়। তবে ঠাকুর দেবতায় সে অবিশ্বাসও করে না। পথে-ঘাটে মন্দির দেখলে কপালে হাত ঠেকায়, টাকাটা সিকিটা ছোড়ে, কিন্তু ব্যস ওইটুকুই। সারাক্ষণ ঠাকুর ঠাকুর করা তার ধাতে নেই। বিশ্বাস অবিশ্বাসের প্রশ্নেও দেবীপ্রসাদ অনেক বেশি বেপরোয়া। প্রতীক জানে।

হাসতে হাসতে প্রতীক বলল, —বুঝেছি। টুপি পরানোতেই আপনার আনন্দ।

—সে তুমি যা খুশি ভাবো। দেবীপ্রসাদও হাসছে মিটিমিটি, —চলো। আমার সঙ্গে এক জায়গায় যাবে।

—কোথায় ?

—চলোই না। বাড়ি ফেরার তাড়া আছে?

—না মানে ... ভাবছিলাম আজ একবার ঠনঠনে যাব ...

—বোর কোরো না তো। মাকালীর মন্দিরেই নিয়ে যাব তোমায়। দেখবে, সেখানে ভক্ত গিজগিজ করছে। সব্বাই ডুবে আছে কারণবারিতে।

—আপনি বারে যাচ্ছেন?

—এক ক্লায়েন্ট খুব ধরেছে। জব্বর এক ফাঁড়া থেকে উতরে দিয়েছি, আমাকে সে তুষ্ট করবেই। ব্যাটা গাড়ি লাগিয়ে দিয়েছে নীচে।

—আমি বারে গিয়ে কী করব ডিপিদা?

—তুমি যে বিধবা সে আমি জানি। তুমি কাবাব টাবাব পেঁদাবে। আমি জলে ভাসব, তুমি চরবে ডাঙায়।

—না ডিপিদা, আজ থাক।

—আহা, ফেরার পথে ঠনঠনেতে নেমে একবার নয় কপাল ঠুকে নিয়ো।

৭৩

—তার জন্য নয়। বাড়িতেও আজ বলা নেই ...

—শোনো প্রতীক, আমি মোটেই বলব না তুমি বাড়িতে এক্ষুনি ফোন করে দাও। বউকে লুকিয়ে চুরিয়ে কিছুই যদি না করলে, তা হলে ওপারে গিয়ে কী কৈফিয়ত দেবে, অ্যাঁ? এমনিতেই তো যমরাজ তোমার ওপর হেভি চটে আছে।

—কেন?

—তোমার তো পাপের অন্ত নেই। মাল টানো না, সিগারেট খাও না, বউ ছাড়া আর কিছুই চিনলে না ... মরার পর অনন্ত স্বর্গবাসের শাস্তি তোমার কপালে বাঁধা। ওঠো ওঠো, একটু পুণ্য চাখবে চলো।

কোনও ওজর আপত্তি শুনল না দেবীপ্রসাদ, প্রায় ঘেঁটি ধরেই প্রতীককে নামিয়ে আনল নীচে। অফিস প্রাঙ্গণেই অপেক্ষা করছিল দুধসাদা জেন, উর্দি-পরা ড্রাইভার নেমে এসে খটাং স্যালুট ঠুকল, খুলে ধরেছে দরজা। পিছনের নরম সিটে প্রতীক ছড়িয়ে দিল নিজেকে। আঃ, কী আরাম! হিমেল ছোঁয়ায় জুড়িয়ে যাচ্ছে শরীর।

বন্ধ কাচের ওপারে তাপে ছটফট করছে পৃথিবী, অথচ গাড়ির ভেতরের এই ছোট্ট পৃথিবীটা যেন এক্কেবারে আলাদা। বাইরেটা দেখতে দেখতে কথাটা আলগাভাবে মনে হচ্ছিল প্রতীকের। নিজের মনে বিড়বিড় করে উঠল, —এরকম একটা গাড়ি কিনে ফেললে হয়।

—ফ্যালো কিনে। দেবীপ্রসাদ সিটে হেলান দিয়েছে। মৃদু হেসে বলল, —আজকাল তো কার লোন দেওয়ার জন্য চারদিকে সব মুখিয়ে আছে। একবার মুখ থেকে কথা খসালেই হল, বাড়ির দরজায় গাড়ি লাগিয়ে দিয়ে যাবে।

—তা দেবে। তবে অন্য ঝামেলাও তো আছে। সবে চার বছর হল ফ্ল্যাট কিনেছি, এক্ষুনি গাড়ি হাঁকালে আর দেখতে হবে না, অফিসে কাঠিবাজি শুরু হয়ে যাবে।

—আরে না রে ভাই। আজকাল সবাই ডালে ডালে চলে,

কেউই কাউকে নিয়ে ঘাঁটাঘাঁটি করতে চায় না। তা ছাড়া গাড়ি কিনে ঢাক পেটানোর দরকারটাই বা কী? অফিসে এনে শো না করলেই হল।

—তবু ...

—অত ভাবার কী আছে? নিজের নামে কিনো না। আমি তো মারুতিটা কিনেছি আমার ছোট শাল্লার নামে। কেউ প্রশ্ন করলে মুখের ওপর কাগজ ফেলে দেব।

—হুম। ... আপনার মারুতি এখন সার্ভিস দিচ্ছে কেমন?

—ভালই। মেয়ের কলেজ, শান্তার এদিক-ওদিক ছোটা, মাঝে মাঝে খুচখাচ শর্ট ড্রাইভ ... মোটামুটি কাজ চলে যায়। অফিসে পারতপক্ষে আনি না, লোকেরও চোখ করকর করার তেমন চান্স নেই।

—আপনার গাড়িটা তো এসি?

—কেনার সময়ে ছিল না। এখন লাগিয়ে নিয়েছি।

—শালার নামে গাড়ি, শালা যদি কখনও ক্লেম করে বসে?

—শালার মুখ বন্ধ করা আছে। কিসুই তো করতে পারছিল না, ভ্যাগাবন্ডের মতো ঘুরছিল, একটা জেরক্স মেশিন কেনার বন্দোবস্ত করে দিলাম। বাড়িতেই গ্যারাজঘরে জেরক্সের দোকান খুলে বসেছে, রোজগারপাতি মন্দ হচ্ছে না। এখন আবার একটা ভিডিও গেমসের মিনি পার্লার করার প্ল্যান করছে।...সে তার দিদি-জামাইবাবুকে নেক্সট টু গড ভাবে।

—তাও যদি কখনও তার মতিভ্রম হয় দাদা?

—হলে হবে। তখন দেখা যাবে। অত দূর অবদি ভাবলে কাছের সুখগুলো বিস্বাদ হয়ে যায় প্রতীক।

এই কারণেই ডিপিদা ইজ ডিপিদা। চিন্তা ভাবনায় কোনও অস্বচ্ছতা নেই, বিবেক পুরোপুরি সাফ, প্রতিটি কর্মের সঙ্গে বাঁধা আছে নিজস্ব যুক্তিজাল। চাকরিতে ঢোকার সঙ্গে সঙ্গেই সব্যসাচী হতে পারেনি প্রতীক, বাঁ হাতটা মাস ছয়েক বেশ আড়ষ্টই ছিল। ডিপিদাই কাটিয়ে দিয়েছিল তার মনের সমস্ত

দোলাচল। ডিপিদা বলেছিল, লিভ ফর মোমেন্টস্ ব্রাদার। এই মুহূর্তটাকে বয়ে যেতে দিয়ো না। যেটুকু পাচ্ছ চোখ কান বুজে আহরণ করে নাও। যে লোকটা তোমার কাছে আসবে, সে অনেস্ট না ডিজঅনেস্ট তা নিয়ে তোমার তো মাথা ঘামানোর দরকার নেই। তুমি যে তাকে বিপদে ফেলতে পারো এই ক্ষমতাটুকুকে অনার করার জন্যই তাকে নৈবেদ্য চড়াতে হবে। উৎকোচ গ্রহণে কোনও পাপ নেই ভায়া। স্বয়ং দেবতার কাছ থেকে কাজ বাগাতে গেলেও তাঁর মাথায় ফুল বেলপাতা চড়াতে হয়। হয় না? আর মনে রেখো, তুমি হচ্ছ পাবলিক সারভেন্ট। অর্থাৎ জনগণের চাকর। ভৃত্যের কর্তব্যই তো মনিবের পকেট থেকে পয়সা মারা। নয় কি? আরে ভাই, নিজের বাসনা মতো জীবনটাকে যদি উপভোগই না করতে পারলাম, তবে বেঁচে থেকে কী লাভ!

কী যে বিশ্বরূপ দেখাল ডিপিদা, প্রতীক বদলে গেল দ্রুত। বদল? না রূপান্তর? এই রূপান্তরের সম্ভাবনা কি প্রতীকের মধ্যে আগে থেকেই ছিল? দেবীপ্রসাদের মুখব্যাদান অনুঘটকের কাজ করেছে শুধু? কুরুক্ষেত্রে যেভাবে অর্জুনকে যুদ্ধে প্রণোদিত করেছিল শ্রীকৃষ্ণ? প্রতীকের এখন আর আগের প্রতীককে মনেই পড়ে না। ধুয়ে মুছে গেছে জয়েস, রিলকে, এলিয়ট, ফকনার। কিংবা এখনও আবছাভাবে দেখতে পায়! আচমকা ঘুম ছিঁড়ে যাওয়া কোনও দুঃস্বপ্নে!

গাড়ি পার্ক স্ট্রিট পৌঁছে গেছে। পোলার বেয়ারে অপেক্ষা করছিল শশীকান্ত ভোহরা, জোড়া অফিসারের দর্শন পেয়ে সে একেবারে বিগলিত। হাত কচলাতে কচলাতে বলল, —আমার কী সৌভাগ্য, আমার কী সৌভাগ্য ...! বলুন স্যার, কী দিয়ে শুরু করা যায়?

বারে ঢুকেই দেবীপ্রসাদ লাগামছাড়া। গুনগুনিয়ে গেয়ে উঠল, —দেশে অন্নজলের এখন ঘোর অনটন, ধরো হুইস্কি সোডা আর মুরগি মটন ...।

৭৬

—প্রথমে দু'পেগ করে হুইস্কিই বলে দিই স্যার?

—বলুন। আর এই সাহেবের জন্য মুরগি মটন। আঙুল বেঁকিয়ে প্রতীককে দেখাল দেবীপ্রসাদ, —ও ভক্তিরসের কাণ্ডারি, সোমরসে ওর রুচি নাই।

সাফারিস্যুট চড়ানো ভোহরা ঠিক বুঝল না কথাটা। বলল, —আপনি একদমই নেবেন না স্যার?

—বললাম তো, ও অন্য রসের সন্ধান পেয়েছে, এ রসে ওর নেশা হয় না।

চটপট হুইস্কি এসে গেল। সঙ্গে এলাহি খানা, প্রতীকের জন্য। তন্দুরি চিকেন, নান, শাহি কোর্মা, রেজালা ...। প্রতীক ছুঁয়ে ধন্য করুক, শেষ না হলে পড়ে থাকবে। নেশাড়ুদের জন্য এসেছে চিপস পকোড়া কাবাব।

খেতে খেতে বার কাম রেস্তোরাঁটায় আলগা চোখ বুলিয়ে নিল প্রতীক। মৃদু আলো, মৃদু সুরভি, মৃদু সংগীত, চামচ কাঁটার মৃদু টুংটাং মদির করে রেখেছে জায়গাটাকে। ঠান্ডাটাই যা চড়া, তবে বেশ লাগছে। বেরিয়েই ফারনেসে পড়বে, ভাবতেই গায়ে কাঁটা দেয়। কেন যে এ বছরই শোওয়ার ঘরটা এসি করে নিল না! অন্তত রাত্রিটা তো আরামে কাটে।

টেবিলে ঘন ঘন পরিবেশিত হচ্ছে পানীয়, দ্যাখ না দ্যাখ উড়ে যাচ্ছে পেগের পর পেগ। দেবীপ্রসাদের নেশা চড়ছে ক্রমশ। পেগ ছয়েকের পর সে রীতিমতো বেসামাল। কথা জড়িয়ে যাচ্ছে, কিন্তু তার মুখ চলছে অনর্গল। নেশার ঘোরে বলে উঠল, —অ্যাই প্রতীক, এই ভোহরাকে চিনে রাখো। দিশ ভোহরা ইজ আ থিফ। গভর্নমেন্টের কত লাখ টাকা যে শালা ফাঁকি দিয়েছে ... কী ভোহরা, ঠিক বলছি?

ঢুলুঢুলু চোখ ভোহরা বিনয়ে অবনত, —হ্যাঁ স্যার। ঠিক স্যার। তবে আমাকে একা দুষছেন কেন স্যার? গোটা দেশটাই তো চোর বনে গেছে।

—ইয়েস। চোর। আর খচ্চোর। দেবীপ্রসাদ ঢক করে আর

একটু তরল ঢালল গলায়, —তবু আমরা বলব ... কী বলব?

—কী বলব স্যার?

—মেরা দেশ মহান। উই হ্যাভ মেড হার সো। হ্যাঁ, আমরাই দেশটাকে বানিয়েছি। বলেই হেঁড়ে গলায় গান ধরেছে দেবীপ্রসাদ, —এমন দেশটি কোথাও খুঁজে পাবে নাকো তুমি, সকল দেশের রানি সে যে আমার জন্মভূমি ...

আশপাশের টেবিল থেকে ঘুরে ঘুরে দেখছে লোকজন। বেশির ভাগই মাতাল। দেবীপ্রসাদ তাদের ধমকে উঠল, —দেখছেন কী মশাই? ধরুন আমার সঙ্গে। জানেন না, প্যাট্রিয়টিক সং কোরাসে গাইতে হয়?

কী কাণ্ড, সত্যি সত্যি দু'-চারজন গলা মিলিয়েছে! মধুশালা গমগম করে উঠল আর-এক সমবেত সংগীতে, —এক সূত্রে বাঁধিয়াছি সহস্রটি মন, এক কার্যে সঁপিয়াছি সহস্র জীবন ...

এক ফোঁটা পান না করে মদ্যপায়ীদের সঙ্গে বসে থাকা বড় কঠিন। প্রতীক ঘড়ি দেখছিল। বলল, —আমি তা হলে উঠি দাদা?

—কেন আমাদের ভজনা তোমার ভাল লাগছে না? মন্দিরের খোলকরতাল টানছে বুঝি? সেখানে গিয়ে গলা মেলাবে?

—নাহ্, আজ সোজা বাড়ি।

—যাও, ঘরে ফেরো। আমি তো এখন আমার কমরেডদের ছেড়ে উঠতে পারব না ভাই। ... তোমার বউকে বোলো, ডিপিদা জোর করে নিয়ে গেছিল, তা হলে সে কিচ্ছুটি বলবে না।

—আরে না, সে এমনিতেও কিছু বলে না। এক-আধদিন তো দেরি হতেই পারে। অনন্যা জানে।

—অনন্যা বড় লক্ষ্মী মেয়ে। ভারী পয়মন্ত। যোগ্য সহধর্মিণী। অনন্যা তোমার জীবন আলো করে থাকবে ...

নেশার ঝোঁকে গলা আস্তে আস্তে ডুবে যাচ্ছে দেবীপ্রসাদের।

৭৮

প্রতীক টুক করে বেরিয়ে পড়ল। ডিপিদার শেষ কথাগুলো বাজছে কানে। জীবন আলো করে থাকবে বলেই না তুতুলকে ঘরে এনেছে প্রতীক। বরযাত্রী হয়ে মাসতুতো দাদার বিয়েতে গিয়ে যেদিন প্রথম দেখেছিল তুতুলকে, সেদিনই তার মনে হয়েছিল এ মেয়ে শুধু তার। তার জন্যই তৈরি হয়েছে। মানিকদার শাশুড়ির মাধ্যমে দিদি প্রস্তাব পাঠাল তুতুলদের বাড়িতে, তুতুলের বাবা-মা রাজি হয়ে গেল, তুতুলও এক দেখায় পছন্দ করে ফেলল প্রতীককে। গোটা ঘটনাটাই কি বিধিনির্দিষ্ট নয়? তুতুল হাসলে প্রতীকের বুকে জলতরঙ্গ বেজে ওঠে, তুতুলের মুখে ছায়া ঘনালে কেঁপে ওঠে পায়ের তলার মাটি ...

আজ বাড়ি গিয়ে তুতুলের কোন মুখটা দেখবে? খুশি খুশি? মলিন? নাকি উদাসিনী?

বাড়ি ফিরে অবশ্য কোনওটাই মিলল না। খুশি অভিমান কিছুই নেই তুতুলের মুখে, সে চোখ বড় বড় করে গিলছে হিন্দি সিরিয়াল। কার্পেটে চম্পা, টিভির পরদায় দৃষ্টি গেঁথে সে দুধরুটির মণ্ড গেলাচ্ছে রুপাইকে।

তুতুলের ধ্যান ভঙ্গ করল না প্রতীক। রুপাই দৌড়ে এসেছিল কাছে, তার মাথায় আলগা হাত বুলিয়ে ঢুকে গেছে ঘরে। জামাকাপড় ছাড়ল, স্নান সারল, শুদ্ধ বসনে ধূপ জ্বালল ঠাকুরের সামনে। শোওয়ার ঘরের দেওয়ালে ছোট্ট একটা রুপোর সিংহাসন টাঙানো আছে, সেখানে শোভা পাচ্ছে মা কালীর বাঁধানো ছবি। চোখ বুজে দাঁড়িয়ে অনেকক্ষণ ধরে প্রণাম করল ছবিটাকে। নিত্যকর্ম সমাধা করে তুতুলের পাশে এসে বসেছে।

জিজ্ঞেস করল, —কী সিরিয়াল দেখছ মন দিয়ে?

ঘাড় না ঘুরিয়ে তুতুল বলল, —দিল কি আরমান।

—খুব জমাটি বুঝি?

—মোটামুটি। শুরুটা দারুণ ছিল। মেগা তো, টানতে টানতে একেবারে গেঁজিয়ে দিচ্ছে।

—ও।

৭৯

প্রতীকও পরদায় চোখ রাখল। একটা বয়স্ক লোক আর এক তরুণ ঝগড়া করছে উচ্চৈঃস্বরে। বোধহয় বাপ ছেলে। এত ভাসা ভাসা ডায়ালগ, কী নিয়ে দ্বন্দ্ব বোঝা যাচ্ছে না। তবে দু'জনে একই কথা ঘুরিয়ে ফিরিয়ে বলে যাচ্ছে বারবার। এইসব রাবিশ দেখিয়ে লাখ লাখ টাকা কামিয়ে নিচ্ছে সিরিয়ালঅলারা, ভাবা যায়! বিনোদনের নামে এ'ও তো চুরি, নয় কি?

পরদার বাপ ঝাং করে তর্জনী তুলে শাসাল ছেলেকে। শাসিয়েই ফ্রিজ হয়ে গেল। ব্যস, আজকের মতো কহানি খতম।

তুতুল ঘুরে বসেছে। সহজ স্বরে বলল, —এহ্, খানিকটা আগে এলে না, বাবার সঙ্গে দেখা হয়ে যেত!

—কখন এসেছিলেন?

—কলেজফেরতা। সন্ধের মুখে মুখে।

—হঠাৎ?

—এমনিই। মনমেজাজ ভাল নেই, তাই রুপাইকে দেখে একটু মন ভাল করতে।

—মনমেজাজ খারাপ কেন?

—কেন আবার! মিতুল। হতচ্ছাড়ি সেই জেদ করে ঠেঙিয়ে ঠেঙিয়ে যাচ্ছে রোজ। ... জানো তো, এখন আবার নতুন কথা শোনা যাচ্ছে।

—কী?

—স্কুলটার নাকি স্যাংশানই নেই।

প্রতীক বিশেষ একটা বিচলিত বোধ করল না। আলগাভাবে বলল, —তাই?

—কী আজব ব্যাপার বলো তো! স্কুলের নাম করে অ্যাপয়েন্টমেন্ট লেটার বেরিয়ে গেল, টিচাররা জয়েন করে গেল ...

—জয়েন করেছে বোলো না। ওটা নিয়েও কনট্রোভার্সি আছে।

—যাই হোক, ও মাটিকুমড়া গেছে তো। নিয়মিত স্কুলের প্রোপোজড সাইটে হাজিরা দেয় তো। স্কুলবাড়ি নেই সেই শকেই চোখে অন্ধকার দেখছে বেচারারা, তার ওপর যদি শোনে গভর্নমেন্টের রেকর্ডেও স্কুলটার কোনও অস্তিত্ব নেই, তখন কেমন লাগে? কী করে এমন হয়?

—গভর্নমেন্টে সব হয়। আস্ত পুকুর চুরি হয়ে যায়, ব্রিজ চুরি হয়, রাস্তা চুরি হয়, আর একটা স্কুল চুরি হতে পারে না? ... স্কুলের অস্তিত্ব আছে। তবে এখন রৌপ্যমুদ্রার তলায় ঢাকা পড়ে আছে। গান্ধীজির ছবি নাচিয়ে ঢাকাটি সরাতে হবে। আই মিন নোট।

—কে টাকা দেবে? কাকে দেবে?

—গভর্নমেন্ট তো কোনও ইন্যানিমেট অবজেক্ট নয়। কখনও তিনি রাজকর্মচারী রূপে উদ্ভাসিত হন, কখনও নেতার বেশে। তোমার বোনের এখন প্রথম কাজ হওয়া উচিত সেই আসল লোকটিকে খুঁজে বের করা। তার হাতের তালু গরম হলেই স্কুলটা ভুস করে জেগে উঠবে।

তুতুল ফ্যালফ্যাল তাকাল। কথাগুলো যেন বেরিয়ে গেল তার মাথার ওপর দিয়ে।

রুপাইয়ের আহার শেষ। মুখ ধুয়ে এসেই ঢাউস খেলনাগাড়িটা নিয়ে মেতেছে ছেলে। ফ্ল্যাটে জায়গা কম, তার মধ্যেই এঁকেবেঁকে চালাচ্ছে গাড়িখানা। চেঁচাচ্ছে মুহুর্মুহু, —ছামনেবালা হাথো, ছামনেবালা হাথো ...

ছেলেকে দেখতে দেখতে প্রতীক হঠাৎ নিচু গলায় বলল, —ভাবছি সত্যিকারের একটা গাড়ি কিনব।

মিতুল চমকে তাকিয়েছে। পলকে উজ্জ্বল তার মুখচোখ। অস্ফুটে বলল, —যাহ্, তাই নাকি?

—ইয়েস। তবে কিছু প্রবলেম আছে। নিজের নামে কেনা যাবে না।

—কেন?

—ফ্ল্যাটটা রয়েছে না! অফিশিয়ালি চার লাখ দেখিয়েছিলাম। কিন্তু আদতে এখানে যে সাড়ে সাতশো স্কোয়ার ফিটের এই কোয়ালিটির ফ্ল্যাট ওই দামে মেলে না, তা শিশুও বোঝে। এরপর এক্ষুনি আবার একটা তিন লাখ টাকার অ্যাসেট বানালে ...

—তাহলে কার নামে কিনবে? আমার নামে?

—তোমার টাকারই বা সোর্স কোথায়? তোমার টাকা মানে তো আমারই টাকা।

—তাহলে? হবে না কেনা?

—আরে বাবা, মুশকিল থাকলে তার আসানও থাকে। ঠান্ডা মাথায় শোনো। প্রতীক একটু থেমে রইল। তারপর বলল, তোমায় একটা কাজ করতে হবে। তোমায় আমি ক্যাশ দু'লাখ দেব, তুমি দিয়ে আসবে তোমার বাবাকে। উনি নিজের ব্যাংক অ্যাকাউন্টে জমা করে আবার ওই টাকাটা তোমার নামে চেক কেটে দিয়ে দেবেন। অ্যাজ ইফ উনিই মেয়েকে গাড়ি গিফট করছেন। গাড়ির বাকি দাম আমি ম্যানেজ করে নেব।

—কিন্তু বাবা ...? বাবা টাকাটা কী করে দেখাবে? কোত্থেকে পেল বলবে?

—আরে দূর, ওঁদের অত বলতে টলতে হয় না। তা ছাড়া উনি প্রবীণ মানুষ, আজ বাদে কাল রিটায়ার করবেন ... ওঁর দু'লাখ টাকার সোর্স নিয়ে কেউ মাথাই ঘামাবে না।

—কিন্তু আমি কী করে বাবাকে ...?

কথা শেষ হল না, ঘাড়ের কাছে ছায়া, —কখন এলি রে পল্টু? টের পেলাম না তো? বেল মেরেছিলি?

—নয় তো কি এমনি এমনি খুলে গেছে? প্রতীক ভয়ানক রেগে গেল। খেঁকিয়ে উঠল, কাজের কথা বলছি, এর মধ্যে এসে ভ্যাজরং ভ্যাজরং কোরো না তো। যাও, খেয়েদেয়ে শুয়ে পড়ো গিয়ে।

শেফালির মুখ শুকিয়ে আমসি। তিয়াত্তর বছরের শরীরখানা টেনে টেনে ফের ফিরে যাচ্ছে ঘরে।

প্রতীক ঘুরে তাকালই না। এখন তো বাইরের লোক নেই, অনর্থক সে মুখোশ পরে থাকবে কেন!

॥ ছয় ॥

অনেকক্ষণ ধরে জেলা পরিদর্শকের সঙ্গে রেখা সেনগুপ্তর কথা চালাচালি শুনছিল মিতুল। রেখাদি নরম করে বোঝানোর চেষ্টা করে চলেছে, ভদ্রলোকও মোলায়েম সুরে পাশ কাটিয়ে যাচ্ছে, এখনও পর্যন্ত কোনও আশার আলো দেখা গেল না।

কাঁহাতক চুপ থাকা যায়? অধৈর্য হয়ে মিতুল বলল, —এ কী বলছেন স্যার? স্কুল সার্ভিস কমিশানের অর্ডারে আমরা কাজে যোগ দিয়েছি, আপনাদের পরামর্শ মতো রেগুলার চাকরির জায়গায় গিয়ে হাজিরা দিচ্ছি। একদিন দু'দিন নয়, টানা পাঁচ সপ্তাহ। তারপরও আমরা মাইনে পাব না কেন?

বছর পঁয়তাল্লিশের সৌম্যদর্শন জেলা পরিদর্শক চোখ ঘুরিয়ে দেখল মিতুলকে। মুখের হাসিটাকে আরও অসহায় করে বলল, —সবই তো বুঝছি। কিন্তু আমি কী করতে পারি বলুন? স্যালারি ডিসবার্স করার তো একটা প্রসেডিয়োর আছে। স্কুল প্রপার ফর্মে মাইনের বিল পাঠাবে, প্রতিটি স্কুলের নামে স্যালারি হেডে ফান্ড অ্যালট করা থাকে, সেই ফান্ড থেকে বিল অনুযায়ী চেক ইস্যু হয় ...

রেখা বলল, —বিল তো আমি সাবমিট করেছি। বিলে কি কোনও ভুল আছে?

—ভুলভ্রান্তির কথা উঠছে না ম্যাডাম। ও বিলে হবে না। আপনাদের স্কুলটাই যে গভর্নমেন্ট রেকর্ডে নেই। অন্তত এখনও পর্যন্ত। আর যেহেতু স্কুলের কোনও অ্যাপ্রুভাল নেই,

আপনাদের জন্য কোনও ফান্ডও অ্যালটেড হয়নি। তা হলে আমি টাকাটা দেব কোত্থেকে?

—কিন্তু শিক্ষা দপ্তর তো বলছে অ্যাপ্রুভাল ছিল। এতক্ষণে রেখাও কিঞ্চিৎ উত্তেজিত, —তারা তো সাফ জানিয়ে দিল, আমরা কি পাগল, স্যাংশান না হওয়া স্কুলের জন্য টিচার চেয়ে স্কুল সার্ভিস কমিশনে কি চিঠি পাঠাতে পারি!

—তা সেখান থেকে আপনারা অ্যাপ্রুভালের একটা কপি বার করে আনতে পারলেন না?

—তারা তো আপনাদের দেখিয়ে দিল। বলল, ডিস্ট্রিক্ট অফিসে খোঁজ করুন, ওখানে সব আছে।

জেলা পরিদর্শক টুকুন নীরব। মুখের হাসিটি মুছেছে। কাল্পনিক পেপারওয়েট ঘোরানোর ভঙ্গিতে আঙুল ঘোরাচ্ছে টেবিলে। দৃষ্টি টেবিলে স্থির রেখে নীরস স্বরে বলল, —দেখুন, কারেন্ট কেস তো নয়, রেকর্ড থাকলেও খুঁজে বার করতে একটু টাইম লাগবে।

মিতুল ক্ষুব্ধ গলায় বলল,—লাস্ট উইকেও কিন্তু আপনি একই কথা বলেছিলেন স্যার।

—হয়তো নেক্সট উইকেও একই কথা বলব। আমার তো কিছু করার নেই। গভর্নমেন্ট অফিসের হাল তো বোঝেন। জানেনই তো, স্টাফদের দিয়ে কাজ করানো কী কঠিন। বেশি প্রেশার করতে গেলেই ইউনিয়ান হাঁ হাঁ করে ছুটে আসবে। তা ছাড়া মাসের এই সময়টায় সত্যিই কাজের চাপ থাকে, এক্ষুনি এক্ষুনি পুরনো রেকর্ড ঘাঁটার কথা আমি বলতেও পারব না।

—তার মানে আমাদের মাইনের ব্যাপারটা অনির্দিষ্ট কাল ঝুলে রইল?

—কান্ট হেল্প। হাত উলটে দিল জেলা পরিদর্শক। গলা ঈষৎ নামিয়ে বলল, —একটা সাজেশান দেব? আপনারা অফিসস্টাফদের সরাসরি রিকোয়েস্ট করে দেখুন না... যদি

তাদের ম্যানেজ ট্যানেজ করে...

বলেই মুখে একটা গাম্ভীর্যের পরদা টেনে দিয়েছে ভদ্রলোক। ফাইল খুলল একখানা। পরিষ্কার ইঙ্গিত, এবার তোমরা এসো।

ডি.-আই-এর ঘর থেকে বেরিয়ে এসে রেখা বলল,—এবার?

মিতুল ছোট্ট শ্বাস ফেলে বলল,—চলুন, বড়বাবুর কাছে ধরনা দিই। একটু অয়েল টয়েল মারি।

বড়বাবু যেখানে বসে, সেখানে খান আষ্টেক চেয়ার-টেবিল। পাঁচটায় মানুষ আছে, বাকি তিনটে ফাঁকা। প্রতিটি টেবিলেই ফাইলের স্তূপ। ফাইল এ ঘরের সর্বাঙ্গে। আলমারির মাথায়, কাঠের র‍্যাকে...। কিছু পরিত্যক্ত ফাইল ধুলো মেখে ডাঁই হয়ে আছে মেঝেতেও। ঘরের কোণে ইলেকট্রিক হিটার, চা বানানোর সরঞ্জাম। জনৈক মহিলা কর্মচারী কেটলি বসিয়েছে হিটারে, জল ফুটছে বগবগ।

উলটো কোণে বড়বাবুর টেবিল, সবুজ রেক্সিনে মোড়া। পায়ে পায়ে বড়বাবুর সামনে এল মিতুলরা। বড়বাবুর মুখে যথারীতি সন্তসুলভ নির্বিকল্প ভাব, ঘাড় হেঁট নোটশিটে। চোখ তুলে মিতুলদের দেখল একঝলক, ফের দৃষ্টি ফাইলে।

ঠোঁটে একটা মধুর হাসি টেনে মিতুল বলল,—স্যার, একটু শুনবেন?

স্যার সম্বোধন আর হাসি দুটোই মাঠে মারা গেল। বড়বাবুর কোনও প্রতিক্রিয়া নেই।

মিতুল গলা আরও তুলতুলে করল,—স্যার, আমাদের স্কুলের অ্যাপ্রুভালটা... যদি ওটা পাওয়া যেত...

চশমার ফাঁক দিয়ে অক্ষিযুগল উত্থিত হয়েছে এতক্ষণে।—আমার পকেটে তো নেই।

থাকার তো কথাও নয়। বলতে গিয়েও মিতুল সামলে নিল। গলা নরম রেখেই বলল,—ডি-আই সাহেব বলছিলেন রেকর্ড

খুঁজে চিঠিটা বার করতে হবে, তাই...

—সেই মাটিকুমড়া গার্লস স্কুলের কেস? পাশের টেবিলের বছর চল্লিশেকের ডিলিং অ্যাসিস্ট্যান্টটি নাক বাড়িয়ে দিয়েছে,—তা ডি-আইকেই বলুন না, এসে খুঁজে দিয়ে যাক।

কী অসভ্য বাচনভঙ্গি! মিতুল দপ করে জ্বলে উঠছিল, কোনওক্রমে সংযত করল নিজেকে,—বুঝতেই তো পারছেন আমরা কী হেল্পলেস সিচুয়েশানে পড়েছি। স্কুল নেই, মাইনে নেই...

—ধরে নিন চাকরিটাও নেই।

—ধরতে তো পারছি না। চেষ্টা করেও এবার আর ঝাঁঝটাকে চেপে রাখতে পারল না মিতুল,—স্কুল সার্ভিস কমিশনের একটা অ্যাপয়েন্টমেন্ট লেটার আছে যে।

—ওটাকে ফ্রেমে বাঁধিয়ে দেওয়ালে টাঙিয়ে রাখুন। সকাল-সন্ধে ধূপধুনো দেবেন। তাচ্ছিল্যের সঙ্গে কথাটা বলে সামনের টেবিলের মধ্যবয়সি মহিলাকে সালিশি মানল লোকটা, —দেখেছেন তো ভারতীদি, স্কুলে ছাত্রী নেই, পড়ানোর কোনও বালাই নেই, শুধু মাইনের ধান্দা!

চা বানানোর মতো জটিল সরকারি কাজে ব্যস্ত অন্য মহিলাটি ফস করে প্রশ্ন ছুড়ল,—আজ যে এখানে এসেছেন, সি-এল নিয়ে এসেছেন?

মিতুল আর থাকতে পারল না, ফেটে পড়েছে। চিবিয়ে চিবিয়ে বলল, —শুনুন, সি-এল নেব, কি ই-এল নেব, কি পি-এল নেব, তা আপনাদের দেখার বিষয় নয়। আপনারা দয়া করে আপনাদের কাজটুকু করুন।

লোকটা রুক্ষভাবে বলল,—মেজাজ দেখাবেন না, এটা সরকারি অফিস। আমরা আমাদের ডিউটি জানি।

—সে তো দেখতেই পাচ্ছি। আড়াই বছর আগে স্কুলের স্যাংশান এসেছে, আর আপনারা সেটাকে গাপ করে বসে আছেন।

৮৬

—মুখ সামলে। মুখ সামলে। ভাষা ঠিক করুন।

—ভাষা আপনার কাছে শিখব?

—স্ক্রু টাইট দিলেই শিখবেন। গলে ন্যাতা হয়ে যাবেন।

মিতুল প্রত্যুত্তরে আরও কড়া কথা শোনাতে যাচ্ছিল, রেখা তাকে প্রায় জোর করে টেনে বাইরে নিয়ে এল। ধমকে উঠেছে,

—মিছিমিছি ঝগড়া করতে গেলে কেন? দিলে তো সব গুবলেট করে!

—কী পিত্তি জ্বালানো কমেন্টগুলো করছিল শোনেননি?

—বলুক। বলুক না যা খুশি। গায়ে না মাখলেই হল।

মিতুল কী করবে, মিতুলের গায়ের চামড়া এখনও অত মোটা হয়নি যে। একটা অক্ষম অসহায় ক্ষোভে ছটফট করছে মিতুল। এই মানুষগুলো সব কী ধাতু দিয়ে গড়া? যারা সামান্য একটু সহায়তা পাওয়ার আশায় এদের কাছে ছুটে আসে, তাদের প্রতি বিন্দুমাত্র সহানুভূতি নেই? তাদের সুবিধে অসুবিধে বিপদ আপদ পরিশ্রম সময় সবই কি এদের চোখে নিতান্তই মূল্যহীন? অকারণে মিতুলদের মতো সাধারণ মানুষদের অপমান করে কী সুখ পায় এরা? কেন মানুষগুলো এমন হৃদয়হীন? এরাও তো প্রত্যেকেই কারুর না কারুর বাবা মা ভাই বোন মামা কাকা মাসি পিসি...ঘরেও কি এরা এরকম? নাকি দুটো চেহারা? অফিসের চেয়ারে বসলেই মানবিক অনুভূতিগুলো লোপ পায়! রাষ্ট্রযন্ত্রের অতি সামান্য নাটবল্টু হয়ে যারা ধরাকে সরা জ্ঞান করে, যন্ত্রটা চালানোর অধিকার পেলে কী ভয়ংকর চেহারা যে হবে তাদের!

রাস্তায় এসেও ঘুরে ঘুরে জেলা অফিসটাকে দেখছিল মিতুল। রাগ রাগ চোখে। দেওয়ালময় পোস্টার আর স্লোগান। ঢং করে লিখেছে, কর্মসংস্কৃতি ফেরাতে হবে! এই যদি তার নমুনা হয়, জাহান্নম আর কদ্দূর? ইস, মিতুল যে কেন আরও চারটে কথা শুনিয়ে দিয়ে আসতে পারল না! ডিনামাইট দিয়ে যদি উড়িয়ে দেওয়া যেত বাড়িটাকে!

ভেতরের জ্বালাটা অভিমান হয়ে ফুটে বেরোল। হাঁটতে হাঁটতে মিতুল গুমগুমে গলায় বলল,—একটা কথা বলব রেখাদি? কিছু মনে করবেন না?

—কী?

—আপনি বললেন গায়ে না মাখাই ভাল। কিন্তু একদম চুপ থাকাটাও কি উচিত কাজ?

—কোনও কোনও ক্ষেত্রে চুপ থাকাটাই বুদ্ধিমানের কাজ সুকন্যা। পঞ্চাশ ছুঁইছুঁই রেখা ভারী শরীর নিয়ে হাঁটতে গিয়ে হাঁপাচ্ছে অল্প অল্প। দাঁড়িয়ে পড়ে আঁচলে চশমার কাচ মুছল। ফের চশমাটা পরে নিয়ে বলল,—আমি ইচ্ছে করলে আরও অপ্রিয় কথা বলতে পারতাম। আমি তো ওদের অ্যাটিটিউডটা জানি। ওরা নানান উপায়ে ব্যাপারটাকে ডিলে করার চেষ্টা করছে।

—জানেনেই যদি, একটা কথাও কেন বললেন না?

—শোনো সুকন্যা, আমি তোমার চেয়ে বয়সে অনেক বড়। অভিজ্ঞতাও অনেক বেশি। আমি মনে করি, প্রতিপক্ষের মোকাবিলা অনেক ট্যাক্টফুলি করতে হয়। ওদের চটিয়ে দিয়ে আমাদের কার্যসিদ্ধি হবে না।

—সে তো তেল মেরেও হচ্ছে না রেখাদি।

—ওদের আসল উদ্দেশ্যটা বুঝতে পারছ না? স্যাংশান লেটার ওরা বার করে দিচ্ছে না কেন?

—স্রেফ বদমাইসি। অন্যকে যাঁতা দিয়ে ওরা এক ধরনের সুখ পায়।

—শুধু কি তাই? অন্য কারণও আছে। জানো তো, আগে স্কুলে চাকরি পেতে গেলে স্কুলকমিটিকে একলাখ-দেড়লাখ করে দিতে হত। প্রায় নিলাম হত মাস্টারির পোস্ট। যে মূল্য বেশি ধরে দেবে, চাকরি তার।

—যাহ্, অত টাকা?

—যা নয়, হ্যাঁ। সার্ভিস কমিশন হওয়ার পর ছবিটা একটু

হয়তো বদলেছে। কোথাও কোনও টাকাপয়সার লেনদেন হয় না তা নয়, তবে লুকিয়ে চুরিয়ে। এই অফিসের লোকরাও হয়তো ভাবছে ফাঁকতালে যদি কিছু আসে...কেন ওরা পুরোপুরি বঞ্চিত হবে! নিউ সেটআপ স্কুল তো, ওরা ভালমতোই জানে আমরা ওদের ওপর কতটা নির্ভর করে আছি। দেখছ তো চারদিকের অবস্থা, যার যেটুকু ক্ষমতা আছে সেটুকু তো তারা ব্যবহার করবেই। আনডিউলি।

—কিন্তু..। মিতুল হালকা প্রতিবাদ করল,—ওরা তো আভাসে ইঙ্গিতেও টাকার কথা কিছু বলছে না?

—হয়তো আমি আছি বলেই ওরা ঠেকে গেছে। ভাবছে দুম করে বলে দিয়ে কোনও বিপদে না পড়ে যায়।

—মানে... আপনার হাজব্যান্ড এম-এল-এ বলে...?

—ঠিক তাই। উনি পুরনো এম-এল-এ। এ অঞ্চলের যথেষ্ট পরিচিত মানুষ। এবং সেখানেই হয়েছে মুশকিল।

—ওভাবে যে অপমান করল, তার জন্য ভয় নেই?

—বলবে, তুমি প্রোভোক করেছিলে। আর এই কারণেই তো বলছি ওদের ঘাঁটিয়ো না। অ্যাভয়েড করে চলো। যতটা সম্ভব। কে জানে, ডি-আইকে ধরে করে যতটা এগিয়েছিলাম ততটাই হয়তো পিছিয়ে গেলাম।

মিতুল একটুক্ষণ গুম। তারপর বলল,—একটা কথা কিন্তু মাথায় ঢুকছে না রেখাদি। ক্ষমতা তো আপনারও আছে, আপনি সেটা ইউটিলাইজ করছেন না কেন?

—ক্ষমতা? আমার?

—নেই? আপনার হাজব্যান্ড চাইলেই তো প্রেশার ক্রিয়েট করতে পারেন।

রেখা জবাব দিল না। নিশ্চুপ হাঁটছে। নবীন ভাদ্রের চড়া রোদে ঘামছে খুব, রুমাল থুপে থুপে মুছল ঘাড় গলা।

মিতুল একটা বড়সড় শ্বাস ফেলল, —বুঝলাম।

ঘুরে তাকাল রেখা, —কী বুঝলে?

—স্কুল হওয়ার কোনও চান্স নেই। আপনি আর দু'-এক মাস দেখে আগের স্কুলে ফিরে যাবেন, আর আমরা পড়েই থাকব ত্রিশঙ্কু দশায়।

—না সুকন্যা। তুমি ঠিক ভাবছ না। মিতুলের পিঠে হাত রাখল রেখা। শুকনো হেসে বলল,—ক'দিন আগেও ফেরার চিন্তাটা মাথায় ছিল। এখন পুরোপুরি ঝেড়ে ফেলেছি। এখন আমারও রোখ চেপে গেছে। মাটিকুমড়ায় স্কুল নিয়ে কত ধরনের রাজনীতি চলছে, তা তো তুমি জানো। ওই দলাদলির মাঝেও স্কুলটা চালু করা আমার কাছে এখন একটা বড় চ্যালেঞ্জ।

—সঙ্গে আপনার হাজব্যান্ডকেও একটু ইন্টারফিয়ার করতে বলুন না। তা হলে তো কাজটা সহজ হয়ে যায়।

—সহজ পথটা বেছে নেওয়াই কি সবসময়ে শ্রেয়? দ্যাখো সুকন্যা, আমার স্বামী পলিটিশিয়ান, আমি নই। তাঁকে জড়ানো মানে আবার সেই রাজনীতির গর্তে ঢোকা। আমি তা চাই না।

চার মাথার মোড়ে এসে বাসস্ট্যান্ডে দাঁড়াল রেখা। বাস লরি আর রিকশার দাপটে তটস্থ হয়ে আছে জায়গাটা। ধোঁয়ায় ধুলোয় নিশ্বাস যেন বন্ধ হয়ে আসে। রেখা একটু ছায়ায় সরে এল। বিষণ্ণ স্বরে জিজ্ঞেস করল,—কথাগুলো শুনতে খুব অবাক লাগছে, তাই না?

মিতুল চুপ। দেখছে রেখাকে।

রেখা ফের বলল,—আমার আগের স্কুলের চাকরিটা পাওয়ার পেছনে আমার হাজব্যান্ডের যৎকিঞ্চিৎ হাত ছিল। তখন তিনি এম-এল-এ না হলেও বড়সড় পাবলিক ফিগার ছিলেন। চিরটাকাল ওঁর মুখে শুনে আসছি, আমার দৌলতেই তরে গেলে, দিব্যি একটা আয়েসি চাকরি জুটে গেল বাড়ির দরজায়...! ঠাট্টা করেই বলেন, কিন্তু আজকাল কেমন বেঁধে। সত্যিই তো, ওই স্কুলে আমি যতটা না রেখা সেনগুপ্ত, তার চেয়ে বেশি বিজয় সেনগুপ্তের বউ। হেডমিস্ট্রেস পর্যন্ত আমায়

তোয়াজ করে চলেন। এ আমার আর ভাল লাগছে না। কতদিন একটা মানুষের ছায়া হয়ে থাকব বলো তো? বিশ্বাস করো, মাটিকুমড়ার চাকরিটা আমি সম্পূর্ণ নিজের জোরে পেয়েছি। ইন্টারভিউ বোর্ডের কেউ আমার স্বামীর কথা জানত না। বাড়ি থেকে মাটিকুমড়া অনেকটাই দূরে, এজন্য আমার স্বামীর প্রথম দিন থেকেই ঘোরতর আপত্তি। তবু আমি জয়েন করেছি। এই বয়সে পৌঁছে দেখতে চাই আমি নিজের যোগ্যতায় কিছু করতে পারি কিনা।

একসঙ্গে এতগুলো কথা কখনও রেখার মুখে শোনেনি মিতুল। প্রৌঢ়ত্বের দিকে হেলে পড়া এই সাদামাটা চেহারার মহিলার মনে এত ক্ষোভ জমে আছে? ক্ষোভ তা হলে শুধু ভাঙতেই শেখায় না, কখনও কখনও গড়তেও শেখায়?

বাসে উঠে রসুলপুর চলে গেল রেখা। মিতুল রিকশা নিয়েছে। বাসে বড় ক্লান্তি আসে, জেলা অফিসে এলে ট্রেনেই ফেরে।

স্টেশনে পৌঁছে টিকিট কাটছিল মিতুল। কাউন্টারে লম্বা লাইন, এগোচ্ছে শম্বুক গতিতে।

হঠাৎই মিতুলের চোখ লাইনের মাথায়। অতনুদা না?

।। সাত ।।

শেয়ালদার টিকিটখানা কেটে পার্সে রাখছিল অতনু। সেই সঙ্গে মানিব্যাগের স্বাস্থ্যটাও দেখে নিল একবার। বাড়ি ঢোকার আগে বড়সড় একটা ক্যাডবেরি কিনতে হবে। ভাইঝিটার আজ জন্মদিন, কিছু তো অন্তত হাতে করে নিয়ে যাওয়া উচিত। আশি-পঁচাশি টাকা মতন আছে, কুলিয়ে যাবে মনে হয়।

নিশ্চিন্ত অতনু পার্স পকেটে গুঁজে পায়ের কাছে নামিয়ে রাখা ব্রিফকেস হাতে তুলে নিল। তক্ষুনি ধক করে উঠেছে

৯১

বুকটা। টিকিটের লাইনে ও কে?

ভুল ভাঙতে এক সেকেন্ডের লক্ষ ভগ্নাংশ সময়ও লাগল না। তুতুল কোথায়, এ তো মিতুল! আশ্চর্য, তুতুলের সঙ্গে কোনও মিল নেই মিতুলের, না মুখশ্রীতে, না গায়ের রঙে, না দাঁড়ানোর ভঙ্গিমায়। তুতুলের চেয়ে মিতুল লম্বাও। তবু কেন এই বিভ্রম? দু'বোনে কোথাও একটা আবছা সাদৃশ্য আছে কি?

একটু যেন আড়ষ্ট বোধ করছিল অতনু, মিতুলের চোখে চোখ পড়ে যেতে এগিয়ে গেল। মুখে হাসি ছড়িয়ে বলল,—তুমি এখানে?

মিতুলের ঠোঁটেও চিলতে হাসি,—পেটের ধান্দায়। তুমি?

—সেম কেস। দানাপানির আশায় চরে বেড়াচ্ছি।

—মুখচোখ তো একেবারে কালি মেরে গেছে! খুব রোদ্দুরে ঘুরেছ বুঝি?

প্রশ্নটা ঠং করে কানে বাজল অতনুর। তুতুলের সঙ্গে না হোক দুশো বার দেখা হয়েছে, তুতুল ঠিক এ ধরনের প্রশ্ন কোনওদিন করেনি। এসেই বলত, এই বলো না, আজ আমায় কেমন দেখাচ্ছে!

নিজের ভাবনায় নিজেই বিব্রত অতনু। অদ্ভুত, তুতুলের সঙ্গে কেন তুলনা করছে মিতুলের?

চোরা অস্বচ্ছন্দ ভাবটা কাটানোর জন্য অতনু কাঁধ ঝাঁকাল,—আর বোলো না, সেই কোন ভোরে বেরিয়েছি। ছুটেছিলাম নতুনহাট, স্টকিস্টকে মিট করতে। সেখান থেকে এসে এখানেও দু'জন ডিলারের সঙ্গে বসতে হল। খেচাখেচি, দর কষাকষি, পেমেন্টের তাগাদা...শরীর যে এখনও খাড়া আছে এই না ঢের।

কথায় কথায় কাউন্টারে পৌঁছে গেছে মিতুল। টিকিট কেটে সরে এল লাইন থেকে। এদিক ওদিক তাকিয়ে বলল,—একটু চা খাওয়া যায় না?

—বাইরে খাবে? না ভেতরে গিয়ে?

৯২

—প্ল্যাটফর্মেই চলো। কখন আবার ট্রেন এসে যায়।

মিতুল আজ শাড়ি পরেছে। চওড়া পাড় সাদা তাঁতের শাড়ি। শ্যামলা রং ছিপছিপে মেয়েটাকে শাড়িটা মানিয়েছেও বেশ। ভারী স্নিগ্ধ দেখাচ্ছে। তুতুল সাদা রং পরত না। সে ভালবাসত নীল। সাগরনীল, আকাশনীল, তুঁতেনীল, ময়ূরনীল...। লালও পরত খুব।

ধ্যাৎ, আবার উলটোপালটা ভাবনা? এখনও এত তুতুল তুতুল কেন? নাকি মিতুলকে দেখে সেদিনের মতো তুতুলের শোক উথলে উঠছে? অতনু শাসন করল নিজেকে। আজ মিতুলের সামনে একদম তুতুলের প্রসঙ্গ নয়। আগের দিন তুতুলের কথা ওঠায় মিতুল বেশ অপ্রস্তুত বোধ করছিল।

চায়ের স্টলে এসে দু'-ভাঁড় চা নিল অতনু। মিতুলকে ভাঁড় এগিয়ে দিয়ে বলল, —কিছু খাবে?

—কী খাওয়া যায়?

—কেক নেব?

—ন্‌না। ওই লম্বা লম্বা বিস্কুটটা নাও। নোনতা।

নিজেও বিস্কুট নিল অতনু। কামড় দিয়ে বলল,—তুমি এখানে কোথায় চাকরি করছ?

—এমা, আমি তো বলিনি এখানে চাকরি করছি! মিতুল ফিক করে হাসল, —আমি তো বললাম পেটের ধান্দায় এসেছি।

—বুঝলাম না।

—সহজে বোঝাও যাবে না। জটিল ধাঁধাঁ।

—কী রকম?

—আমি চাকরি করছি এমন এক প্রতিষ্ঠানে যার কোনও অস্তিত্ব নেই। এবং যেখানে কোনও মাইনে পাওয়া যায় না। কী বুঝলে?

অতনু দু'-দিকে মাথা নাড়ল।

—তোমায় বলতে পারি, তবে...। মিতুলের চোখে একটা

চঞ্চল হাসি খেলা করছে, —না বাবা, তোমায় বলব না। তুমি এক্ষুনি গিয়ে তোমাদের ডিরেক্টারকে গল্প করবে, আর সঙ্গে সঙ্গে আমি হয়ে যাব তোমাদের নেক্সট নাটকের প্লট। ওটি হচ্ছে না।

অতনু চোখ সরু করল,—রহস্যময় চাকরি মনে হচ্ছে?

—রহস্য বলা যাবে কি? বলতে পারো পরাবাস্তব। না না, ওই যে কী বলে আজকাল... জাদুবাস্তব। পরা জাদু সবকিছুর মিশেল আছে আমার চাকরিতে। যদি কথা দাও তোমার ডিরেক্টারকে গল্পটা করবে না, তা হলে শোনাতে পারি।

—নিশ্চিন্তে বলতে পারো। আমরা নতুন যে প্রোডাকশানটা নামাচ্ছি, তার ঠেলা সামলাতে আমাদের ডিরেক্টারের কালঘাম ছুটছে। এখন নতুন গল্প শোনাতে গেলে মারতে আসবে।

—উউম্? চা শেষ করে টিনের ড্রামে ভাঁড় ফেলল মিতুল। মুচকি হেসে বলল, —কোত্থেকে শুরু করব? ফ্রম আদি পর্ব?

অতনু আঁতকে ওঠার ভান করল,—সর্বনাশ, মহাভারত নাকি?

—প্রায়। তুমি বামুনঘাটার নাম শুনেছ নিশ্চয়ই?

—বলে যাও, বলে যাও...। বামুনঘাটায় আমাদের ডিলার আছে। উদয় দেবনাথ। মাসে একবার আমায় ওখানে ঢুঁ মারতে হয়।

—বামুনঘাটা থেকে ফিউ কিলোমিটারস অ্যাওয়ে এই মহাভারতের হস্তিনাপুর। কিংবা ইন্দ্রপ্রস্থ। লোকাল নাম অবশ্য মাটিকুমড়া। বছর পাঁচ-সাত আগে মাটিকুমড়া গ্রামের জনৈক রাজনৈতিক উচ্চাভিলাষী ব্যক্তি শ্রী বিশ্বম্ভর দাস একটি বালিকা বিদ্যালয় স্থাপনের পরিকল্পনা করেন। তাঁরই ঠাকুরদার দান করা জমিতে। মেয়েদের বিদ্যাশিক্ষার জন্য তিনি যে বিশেষ ভাবিত ছিলেন তা নয়, তা হলে তো স্কুলটা অনেক আগেই তৈরি হয়ে যেত। কারণ জমিটা তো তাঁর ঠাকুরদা দিয়েছিলেন তিরিশ-চল্লিশ বছর আগে। আসল কথা, বিশ্বম্ভর দাসের মনে

হয়েছিল গার্লস স্কুলের হিড়িকটা তুললে ভোটের বাকসে সোনা ফলবে। সেই মতো তিনি একটি ম্যানেজিং কমিটি করে ফেললেন। দান করা জমি কমিটির তত্ত্বাবধানে চলে এল, এবং অবশ্যই তিনি নিজে হলেন কমিটির সেক্রেটারি। স্কুল হচ্ছে হচ্ছে ধুয়োতেই পঞ্চায়েত ইলেকশান পার হয়ে গেলেন বিশ্বম্ভর। অতীতে বিশ্বম্ভর ছিলেন দক্ষিণপন্থী। হাওয়া বুঝে অনেককাল আগেই ঘুরে গেছিলেন, এবার ভোট জিতলেন বামপন্থী টিকিটে। কিন্তু শুধু জিতে বিশ্বম্ভর তৃপ্ত নন, তখন তাঁর বাসনা জেগেছে পঞ্চায়েতপ্রধান হওয়ার। তবে মজা হল, ওই গ্রাম পঞ্চায়েতে সেবার লেফ্‌ট রাইট টাই হয়ে গেছে। তখন যা হয়, শুরু হল দল ভাঙানোর খেলা। অতীতের দক্ষিণপন্থী গন্ধ থাকায় বামপন্থীরা তাকে কিছুতেই প্রধানের আসনটি দেবে না, এটা বোঝামাত্র বিশ্বম্ভর ডিগবাজি খেয়ে চলে গেলেন ডানদিকে।

মুগ্ধ চোখে মিতুলের কথা বলার ভঙ্গিটা দেখছিল অতনু। শুনছিল বর্ণনা। চমৎকার গুছিয়ে গল্প বলতে পারে মেয়েটা। মিতুলের সঙ্গে প্রথম আলাপের দিনটা মনে পড়ছিল অতনুর। তাদের গ্রুপের নাটক দেখতে এসেছিল দিদির সঙ্গে। শো-র পর গ্রিনরুমে নিয়ে গিয়ে তার সঙ্গে অতনুর পরিচয় করিয়ে দিয়েছিল তুতুল। সংকোচহীন কুণ্ঠাহীন মিতুল ঝাড়া আধঘণ্টা লেকচার দিয়েছিল নাটকটা নিয়ে। সমালোচকদের মতো কায়দা মেরে নয়, সাধারণ দর্শক হিসেবে কেমন লেগেছে তাই বলছিল। তুতুল বারবার টানছিল বোনকে, এই চল, এত বকবক করার কী আছে! মিতুল শুনছিলই না।

আহ্, কেন যে আবার তুতুলের অনুষঙ্গ এসে যায়?

অতনু মন ফেরাল মিতুলের কাহিনীতে। মজা করা গলায় বলল,—বিশ্বম্ভর দাস তো ওস্তাদ লোক!

—শুধু ওস্তাদ নয়, চ্যাম্পিয়ান ওস্তাদ। মুখের সামনে বসিয়ে রেখে স্পিকটি নট হয়ে থাকে। সামনের লোকটার ওপর

সাইকোলজিকাল প্রেশার তৈরি করে। সম্ভবত ওটাই ওর স্নায়ুযুদ্ধ লড়ার নেট প্র্যাকটিস। মিতুল থামল একটু,—হ্যাঁ, কী বলছিলাম যেন?

—ওই যে, বিশ্বম্ভর দাস ডানদিকে ফিরে গেল।

—হুঁ। এবং পঞ্চায়েতপ্রধানও হল।

—করল স্কুল?

—নামকাওয়াস্তে একটা স্টার্ট হল বটে। তবে ওই জমিতে নয়। মাটিকুমড়ার পাশে সোনাদিঘি গ্রাম, সেখানকার চম্পকলাল বিদ্যামন্দিরে। একটা ঘর নিয়ে। ওই ঘর দু'ভাগ করে চালু হল ফাইভ আর সিক্স। নাম দেওয়া হল মাটিকুমড়া বালিকা বিদ্যালয়।

—সোনাদিঘিতে মাটিকুমড়া বালিকা বিদ্যালয়?

—ওই যে বললাম তোমায়। জাদুবাস্তবতা। মিতুল চোখ নাচাল,—তা সেই বিদ্যালয়ে ছাত্রীও পাওয়া গেল কিছু। দেড়শো টাকা অ্যাডমিশান ফি, আর মাস মাস দশ টাকা মাইনে।

—অ্যাই, মেয়েদের স্কুলের এডুকেশান ফ্রি তো!

—সে যেসব স্কুল গভর্নমেন্টের টাকায় চলে, সেই সব স্কুলে। মাটিকুমড়া বিদ্যালয় তো তখনও সরকারি গ্র্যান্ট পায়নি। ইনফ্যাক্ট, গভর্নমেন্টের কাছে তখনও অ্যাফিলিয়েশানের আবেদনই করা হয়নি।... যাই হোক, দু'জন টিচার অ্যাপয়েন্ট করা হয়েছিল স্কুলে। একজন বিশ্বম্ভরের মাধ্যমিক পাশ মেয়ে। অন্যজন বিশ্বম্ভরের বি-এ না-উতরোনো ভাইপো। ছাত্রীদের টাকা থেকেই তাদের মাইনে হত।

অতনুর চোখ গোল গোল,—বাহ, এ যে দেখি পারিবারিক বন্দোবস্ত!

—পাশে পাশে রাজনীতির খেলাও থেমে নেই। বছর দুয়েকের মাথায় বামেরা ডানদের দু'জন পঞ্চায়েত সদস্যকে পকেটে পুরে ফেলল। ব্যস, পঞ্চায়েত গেল উলটে। বিশ্বম্ভরেরও গদি গন। স্কুলের ম্যানেজিং কমিটির অন্য

মেম্বাররাও এতদিন তক্কে তক্কে ছিল। যেই বিশ্বম্ভরের গদিটি গেছে, ওমনি তাকে তারা সেক্রেটারির পদ থেকেও হটিয়ে দিল। বিশ্বম্ভরও ছাড়ার পাত্র নয়, সেও একটি মরণকামড় বসাল। পুরনো ম্যানেজিং কমিটির নাম দিয়েই স্কুল অ্যাপ্রুভ করার অ্যাপ্লিকেশান পাঠিয়ে দিল গভর্নমেন্টের কাছে। একই সঙ্গে একটা কেসও ঠুকে দিল নতুন ম্যানেজিং কমিটির নামে। কোর্টে দৌড়োদৌড়ি করে ইনজাংশানও বার করে ফেলল। স্কুলে ম্যানেজিং কমিটির জায়গায় বসল রিসিভার। তা রিসিভারের ভারী দায় পড়েছে স্কুল চালানোর, অচিরেই মাটিকুমড়া বালিকা বিদ্যালয়ের সাঙ্গ হল ভবলীলা।

—আইব্বাস, এ তো যথেষ্ট প্যাঁচালো ব্যাপার। অতনু গাল চুলকোল, —কিন্তু এর সঙ্গে তোমার চাকরির কী সম্পর্ক?

—আমি এখন ওই মাটিকুমড়া বালিকা বিদ্যালয়েরই দিদিমণি। অ্যাপয়েন্টেড বাই স্কুল সার্ভিস কমিশন।

—অ্যাঁ?

—হাঁ-টা বন্ধ করো, মাছি ঢুকে যাবে। মিতুল ফিকফিক হাসছে, —কী, এটা কোন বাস্তব? জাদু? না পরা?

প্ল্যাটফর্মে ট্রেন ঢুকছে। কথা বলতে বলতেই ছটফট করে উঠল মিতুল। বলল, —যাবে তো?

ভিড় ট্রেনে উঠতে ইচ্ছে করছিল না অতনুর। বলল, — দাঁড়াও না, একটু পরে তো এখান থেকেই লোকাল ছাড়বে...

—না গো, আমি যাই। বাড়িতে যা সব টেনশান পাবলিক আছে, আমি না-ফেরা পর্যন্ত তাদের নাকি বুক ধুকপুক করে। বলেই দৌড়েছে মিতুল। দৌড়োতে দৌড়োতেই ঘাড় ঘুরিয়ে বলল, —গল্পের অনেকটা এখনও বাকি আছে, নেক্সট যে-দিন দেখা হবে বলব।

জনারণ্যে মিশে গেল মিতুল। অতনু হাসল মনে মনে। হয়তো আবার চার মাস পরে দেখা হবে কোথাও, কিংবা চার বছর। হয়তো বা কোনও দিনই আর দেখা হবে না। পথের

৯৭

হঠাৎ দেখা, ক্ষণিকের ভাল লাগা, পথেই মিলিয়ে যাওয়া তো বেশ। খানিকটা সময় তো কাটল ভাল, মনটাও খানিক চাঙা হল। দিনভর কেজো হিসেবি মরুভূমিতে ছোটার মাঝে একটুখানি মরূদ্যানের ছায়া তো মিলল।

আবার টিস্টলে যাচ্ছিল অতনু। চা খাবে আর একবার। অর্ডার দেওয়ার আগেই ফের মিতুলের আবির্ভাব।

অতনু অবাক, —কী হল? গেলে না?

দু'হাতে চুল ঠিক করতে করতে মিতুল বলল, —ওহ্, যা শিব্রামি ভিড়!

—সেটা কী?

—শিবরামের একটা গল্প আছে না, বাসে এত ভিড় যে এক দরজা দিয়ে একটা লোক উঠলে অন্য দরজা দিয়ে আর একটা লোক খসে যায়! ঠিক সেই কেস।... তোমার লোকাল কখন?

—তিনটে চল্লিশে। অতনু ঘড়ি দেখল। মিনিট পনেরো বাকি। আর এক রাউন্ড চা চলবে?

—এবার কিন্তু আমি পয়সা দেব।

বলেই ব্যাগ থেকে একখানা পাঁচ টাকার নোট বের করেছে মিতুল। চাঅলার হাত থেকে ভাঁড় নিয়ে রাখল স্টলের পাটাতনে। গুনে গুনে চেঞ্জ ভরছে ব্যাগে।

অতনুর ভারী অভিনব ঠেকল দৃশ্যটা। প্রসাধনী বার করা ছাড়া অন্য কোনও কারণে কি কখনও ব্যাগ খুলতে দেখেছে তুতুলকে? মনে পড়ে না। তাদের গ্রুপের মেয়েরা অবশ্য হরবখতই চা'টা বিস্কুটটা খাওয়ায়। মিতুল যেন তাদের মতোই অবলীলায় সম্পর্কটাকে সহজ করে নিতে পারে। একই পরিবারে মানুষ হয়ে দু'বোন কী করে যে এত পৃথক হয়?

ফের তুলনা? নিজেকে ফের ধমকাল অতনু। মনের ওপর কন্ট্রোল নেই কেন, অ্যাঁ?

চায়ে চুমুক দিয়ে অতনু বলল, —এসেই যখন গেলে, তোমার মহাভারতটা শেষ করো।

—শুনবে? ধৈর্য আছে এখনও? মিতুল ঠোঁট টিপল,—হুম, তারপর হল কী...বিশ্বম্ভর দাসের সেই যে অ্যাপ্লিকেশান, তার ধাক্কাতেই সরকারের চাকা আস্তে আস্তে গড়াতে শুরু করল। সম্ভবত বিশ্বম্ভর গিয়ে মাঝে মাঝে পুশ করেও আসত। আর সেই ঠেলাতেই কোনও এক সময়ে পরিদর্শক এসে, বিশ্বম্ভর দাসের ফাঁকা জমিটি দেখে গিয়ে ওপরমহলে রিপোর্ট পাঠিয়ে দিল মাটিকুমড়া বালিকা বিদ্যালয়ের এগজিস্টেন্স আছে। এবং একে অ্যাপ্রুভাল দেওয়াই যায়। বিশ্বম্ভর দাসের বউমা দারুণ কাঁচাগোল্লা বানায়, পরিদর্শকমশাই সম্ভবত পেট পুরে কাঁচাগোল্লা সাঁটিয়েছিলেন। ...যাই হোক, এদিকে নতুন ম্যানেজিং কমিটিও বসে নেই। নতুন সেক্রেটারি সনৎ ঘোষ কট্টর বাম, তারও কিছু রাজনৈতিক স্বপ্ন আছে, স্কুল নামক কুমিরছানাটি দেখিয়ে সে আরও বড় ঘাটে নৌকো ভেড়াতে চায়।

—এম-এল-এ হওয়ার ইচ্ছে?

—অতটা নয়। ওই পঞ্চায়েত সমিতি আর কী...। উদ্যোগী হয়ে ছোটাছুটি করে সনৎ ঘোষ কোর্টে কেসটাকে ওঠাল। রিসিভার সরাল। পাকাপাকি ভাবে আসীন হল সেক্রেটারি পদে। কিন্তু তদ্দিনে বিশ্বম্ভরের চাকা বহুদূর গড়িয়ে গেছে। স্কুল চালু হবে বলে টিচারের জন্য লোক চাওয়া হয়েছে স্কুল সার্ভিস কমিশনে, পরীক্ষা নিয়ে টিচার নিয়োগও কমপ্লিট। সেই মাস্টারদের, এক্ষেত্রে দিদিমণিদের, তারা যোগাযোগ করতে বলেছে বিশ্বম্ভর দাসেরই সঙ্গে। সনৎ ঘোষ জেলা অফিসে নতুন ম্যানেজিং কমিটির নামও পাঠিয়েছিল, সেই লিস্টটাই হাপিশ। এবং কোনও এক মোটা দাগের জাগতিক কারণে স্কুল অ্যাপ্রুভালের চিঠিও চাপা পড়ে গেল ফাইলের গাদার নীচে। সুতরাং স্কুল মানে এখনও ফাঁকা মাঠ, সেখানে অবিরাম ঘাস খাচ্ছে গোরুছাগল। এখনও সেক্রেটারি পদের পুরো ফয়সালা হয়নি। বিশ্বম্ভর বলছে আমি সেক্রেটারি, সনৎ বলছে আমি।

কপাল পুড়ছে দিদিমণিদের। নো ছাত্রী। নো ক্লাস। নো মাইনে।

মিতুলের মুখে হাসি এখনও লেগে আছে বটে, তবে হাসিতে যেন একটা ছায়াও আছে। অতনুর খারাপ লাগছিল। চিন্তিত স্বরে বলল, —এহ্, তুমি একটা বিশ্রী চক্করে পড়ে গেছ দেখছি!

—চক্কর বোলো না, বলো গাড্ডা। তবে আমার চেয়েও গাড্ডায় পড়েছে আরও দু'জন। তারা প্রচুর ধরাকরা করে, রাজনৈতিক প্রভাব খাটিয়ে বাড়ির কাছের স্কুলে পোস্টিং বাগিয়েছিল। এখন দুটিতে খোলামাঠের ধারে বসে হাপুস নয়নে কাঁদে।

—তাহলে এখন কী হবে তোমাদের?

—জানি না। কী করব কিছুই বুঝতে পারছি না। প্রতীকদা হলে বলত, প্রাণ ভরে মাকে ডাকো, তিনিই তোমার সব...

মিতুল ঝপ করে থেমে গেল।

অতনু অস্ফুটে বলল, —প্রতীক? মানে তোমার...?

মিতুল মাথা নামিয়ে নিল। ঘাড় দোলাচ্ছে, —জামাইবাবু।

অতনুর মুখ দিয়ে অর্থহীন প্রশ্ন বেরিয়ে এল, —উনি বুঝি খুব ধার্মিক?

মিতুল আবার ঘাড় নাড়ল। অতনুর চোখে আর চোখ রাখছে না। তাকাচ্ছে এদিক-ওদিক, উদ্দেশ্যহীন ভাবে।

অতনুও আর কথা খুঁজে পাচ্ছিল না। আচমকা এক ভ্যাপসা গুমোট যেন ঢুকে গেছে দু'জনের মধ্যিখানে। ট্রেন দিয়েছে চার নম্বর প্ল্যাটফর্মে, নিঃশব্দে ওভারব্রিজ পার হয়ে দু'জনে গিয়ে উঠল ট্রেনে। বসার জায়গা পেয়ে গেছে। কিচিরমিচির করছে যাত্রীরা, বিকট সুরে লজেন্স বিক্রি করছে হকার। ঘটাং করে একটু নড়ে উঠল ট্রেন। ব্রেক টেস্ট।

মিতুলের দৃষ্টি জানলার বাইরে। ভাবতে না চেয়েও তুতুলের কথা মনে পড়ছিল অতনুর। সাড়ে তিন বছর আগের সেই দগদগে ঘা। বারবার অতনু ফোন করছে তুতুলকে, পরে কথা বলব বলে ফোন নামিয়ে রাখছে তুতুল। মরিয়া হয়ে অতনু

তুতুলের বাড়ি যেতে চেয়েছিল। নিষেধ করল তুতুল, কেঠো স্বরে। নিজেই শেষে ফোন করে ডাকল অতনুকে। শ্যামবাজার পাঁচমাথার মোড়ে লাখো মানুষের মাঝখানে দাঁড়িয়ে অবলীলায় বলে দিল, আমার বিয়ে ঠিক হয়ে গেছে, তুমি আর যোগাযোগ রাখার চেষ্টা কোরো না!

অতনু মিনতি করেছিল, —ক'টা দিন আর সময় দাও তুতুল। একটা চাকরির কথা চলছে, কিছু একটা হয়ে যাবেই।

—আর তা হয় না। আমি এ বিয়েতে কথা দিয়ে দিয়েছি।

—কেন দিলে?

তুতুল উত্তর দেওয়ার প্রয়োজন বোধ করল না। অপরূপ শরীরে ছন্দ তুলে চলে গেল। কী অপমান, কী অপমান! অতনুর মনে হচ্ছিল চারপাশের সব লোক যেন তারই দিকে তাকিয়ে আছে। খলখল হাসছে গোটা দুনিয়া। রাতের পর রাত ঘুমোতে পারেনি অতনু। কত দিন গ্রুপে যায়নি। মাস দুয়েকের জন্য পালিয়েও গিয়েছিল কলকাতা ছেড়ে। লক্ষ্ণৌ। পিসির বাড়ি। সারাক্ষণ শুধু একটা প্রশ্ন তাড়া করে বেড়াত, তুতুল কি তাকে সত্যিই ভালবাসেনি?

এইমুহূর্তে মিতুলের ওপরও রাগ হচ্ছিল অতনুর। কেন যে আবার মিতুলের সঙ্গে দেখা হল? সময়ের পলি পড়ে বেশ তো থিতিয়ে গিয়েছিল ক্ষতটা, মিতুল যেন নতুন করে সব মনে পড়িয়ে দিল। আবার কি ফিরে আসছে সেই বিনিদ্র রজনী?

হঠাৎই মিতুলের ডাকে চমকে উঠেছে অতনু, —অ্যাই অতনুদা, কী ভাবছ?

অতনু হাসার চেষ্টা করল, —তুমিও তো ভাবছ কী যেন!

—আমি আমার পোড়া কপালের কথা ভাবছি।

—ধরে নাও আমিও তাই।

ঝরনার মতো হেসে উঠল মিতুল। চাপা স্বরে বলল, —আমরা ডুয়েট গাইব নাকি? জনমদুখী কপালপোড়া গুরু আমরা দুইজনা...!

অতনু হাসল হা হা। ভারী বাতাস লঘু হয়ে গেছে পলকে। দু'প্যাকেট বাদাম কিনল। দু'জনেই টকাটক বাদাম ছুড়ছে মুখে। ট্রেন ছাড়ল।

মিতুল হালকা সুরে জিজ্ঞেস করল, —তোমরা নতুন নাটক নামাচ্ছ বলছিলে না?

—হ্যাঁ, মরা নদী। মুর্শিদাবাদের আলকাপদের কথা জানো তো? তাদের নিয়ে। আমরা চেষ্টা করছি বাঙালির ওই শিল্পধারাটাকে দর্শকদের সামনে তুলে ধরতে। একটা আলকাপ দলের স্ট্রাগল, ফ্রাস্ট্রেশান, তবু কিছুতেই না দমা, অসম্ভব জেদ...মানে অস্তিত্ব রক্ষার লড়াই আর কী। সেই পঞ্চাশের দশকের পটভুমিকায়।

—আচ্ছা অতনুদা, একটা প্রশ্ন করব? ডোন্ট মাইন্ড...তোমরা যে এই নাটকগুলো করো...গ্রামটামের দর্শক নিশ্চয়ই খুব একটা দেখে না...? শহুরে অডিয়েন্স আলকাপের মাহাত্ম্যে মোহিত হলে সত্যিই কি কোনও লাভ আছে?

—মুশকিলে ফেললে। ফ্র্যাংকলি বলছি, জানি না। তবু মনে হয়, আলকাপের মতো একটা নিখাদ বাঙালি শিল্প তো প্রায় নিঃসাড়ে লুপ্ত হয়ে গেল... শহরের লোকরা অন্তত এটা জানুক। তা ছাড়া মানুষের লড়াইয়ের গল্প তো কখনও পুরনো হয় না। এই যে তুমি একটা না থাকা স্কুলে চাকরি পেয়ে গাছকোমর বেঁধে ছুটোছুটি করে মরছ, এও তো লড়াই।

—বাপস, আমায় হেভি সার্টিফিকেট দিলে তো! মিতুলের চোখ খুশিতে ঝিকমিক, —তোমাদের নতুন নাটকটা তো তা হলে দেখতেই হয়।

—দেখবে? আসবে? সত্যি?

—কবে শো?

—দেরি আছে। ফার্স্ট শো সেপ্টেম্বরের পাঁচ তারিখে। অ্যাকাডেমিতে।

—কী বার পড়ছে?

—শনিবার। দুপুরের শো।... তোমাদের ফোন নাম্বার বদলায়নি তো?

—না। কেন?

—শো-এর আগের দিন তোমায় রিং করে মনে করিয়ে দেব।

এলোমেলো কথায় গড়িয়ে যাচ্ছে সময়। নাটক, চাকরি, জ্যাম-জেলি সস আচার বিপণনের প্রক্রিয়া, রেখা অপর্ণা মুনমুন, মহলার টুকিটাকি...। একটার পর একটা স্টেশন পেরোচ্ছে ট্রেন। লোক উঠছে খুব, ভিড়ে হাঁসফাঁস করছে কামরা।

অবরোহণ পর্বে রীতিমতো মেহনত করতে হল মিতুলকে। দমদমে নেমেই অতনুর জানলায় এসেছে মিতুল। হাত নাড়ছে।

চলতে শুরু করল ট্রেন। দ্রুত পিছনে সরে যাচ্ছে মিতুল। মুহূর্তের জন্য মিতুলের চোখে দৃষ্টি আটকাল অতনুর। বুঝতে পেরেছে! বুঝতে পেরেছ! বুঝতে পেরেছে দু'বোনে কোথায় মিল!

দু'বোনের চোখ হুবহু এক। একই রকম টানা টানা। শুধু মিতুলের মণি দুটো যেন আরও বেশি গভীর। আরও বেশি উজ্জ্বল।

॥ আট ॥

—দেখেছেন তথাগতবাবু, কী বাজে হয়েছে নতুন রুটিনটা?

—আমাকে বলবেন না ম্যাডাম, আমার পিত্তি জ্বলে যাচ্ছে। একেবারে প্রথমে দুটো ক্লাস, আর সেই লাস্টে দুটো। মাঝের চারটে পিরিয়ড কি আমি ভ্যারান্ডা ভাজব?

—তা কেন, প্রিন্সিপাল তো বলেই দিয়েছেন, লাইব্রেরি গিয়ে বসে থাকতে। নিজেদেরকে আরও ডেভেলাপ করতে

১০৩

হবে! বইপত্র ঘাঁটুন, নতুন কী পদ্ধতিতে পড়ানো যায় তাই নিয়ে ভাবুন।

—তারপর সেই নতুন ভাবনা-চিন্তাগুলো নিয়ে নতুন ফার্স্ট ইয়ার পাসের আড়াইশোটা ছেলেমেয়ের সামনে গিয়ে দাঁড়াই। প্রবল বিক্রমে চেঁচিয়ে যাই পাড়ার কুকুরদের মতো, জোকারদের মতো হাত-পা ছুড়ি...। যদিও নিশ্চিন্ত থাকতে পারি কেউ আমার পড়ানো শুনবে না, তারা নিজেদের মতো করে গল্প করে যাবে, হাসাহাসি করবে...।

—এই দুঃখেই তো আমি ক্লাসে গিয়েই রোল কল শুরু করে দিই। ওতেই মিনিট কুড়ি পার। তারপর ধীরেসুস্থে বোর্ডে গিয়ে কী পড়াব তাই লিখি... ধুয়ো ধরতে না ধরতেই বেল পড়ে যায়।

—ওই টেকনিকটাও বড় বোরিং দেবব্রতদা। এক থেকে আড়াইশো অবদি গোনা, ঘরে ঘরে প্রেজেন্ট অ্যাবসেন্ট বসানো...! তার থেকে নিজের মতো করে বকে যাও, শুনল তো শুনল, না শুনল তো কাঁচকলা। আলটিমেটলি পরীক্ষার খাতায় আমি যা বলছি তার কিছুই তো লিখবি না, উগরে দিবি তো তোর কোচিং আর টিউটরের নোট!

—শুধু নোট নয়, ভুলভাল নোট। আপনি বিশ্বাস করবেন না রুচিরাদি, এবার অনার্সের খাতা দেখতে গিয়ে পর পর চোদ্দোটা স্ক্রিপ্ট পেলাম হুবহু এক লেখা। এবং হুবহু এক ভুল। এসেছে ফ্রেঞ্চ রেভোলিউশানের বৈশিষ্ট্য, লাইন দিয়ে লিখে গেছে ফরাসি বিপ্লবের ব্যাকগ্রাউন্ড! কেউ কোয়েশ্চেনটা পর্যন্ত ভাল করে পড়ে না!

—ওদের আর দোষ কী অনিমেষ? হাতুড়ে ডাক্তার দিয়ে ট্রিটমেন্ট করালে এর চেয়ে ভাল চিকিৎসা হয় না। ভাল মাস্টাররা ওই আড়াইশোর সমুদ্রে খাবি খাবে, আর চিরটাকাল নোট গিলে আসা কোনও অগাবগার টোলে গিয়ে ছেলেমেয়েরা ওসব জিনিসই শিখবে।

—ফার্স্ট প্রয়োজন স্টুডেন্ট কমানো। বুঝতে হবে হায়ার

এডুকেশান সবার জন্য নয়। কোনও দেশে এমন পাইকারি হারে গ্র্যাজুয়েট পোস্টগ্র্যাজুয়েট হয় না।

—জ্ঞান মেরো না মৃগাঙ্ক। হায়ার এডুকেশানের ব্যবসাটা আছে বলে তাও লাখো লোক করেকর্মে খাচ্ছে। তা ছাড়া ছেলেমেয়েগুলোর ভবিষ্যতের জন্য একটা ছাপ্পা চাই।

—কী লাভ? চাকরি পাচ্ছে ক'জন? মেয়েদের তাও হয়তো বিয়ের বাজারে কিছুটা দাম বাড়ে...

—মেয়েদের নিয়ে ওই সব বস্তাপচা রিমার্কগুলো করা ছাড়ুন তো তথাগতবাবু।

—মেয়েরাও আজকাল কেরিয়ারের ধান্দাতেই হায়ার এডুকেশান নেয়।

—হাতাখুন্তির দিন শেষ, চাকরির বাজারে এখন মেয়েরাই এগিয়ে। ছেলেরা এখন টাইট খাচ্ছে।

—ওরেব্বাস, ম্যাডামরা যে একেবারে কোরাসে বেজে উঠলেন! সরি সরি, আই উইথড্র। আমি জাস্ট বলছিলাম এখনও তো প্রচুর মেয়েই শুধু ঘর-বরের আশাতে...

—জেনারালাইজ করবেন না। একটা কথা মনে রাখবেন, মেয়েদের কাছে বিয়েটাও প্রায় চাকরিই। হোলটাইম ডোমেস্টিক সারভিলিয়েন্স। বাইরে চাকরি করলেও ঘরের দাসীবৃত্তিটি করতেই হয়, আপনারা তো নড়েও বসেন না।

—সর্বনাশ, এ যে ফেমিনিজমের দিকে চলে যাচ্ছেন আস্তে আস্তে!

—হ্যাঁআ, নিষ্ঠুর সত্যিটা বললেই তো ফেমিনিজম মনে হয়।

নতুন রুটিন ঘিরে নানান রকম চাপান উতোর চলছে স্টাফরুমে। মাঝে কয়েক মাস কলেজে ক্লাসের চাপ কম ছিল, সুখের দিন শেষ, সোমবার থেকে এসে পড়বে ফার্স্ট ইয়ার, এ সময়ে খানিকটা চাপের মুখে থাকে সবাই। ছোটখাটো বিস্ফোরণও তাই তেমন বিরল নয়।

আজ অবশ্য হালকা চালেই হচ্ছে কথা। সোমনাথের কানে

আসছে বটে, তবে সেভাবে সে শুনছে না। কাল সন্ধে থেকেই খিঁচড়ে আছে মেজাজটা। এ কী আজব এক প্রস্তাব আনল তুতুল? নগদ দু'লাখ টাকা সে সোমনাথের হাতে দেবে, টাকাটা চেক হয়ে আবার ফেরত চলে যাবে মেয়ের নামে? অত টাকা তুতুলের হাতে এল কোত্থেকে? কত মাইনে পায় প্রতীক? ষোলো হাজার? আঠেরো হাজার? মেরেকেটে বিশ? আঠাশ হাজার মাইনে পেয়েও সোমনাথের মুক্তকচ্ছ দশা, আর প্রতীক কিনা অত টাকা জমিয়ে ফেলল? ফ্ল্যাট কেনার পরেও? এবং টাকাটা ব্যাঙ্কে রাখেনি! প্রতীক মোটেই হাড়কেপ্পন নয়, সংসারে তার প্রচুর খরচা, সোমনাথ তো স্বচক্ষেই দেখছে। নতুন সোফাসেট আসছে, এই সেদিন ঊনত্রিশ ইঞ্চি টিভি ঢুকল ড্রয়িংরুমে, সিলিংয়ে ঝোলাচ্ছে ঝাড়লন্ঠন...! একটা গাওনা অবশ্য গাইল তুতুল। বহরমপুরে প্রতীকের কী একটা জমি ছিল, সেটা নাকি বেচা হয়েছে, তার থেকে এসেছে টাকা...! শুনেই মনে হচ্ছিল কথাটা মোটেই বিশ্বাসযোগ্য নয়। ছেলেমেয়ে মিথ্যে বললে বাবা-মা ঠিক টের পায়। সত্যিই টাকাটা সোজা রাস্তায় এলে প্রতীক তা দেখাতে চাইবে না কেন?

প্রতীককে নিয়ে এই কি প্রথম খটকা লাগল সোমনাথের? তা তো নয়। বিয়ের পর থেকেই তুতুলের রইসি চালচলনে ধন্দ তো জাগত। দিশি কসমেটিকস দেখলে নাক সিঁটকোয় মেয়ে, কথায় কথায় দামি শাড়ি কিনছে, হিরেবসানো ব্রেসলেট গড়িয়ে মাকে দেখিয়ে গেল, রুপাইয়ের অন্নপ্রাশনে না হোক উড়িয়ে দিল হাজার চল্লিশ...।

তবু তো চোখ বুজেই ছিল সোমনাথ। মনে প্রশ্ন এলেও নিজেকে শাসন করছে, তোমার আদরের তুতুল যদি একটু সুখে বৈভবে থাকে, তোমার চোখ করকর করে কেন? তবে কাল বড্ড খারাপ লেগেছে। সোমনাথ তুতুলকে গাড়ি যৌতুক দেবে, এই ছলনার আশ্রয় নিতে তুতুলের চোখের পাতা পর্যন্ত কাঁপল

না? একবার ভাবল না পর্যন্ত অমন একটা কপট অনুরোধে বাবা কতটা আহত হতে পারে? মৃদুলাই বা কী, দিব্যি কেমন বলে দিল, অত গাঁইগুঁই করছ কেন, যদি তুতুলদের সুবিধে হয় এটুকু করা তো তোমার কর্তব্য! যেন সোমনাথের কী কর্তব্য সোমনাথ জানে না! সারা জীবন ঘাড় গুঁজে তা পালন করেনি! চাকরির শেষ লগ্নে অকারণে ইনকাম ট্যাক্সের ছোবল খেলে সোমনাথের কী দশা হতে পারে এ কথা চিন্তা করা মৃদুলার কর্তব্য নয়? হয়তো কিছুই হবে না, সাতদিনের জন্য সোমনাথের ব্যাঙ্কে কী জমা হল, বেরিয়েও গেল, ইনকামট্যাক্স হয়তো তা জানবেও না, তবু একটা মৃদু ঝুঁকি তো থেকেই যায়। সোমনাথের বিপন্ন হওয়ার এই সম্ভাবনা কণামাত্র উদ্বিগ্ন করল না মৃদুলাকে? উলটে রাত্রে শোওয়ার সময়ে কী গজগজ! প্রতীকের মতো ধর্মপ্রাণ সচ্চরিত্র ছেলেকে তুমি বাঁকা চোখে দ্যাখো, তুমিও তো বাপু খুব সোজা মানুষ নও!

অজান্তেই একটা শ্বাস পড়ল সোমনাথের। আশ্চর্য, তুতুলের হাতে অত কাঁচা টাকা দেখেও মৃদুলার মনে কোনও প্রশ্ন জাগে না? মেয়ের ঐশ্বর্যের আঁচে মন সেঁকে নিয়ে মৃদুলা কি তার কোনও অলব্ধ বাসনাকে পরিতৃপ্ত করতে চায়? সোমনাথ চিরটাকাল সাদাসিধে জীবন যাপন করেছে, বিলাসিতায় ভেসে যাওয়ার মতো পকেট-উপচোনো টাকাপয়সা কোনও কালেই তার হাতে আসেনি, মাঝে যখন টিউশ্যনি করত তখন হয়তো একটু বেশি সচ্ছলতা ছিল, হয়তো ছাত্র পড়ানো ছেড়ে দেওয়ার পর চাপে আছে সামান্য, তা বলে বউ-মেয়েদের তো কখনও অভাবে রাখেনি। মৃদুলা কি এর চেয়ে অনেক বেশি চেয়েছিল?

বেল পড়ল। ক্লাস থেকে ফিরছে অধ্যাপকরা। রুটিন ঘিরে জটলাটাও ছিঁড়ে গেল, কেউ কেউ যাচ্ছে ক্লাস নিতে, কেউ বা নতুন করে গল্প জুড়ছে পাশের চেয়ারের সঙ্গে। হনহনিয়ে

১০৭

স্টাফরুমে ঢুকল নির্মল, অ্যাটেন্ডেন্স রেজিস্টারখানা টেবিলে ফেলে ঢুকে গেল টয়লেটে। বেরিয়ে অনুচ্চ স্বরে কথা বলছে দেবব্রতবাবুর সঙ্গে।

নিষ্প্রাণ মুখে সোমনাথ রুটিনের ফোল্ডারখানা কাছে টানল। ডায়েরি বার করে টুকছে প্রাত্যহিক কর্মসূচি। আগেও দেখেছে, তবু আর একবার গুনল ক্লাসের সংখ্যা। পাঁচদিনে মোট উনিশটা। মঙ্গল বৃহস্পতি পাঁচটা করে আছে। ওই দু'দিন জান কয়লা হয়ে যাবে। তার ওপর মঙ্গলবার তো আবার টানা চার পিরিয়ড। কী করে যে টানবে সোমনাথ? রুটিন কমিটির মিটিংয়ে এবার হালকাভাবে বলেছিল সিনিয়ারদের ক্লাসগুলো একটু ছড়িয়ে ছিটিয়ে রাখলে ভাল হয়। পুলকেশ আমলই দিল না। এভরিবডি শুড বি ট্রিটেড ইকুয়ালি সোমনাথবাবু, ক্লাসের ব্যাপারে জুনিয়ার সিনিয়ার ভেদ করা চলে না! বরং সিনিয়ারদের তো আরও বেশি দায়িত্ব নেওয়া উচিত। যেন গভর্নমেন্ট বুঝতে পারে বুড়ো হয়ে গিয়ে আপনারা ফিজিক্যাল ফিটনেস বা মেন্টাল অ্যালার্টনেস হারাননি। অর্থাৎ উনষাট বছর বয়সেও সোমনাথকে প্রমাণ দিতে হবে সে একজন তাজা তরুণ! এবং ষাট বছরে পৌঁছোলেই রিটায়ারমেন্টের বেলপাতাটিও শুঁকতে হবে! পুলকেশরা যে ঠিক কী চায়? বোধহয় ওদের কাছে দক্ষতা অভিজ্ঞতা ব্যাপারগুলো তত মূল্যবান নয়, ঠিকমতো জোয়াল টানতে পারছে কিনা সেটা দেখাই একমাত্র উদ্দেশ্য। ভাল। এতে যদি শিক্ষার উন্নতি হয় তো খুবই ভাল।

—স্যার?

রুটিন টোকায় ছেদ পড়ল। দুটো অল্প চেনা মুখ পাশে এসে দাঁড়িয়েছে। পিছনে অভিজিৎ। ছাত্র সংসদের সম্পাদক। সোমনাথের ভুরু কুঁচকে গেল। ছেলে দুটোও কি ইউনিয়নের? তাই হবে। সাধারণ ছাত্রছাত্রী হলে স্টাফরুমে ঢুকতে দ্বিধা বোধ করে, অনুমতি চায়।

১০৮

সোমনাথ জিজ্ঞেস করল,—কী ব্যাপার? কিছু বলবে?

ছেলে দুটোর একজন বলল,—আপনার তো এখন বোধহয় ক্লাস ছিল স্যার। নেবেন না?

সোমনাথ একটু অপ্রস্তুত হল, —তোমাদের ক্লাস? তোমরা কোন ইয়ার?

—সেকেন্ড ইয়ার অনার্স। ...মানে নতুন সেকেন্ড ইয়ার।

—ও। ...কিন্তু তোমাদের তো ক্লাস হয়ে গেছে! দীনেশবাবু আসেননি বলে পিরিয়ডটা অফ যাচ্ছিল, ছেলেমেয়েরা এসে আমায় টেনে নিয়ে গেল! একটা থেকে একটা পঁয়তাল্লিশ আমার ক্লাসটা নিয়ে এলাম...।

—কিন্তু এ তো আপনি করতে পারেন না স্যার। এতক্ষণে পিছন থেকে অভিজিতের স্বর ফুটছে, —ওরা আপনার ক্লাসের টাইমে এসেছে, এখন তো আপনাকে ক্লাস নিতে হবে।

—তা কী করে হয়? আমার ক্লাসটা তো আমি নিয়ে এসেছি। পঞ্চাশ জনের মধ্যে অ্যাটলিস্ট পঁয়ত্রিশজন প্রেজেন্ট ছিল...

—ওসব শুনিয়ে লাভ নেই স্যার। আপনারা আপনাদের ইচ্ছে মতন সময়ে ক্লাস নেবেন এ আমরা হতে দেব না। অভিজিতের গলা চড়ল, —আমরা মাইনে দিয়ে পড়ি। রুটিন মাফিক টিচারদের ক্লাসে পাওয়াটা আমাদের ন্যায্য অধিকারের মধ্যে পড়ে।

সোমনাথ অসহায় মুখে বলল, —কিন্তু তোমাদের সহপাঠীরাই তো... ওরাই তো এসে বলল, পর পর তিনটে পিরিয়ড গ্যাপ পড়ে যাচ্ছে... আমার ক্লাস সওয়া তিনটেয়... ততক্ষণ ওরা বসে থেকে কী করবে...আমি যদি আগে ক্লাসটা নিয়ে নিই,...

—তাদের সুবিধের জন্য আপনি ক্লাস নিয়েছেন, না আপনার সুবিধের জন্য, তা আমার জানার দরকার নেই। আপনার হুইম্‌সের জন্য অন্য ছাত্ররা সাফার করবে এ মোটেই আমরা মানব না।

অভিজিতের ধমক স্টাফরুমের অনেকেই শুনতে পাচ্ছে। ঘুরে ঘুরে তাকাচ্ছে অধ্যাপক অধ্যাপিকারা। তবে কেউই আগ বাড়িয়ে কিছু বলছে না।

সোমনাথ নার্ভাসভাবে উঠে দাঁড়াল। ফ্যাসফ্যাসে গলায় বলল, —চলো তাহলে।

হঠাৎই নির্মল এগিয়ে এসেছে। ঋজু স্বরে বলল, —দাঁড়াও। বলেই অভিজিৎকে উপেক্ষা করে সরাসরি ছেলে দুটোকে ধরেছে, —তোমাদের স্যার যখন একটার সময়ে ক্লাস নিচ্ছিলেন তখন তোমরা কোথায় ছিলে?

দুটো ছেলেই থতমত। মুখ চাওয়াচাওয়ি করছে। অভিজিৎই বলে উঠল, —ওরা তখনও আসেনি। ওরা শুধু এস-এমের ক্লাস করবে বলেই দেরি করে এসেছে।

—তার মানে ওরা দীনেশবাবুর ক্লাস করতে ইচ্ছুক ছিল না?

এবার অভিজিৎ থমকেছে।

নির্মল ফের বলল, —তোমার কি ধারণা, কোন স্যারের ক্লাস করবে, কোন স্যারেরটা করবে না, সেটা স্থির করার অধিকার ছাত্রদের আছে?

—আমি তো তা বলিনি। অভিজিৎ সামান্য তেরিয়া হওয়ার চেষ্টা করল।

—তোমার হাবভাব তাই বলছে। নির্মল হাঁক পাড়ল, —রবি, সেকেন্ড ইয়ার পল সায়েন্স অনার্সের অ্যাটেন্ডেন্স রেজিস্টারটা নিয়ে আয় তো।

স্টাফরুম পিয়োন দৌড়ে গিয়ে র‍্যাক থেকে নিয়ে এসেছে নীল খাতাটা। রেজিস্টার খুলে নির্মল ছেলে দুটোকে জিজ্ঞেস করল, —নাম বলো? রোল?

দু'জনেই আমতা আমতা করছে, —স্যার এইট্টিন...আর থারটি টু।

নির্মল ঘোষণা করার ঢঙে বলল, —এ বছরে এখনও পর্যন্ত তোমাদের সেকেন্ড ইয়ারের ক্লাস হয়েছে সাঁইত্রিশটা। রোল

এইট্টিন ক্লাস করেছে চারটে, রোল থারটি-টু দুটো। ...অভিজিৎ, মিলিয়ে দ্যাখো তো আমি ভুল বলছি কিনা।

অভিজিতের মুখ পাংশু, —না মানে স্যার...ওরা এসে বলল ওদের ক্লাস ছিল... হচ্ছে না...

—আর ওমনি তুমি টিচার্সরুমে ঢুকে স্যারকে শাসাতে চলে এলে?

— শাসাইনি তো। জাস্ট স্যারকে মনে করিয়ে দিতে এসেছিলাম...

—এই ভাষায়? টাকা দিয়ে পড়ো বটে, তা বলে কি ছাত্র শিক্ষকের সম্পর্কটা বদলে যায়? আমরা মাস্টাররা কি তোমাদের কাছ থেকে আর একটু নম্র ব্যবহার আশা করতে পারি না? তুমি এ-ঘরে ঢোকার আগে এই ছেলে দুটোকে একবার জিজ্ঞেস করার প্রয়োজন বোধ করলে না এরা আদৌ ক্লাস করে কিনা?

নির্মলের ব্যক্তিত্বের দাপটে রীতিমতো কুঁকড়ে গেছে অভিজিৎ। ঘাড় নামিয়ে বলল, —সরি স্যার।

—গুড বি। ভবিষ্যতে আর এরকম কোরো না। যাও। বলেই ছেলে দুটোর দিকে তাকিয়ে নির্মল মিটিমিটি হাসছে, —কী রে, তোদের আজ হঠাৎ ক্লাস করার সাধ জাগল যে? সারা বছর যে আসিস না, তোদের বাবা-মা জানেন?

ওপাশ থেকে মৃগাঙ্ক বলল, —আসবে না কেন, রোজই আসে। পাছে স্যারেরা কিছু হাবিজাবি শিখিয়ে দেয়, সেই ভয়ে ক্লাসে ঢোকে না। ওদের আসল পড়াশুনোর জায়গা আছে, সেখানে যায়। এখানে এতগুলো স্যারের জন্য ওরা মাইনে দেয় ষাট টাকা, আর টিউটোরিয়ালে একজন স্যারই নেন পাঁচশো। অত দামি স্যারকে ছেড়ে কেন ওরা সস্তার ক্লাস করবে?

অভিজিৎ সুড়সুড় করে চলে যাচ্ছিল। নির্মল ডাকল, —শোনো। স্যারদের দায়িত্ব কর্তব্য নিয়ে তোমরা ভাবছ খুব ভাল কথা। অথচ ছেলেমেয়েরা যে ক্লাসে আসছে না তা নিয়ে তো

কোনও আন্দোলন করছ না? তোমাদের কি ধারণা দায়িত্ব শুধু একতরফা?

উত্তর না দিয়ে বেরিয়ে গেল অভিজিৎ। ছেলে দুটোও।

সোমনাথ মুগ্ধ চোখে দেখছিল নির্মলকে। কী চমৎকার সাবলীল ভঙ্গিতে মোকাবিলা করল পরিস্থিতির। জিজ্ঞেস না করে পারল না, —নির্মল, তুমি টের পেলে কী করে ছেলে দুটো ক্লাস করে না?

নির্মল হো হো হাসল, —প্লেন অ্যান্ড সিম্পল। যাদের পড়াশুনা করার ইচ্ছে আছে, তারা কি স্যারকে ডাকার জন্য ইউনিয়নের সেক্রেটারিকে বগলে করে নিয়ে আসে?

মৃগাঙ্ক বলল, —দেখুন সেক্রেটারিই ওদের ধরে এনেছে কিনা। ফ্রেশাররা সব আসবে সোমবার থেকে, তার আগে স্যারদের একটু কড়কে দিতে এসেছিল আর কী। যেন নতুন ছেলেমেয়েরা দেখতে পায় স্যাররা ইউনিয়নের ভয়ে কেঁচো হয়ে থাকে।

ঘটনাটা নিয়ে গজল্লা চলতে থাকল স্টাফরুমে। নির্মল অবশ্য রইল না, গেছে অফিসে। কী যেন কাজ আছে। সোমনাথ গেল লাইব্রেরি। বই নেবে।

বিকেলে ফেরার পথে নির্মলের পাশে পাশে হাঁটছিল সোমনাথ। দুপুরে হঠাৎ কোত্থেকে একপশলা বৃষ্টি হয়েছিল, ভিজে আছে পথঘাট। তবে খানিকটা জল ঝরিয়ে আকাশ এখন আবার ঘন নীল। ঘুরছে টুকরোটাকরা শুভ্র মেঘ। মন্থর ভঙ্গিতে। রোদ্দুর এখনও যথেষ্ট চড়া, বিকেল চারটেতেও তাত আছে বেশ। তবে শরৎ কিন্তু এসেছে। দিঘির পাড়ে উঁকি দিয়েছে এক জোড়া কাশফুল।

ওই কাশফুল দেখেই বোধহয় পুজোর কথা মনে পড়ল নির্মলের। সিগারেট ধরাতে ধরাতে বলল, —পুজোয় এবার যাচ্ছ কোথাও?

সোমনাথ বলল, —ইচ্ছে তো ছিল কাছেপিঠে কোথাও ঘুরে

আসার। ঘাটশিলা কিংবা শিমুলতলা...। মৃদুলা বলছিল।... তবে মনে হচ্ছে হবে না।

—কেন?

—ধুৎ, এত টেনশান নিয়ে বেড়াতে ভাল্লাগে?

—তোমার তো টেনশানই টেনশান। সারাটা জীবন কেঁপে কেঁপেই গেলে। নতুন কী হল?

—আর কী, ছোটমেয়ে। ওর একটা কিছু ফয়সালা হলে বাঁচি।

—সম্ভাবনা দেখা যাচ্ছে কোনও?

—সেক্রেটারি নিয়ে কাজিয়াটা এবার হয়তো মিটলেও মিটতে পারে। ওদের ডি-আই নাকি দুই সেক্রেটারিকেই ডেকে পাঠিয়েছে। দুই মক্কেলকে কাল না পরশু কবে পাশাপাশি বসাবে। দু'জনেরই বক্তব্য শুনে, কাগজপত্র দেখে নিজেই একটা ডিসিশান নিয়ে পাঠিয়ে দেবে হায়ার অথরিটির শ্রীচরণে।

—বাহ্, এ তো একটা পজেটিভ সাইন!

—ছাড়ো। না আঁচালে বিশ্বাস নেই। আমি তো মিতুলের চাকরিটা খরচার খাতাতেই ধরে নিয়েছি।

অনেকক্ষণ ধরে পিছনে হর্ন দিচ্ছিল একটা ভ্যানরিকশা, সরে তাকে জায়গা করে দিল সোমনাথ। রাস্তার ধারে গজিয়ে ওঠা নতুন লটারির দোকানটা দেখতে দেখতে বলল, —খারাপটা কী লাগে জানো? একটা ভাল কাজ হচ্ছে, গাঁয়ে একটা মেয়েদের স্কুল হবে, তাকে ঘিরেও রাজনীতির কী নোংরা খেলা!

—রাজনীতি ব্যাপারটাই তো এখন নোংরা রে ভাই। রাজনীতি শব্দটার মানেই তো এখন বদলে গেছে। রাজনীতি এখন রাজত্ব টিকিয়ে রাখার নীতি। রাজ করার নীতি। বুঝতেই পারছ, ক্ষমতায় বহাল থাকতে গেলে ক্ষমতার লড়াইও চলবে। আর সাধু সন্ন্যাসী হয়ে থাকলে তো যুদ্ধ চালানো যায় না,

অতএব মারো প্যাঁচ, চালাও ল্যাং, চোখ রাঙাও, ভয় দেখাও...। যেনতেন প্রকারেণ নিজের কব্জিটা শক্ত করার চেষ্টা করো। এ তোমার দিল্লির মসনদই বলো, কি বিহার ইউ-পি, কি বাংলার গ্রাম, সর্বত্র এক ছবি। কেউ শানাচ্ছে ধর্মের ত্রিশূল, কেউ বা ধরেছে জাতপাতের অস্ত্র, কারুর হাতিয়ার শুধুই গলাবাজি, কারুর বা বুকে দাস ক্যাপিটালের ঢাল। সকলের টার্গেট কিন্তু একটাই। পাওয়ার। মোর পাওয়ার। অ্যাবসোলিউট পাওয়ার। তারা জানে পাওয়ার ব্রিংস মানি, আর মানি ব্রিংস মোর পাওয়ার। এ এক বিচিত্র অলাত চক্র। সরকার বা অপোজিশান কেউ এর বাইরে নয়। বাঘের রক্ত খাওয়ার মতো যে এই পাওয়ারের স্বাদ পেয়েছে, তার আর অন্য কিছুতেই তৃপ্তি হবে না। সুতরাং তাকে ঢুকতেই হবে চক্রে। এবং তার চারপাশে তৈরিও হবে দুর্নীতির বলয়।

—আর ভুগে মরব আমরা। কমন পিপল্।

—এটাই তো নিয়ম ভাই। কমন পিপল্ মানে তো গড্ডলিকা। এ বান্চ অফ শিপ। হ্যাট হ্যাট করে যেদিকে তাড়িয়ে নিয়ে যাবে, সেদিকেই ছুটবে। একটু বেচাল হলেই পিঠে পাচনবাড়ি। সঙ্গে সঙ্গে বাকি ভেড়াগুলোও সিধে।

—হুম, বড় কঠিন ঠাঁই।

—ভয়ে লেজ গুটিয়ে থাকলে কঠিন, শিং খাড়া রাখলে কঠিন নয়।

কোনও প্রসঙ্গ ছাড়াই আচমকা প্রতীকের মুখটা মনে পড়ল সোমনাথের। কপালে সিঁদুরের ফোঁটা লাগানো প্রতীক হাতজোড় করে দাঁড়িয়ে আছে মা কালীর ছবির সামনে। কেন যে মনে পড়ল? এত কথার মাঝেও বুকের ভেতর খচখচানিটা বুঝি রয়েই গেছে।

রাজনীতি প্রতীক ভয় সাহস সবই একসঙ্গে বুক থেকে ঝেড়ে ফেলতে চাইল সোমনাথ। কব্জি উলটে ঘড়ি দেখে হাঁটার গতি সামান্য বাড়িয়ে বলল, —যাক গে, ওসব কথা বাদ

১১৪

দাও। তোমরা নিশ্চই এবার পুজোয় ব্যাঙ্গালোর যাচ্ছ?

—ও শিয়োর। অষ্টমীর দিন স্টার্ট, কালীপুজোর দিন ফেরা। ব্যাটা কেমন একা একা হাত পুড়িয়ে রান্না করে খাচ্ছে চেখে আসি।

—ছেলের এবার বিয়ে দিয়ে দাও।

—রাঁধুনি খুঁজে দেব বলছ? নির্মল হো হো হেসে উঠল,—শ্যামলী মেয়ে দেখছে। যত্ত সব ঝামেলা। মেয়েগুলো সব সেজেগুজে এসে বসে, কী অকোয়ার্ড যে লাগে! আমার তো কোনও মেয়েকেই তেমন অপছন্দ হয় না। কিন্তু শ্যামলীর তো জানো কেমন নাক উঁচু... ধড়াধধড় বাতিল করছে। কী বিশ্রী ব্যাপার, ছি ছি। আমি বলে দিয়েছি, আমি আর দেখতে যাব না। ছেলেটাও হয়েছে একটা আস্ত ঢ্যাঁড়োশ। এতগুলো বছর তুই কোএডে পড়লি, একটা প্রেমিকা জোটাতে পারলি না? এদিকে মেয়েবন্ধুর তো কমতি নেই। স্কুলের বান্ধবীদের সঙ্গে এখনও রেগুলার ইমেল চালাচালি হয়, খবর পাই।

—প্রেম সবার আসে নাকি? তুমি পেরেছিলে করতে?

—তা ঠিক। যে পারে সে পারে। অনেককেই তো জানি, এদিকে ভাজামাছটি উলটে খেতে পারে না, কিন্তু আসলি জায়গায় ঠিক দিল লড়িয়ে দেয়। ছিপটি ফেলে ঠিক মাছটি গেঁথে তোলে।

সোমনাথ হেসে ফেলল। ইঙ্গিতটা যে তার দিকেই বুঝতে অসুবিধে নেই। তবে সত্যি তো সেভাবে তার সঙ্গে প্রেম হয়নি মৃদুলার। নো হাত ধরাধরি, নো চাঁদ দেখাদেখি, নো ভুল বকাবকি। ওসব করার মতো বুকের পাটা সোমনাথের ছিল কোথায়! যেত মৃদুলার বোনকে পড়াতে, নবীন মুখচোরা অধ্যাপকটিকে দেখে বুঝি ভাল লেগেছিল মৃদুলার মায়ের, আভাসে ইঙ্গিতে প্রস্তাবটা পেড়েছিলেন সোমনাথের কাছে, সোমনাথ তো ঘেমেনেয়ে একসা, সোজা দেখিয়ে দিয়েছিল নিজের মাকে। মা আপত্তি করেনি। করার কারণও ছিল না।

ব্যাঙ্ক অফিসারের সুন্দরী মেয়েকে তার পছন্দ হবে নাই বা কেন। তবে মা-ও বোধহয় ধরে নিয়েছিল মৃদুলার সঙ্গে নির্ঘাত একটা নরমসরম সম্পর্ক গড়ে উঠেছে ছেলের। কী করে সোমনাথ বোঝায়, ফুলশয্যার আগে মৃদুলার সঙ্গে সোমনাথের সেভাবে কোনও কথাই হয়নি। বড় জোর একটু আড়চোখে দেখা, চায়ের কাপ এনে দিলে চোরের মতো একটু হাসা, ব্যস। নির্মল আদ্যোপান্ত গল্পটা জানে, তবু খেপায়। এখনও সোমনাথের মজাই লাগে। বিয়ের আগেই মৃদুলাকে যে তার ভাল লেগেছিল সেটা তো মিথ্যে নয়।

স্টেশনে এসে কয়েকটা মুসুম্বি কিনল নির্মল। সোমনাথ গোটা ছয়েক কলা। সকালবেলা বিশেষ কিছু মুখে তুলতে চায় না মিতুল, মৃদুলা তাকে জোর করে একটা কলা অন্তত খাওয়াবেই। মিতুল কিছুতেই টিফিনে কলা নেবে না, তার শাস্তি।

দমদমে নেমে খানিকটা হকচকিয়ে গেল সোমনাথ। সান্ধ্য কাগজের হকারকে ঘিরে রীতিমতো এক সরব জটলা। বিকট সুরে চেঁচাচ্ছে ছেলেটা, কী বলছে এক বর্ণ বোঝা দায়। তৃতীয় বিশ্বযুদ্ধ বেধে গেল নাকি? সামনে গিয়ে দেখল খবরটা তত মারাত্মক নয়। আসন্ন ওয়ানডে সিরিজে জিম্বাবোয়ে যেতে পারবে না সচিন, তাই নিয়ে হইহই, তাই নিয়েই উৎকণ্ঠা। অনেকের মুখেই গেল গেল ভাব। দেশপ্রেম এখন আর কোনও আধার না পেয়ে চাক বেঁধেছে ক্রিকেটমাঠে!

ক্রিকেট নিয়ে তেমন একটা খ্যাপামি নেই সোমনাথের, তবু সেও নিল একটা কাগজ। চোখ বোলাতে বোলাতে এগোচ্ছে সাবওয়ের দিকে। সিঁড়ির মুখে থমকাল। অরুণা।

তুতুলের ননদের হাতে একখানা ক্যারিব্যাগ, মুখে-চোখে ব্যস্ততা। প্রতীকের মতোই অরুণা ফরসা লম্বা, ভাই-বোনের মুখের আদলেও যথেষ্ট মিল। তবে সে মোটেই ভায়ের মতো মিতভাষী নয়, বকতে পারে খুব।

১১৬

সোমনাথ এক গাল হাসল, —কী খবর?

অরুণা স্মিত মুখে বলল, —চলছে এক রকম। আপনি কেমন আছেন?

—আছি।... হন্তদন্ত হয়ে চললে কোথায়?

—ইছাপুর। দেওরের শাশুড়ি মারা গেছেন, একটু ফল মিষ্টি দিতে যাচ্ছি।

—কবে মারা গেলেন? তুতুল কই বলেনি তো!

কথাটার উত্তর দিল না অরুণা। হালকা অভিযোগের সুরে বলল, —আপনি কিন্তু মেসোমশাই আমার বাড়ি আর এলেন না!

—এইবার যাব। দুম করে একদিন চলে যাব। তোমার মেয়ে তো শুনলাম হায়ার সেকেন্ডারিতে খুব ভাল রেজাল্ট করেছে!

—ওই আর কী। সে তো চলে গেছে খড়্গপুরে।

—বাহ্। ...তার মানে এখন তোমরা দুটিতে একা?

—আমি একা। উনি তো অডিট করতে আজ পাটনা ছুটছেন, কাল কটক...। মা আসে মাঝে মাঝে, ওতেই সময়টা কাটে।

—কেন, তুতুল যায় না?

অরুণা একটুক্ষণ চুপ। তারপর হাসিমুখেই বলল, —সময় পায় না বোধহয়। রুপাইটা খুব গুন্ডা হয়েছে তো, ওকে নিয়েই হয়তো ব্যস্ত থাকে।

সোমনাথ বলতে যাচ্ছিল, তুমিও তো চলে যেতে পারো। বলল না। অরুণাকে দেখে কেমন যেন মনে হচ্ছে ননদ-ভাজের সম্পর্কটা বোধহয় এখন আর তত স্বাভাবিক নেই। প্রতীকও কি ফুরসত পায় না দিদির বাড়ি যাওয়ার?

ব্যাপারটা ভাল লাগল না সোমনাথের। প্রতীককে পছন্দ করার মূলে অনেকটাই অবদান ছিল এই দিদি-জামাইবাবুর। অরুণা কল্যাণের অনাড়ষ্ট পরিশীলিত ব্যবহার সোমনাথকে বেশ মোহিত করেছিল। কী এমন ঘটল, তুতুল-প্রতীকের সঙ্গে সম্পর্কটা ছাড়া ছাড়া হয়ে গেল এদের?

বাড়ি ফিরে শার্টের বোতাম খুলতে খুলতে এই প্রশ্নটাই মৃদুলাকে করছিল সোমনাথ। মৃদুলা সেভাবে পাত্তাই দিল না। বলল, —ফালতু গবেষণা ছাড়ো। কাজের কথা শোনো.... দুপুরে তুতুল ফোন করেছিল।

সোমনাথ পলককে টান টান, —কেন?

—পরশু তুতুল টাকাটা নিয়ে আসবে। পরশু তো তোমার অফ-ডে, তোমার সঙ্গে ব্যাঙ্কে যাবে। বলছিল বাবা যা আলাভোলা মানুষ, অত টাকা দিয়ে বাবাকে একলা ছাড়া ঠিক হবে না।

সোমনাথ শুকনো গলায় বলল, —হুম। আর কিছু?

—বলছিল দু' দিন পরের ডেটে চেক নেবে।

—বলার কী আছে! যেদিনই হুকুম করবে সেদিনই লিখে দেব।

—ও কী কথার ছিরি! মেয়ে গাড়ি কিনছে বলে তুমি যেন খুশি নও?

সত্যিই তো নই। বলতে গিয়েও গিলে নিল সোমনাথ। যে বড়মেয়ে তার নয়নের মণি ছিল, যার বায়না আবদার মেটাতে বহুবার সাধ্যের বাইরে পা বাড়িয়েছে সোমনাথ, আজ তার খুশিতে কেন সোমনাথের বুকে কাঁটা বিঁধছে, একবারও কি তলিয়ে ভাবার চেষ্টা করবে না মৃদুলা? এ কেমন স্ত্রী? এতকাল ঘর করার পরেও চিনল না সোমনাথকে? দু'জনের কাছে দু'জনে যদি এখনও অচেনা রয়ে গেল, তা হলে এই দাম্পত্যের অর্থ কী?

বুকটা কেমন চিনচিন করছে। বাথরুমে ঢুকল সোমনাথ, মুখেচোখে ভাল করে জল ছেটাল। বেরিয়ে চা জলখাবার খেল চুপচাপ। মিতুল ফিরল মাটিকুমড়া থেকে, কলকল করে শোনাচ্ছে সারাদিনের গল্প। কিছু মাথায় ঢুকছিল সোমনাথের, আবার কিছু ঢুকছিলও না। বুকের চিনচিনে ব্যথাটা রয়েই গেছে। হলটা কী? প্রেশার বাড়ল? নাকি গ্যাসের ধাক্কা? কলেজে আজ লোভে পড়ে

ঘুগনি খেয়েছিল, তারই জের? ওষুধ খাবে? বলবে মৃদুলাকে? থাক, সে আবার কী মানে করবে কে জানে!

টিউশ্যনিতে বেরোল মিতুল। মৃদুলা রান্নাঘরে। সোমনাথ ঘরে এসে শুল বিছানায়। চোখের সামনে একটা বই খুলে ব্যথাটাকে ভুলে থাকতে চাইছে। বই পড়তে পড়তে এক সময়ে ঘুমিয়েও পড়ল। মিতুল যখন রাত্তিরে খাওয়ার জন্য ডেকে তুলল, তখন ব্যথাটা অনেকটা কম।

পরদিন সকালে সোমনাথ পুরোপুরি ঝরঝরে। বাজার যাওয়ার আগে খবরের কাগজের পাতা উলটোচ্ছে।

তখনই ভয়ংকর দুঃসংবাদটা এল। সোমনাথই উঠে ধরেছিল টেলিফোনটা, ছেড়ে দিয়ে ধপ করে বসে পড়েছে।

মৃদুলা চা আনছিল। কাপ-প্লেট রেখে দৌড়ে এল, —কী হল? কার ফোন ছিল?

গলা দিয়ে শব্দ বেরোচ্ছিল না সোমনাথের। কোনওক্রমে বলল, —নির্মল...নির্মল...

—নির্মলবাবুর ফোন ছিল? কী হয়েছে? তুমি এত কাঁপছ কেন?

সোমনাথ অস্ফুটে বলল, —নির্মল আর নেই!

—নেই মানে?

—চলে গেল। আজ ভোররাত্তিরে ম্যাসিভ সেরিব্রাল অ্যাটাক। নার্সিংহোমে নিয়ে যাওয়া হচ্ছিল, পথেই শেষ।

—সে কী?

—ভাবতে পারছি না। ভাবতে পারছি না। সোমনাথ জোরে জোরে মাথা ঝাঁকাচ্ছে, —কালও সামান্যতম অসুস্থ ছিল না...বিকেলে কত গল্প করতে করতে এলাম... কত কী বলছিল...সেই নির্মল আজ সকালে ডেড?

সোমনাথ বসে আছে মাথা ঝুঁকিয়ে। মিতুল শাড়ি পরছিল, দৌড়ে এসেছে ড্রয়িংরুমে। মৃদুলা কী যেন বলছে মিতুলকে, সোমনাথের কানে কিছুই ঢুকছিল না। সে যেন বধির হয়ে গেছে।

॥ নয় ॥

বিশ্বম্ভর দাসের ঠাকুরদা প্রদত্ত জমির ধারে ঝাঁকড়া আমগাছ। কাঁচা রাস্তার লাগোয়া। গ্রামের একেবারে পুব প্রান্তে। জমির পিছন থেকে শুরু হয়েছে ধানখেত, টানা চলে গেছে সেই সোনাদিঘি পর্যন্ত। ধানগাছ এখন গাঢ় সবুজ। হাওয়ায় দোল লাগার মতো না হলেও বেশ খানিক ঝাড়া দিয়েছে চারাগুলো। ওই সবুজের দিকে তাকিয়ে থাকলে মিতুলের শহুরে চোখের ভারী আরাম হয়।

আজকাল অবশ্য এই মাঠের ধারে এসে বেশিক্ষণ বসে না মিতুলরা। প্রথমদিকে দিন কয়েক এখানেই ঠাঁই হয়েছিল বটে, তবে গ্রামের বেশ কয়েকজন মহিলার সঙ্গে ভাবসাব হয়ে গেছে, তাদের কারুর ঘরে গিয়েই বসে এখন। ভাবী বিদ্যালয়ের বর্তমান দিদিমণিদের তারা খাতিরযত্নও করে। এঘরে ওঘরে গল্প করেই না স্কুলের অনেক পূর্বকাহিনী জেনেছে মিতুলরা। শুধু দুপুরে টিফিন খাওয়ার সময় হলে চার শিক্ষিকা গুটি গুটি চলে আসে এই মাঠে। একান্তে বসে খাওয়া সারে, তারপর যে যার মতো বাড়ির উদ্দেশে রওনা দেয়।

আজ রেখা সেনগুপ্ত নেই, মিতুল মুনমুন আর অপর্ণা আমগাছের ছায়ায় বসে টিফিনবাকস খালি করছিল। অপর্ণা ব্যাগে করে প্লাস্টিকের ফোল্ডিং চাটাই আনে একখানা, তাই পেতে বসেছে তিনজনে। মিতুল খাচ্ছে পরোটা আলুচচ্চড়ি, অপর্ণা খিচুড়ি, আর মুনমুন টোম্যাটো সসে মাখামাখি হোমমেড চাউমিন। ছোট্টখাট্টো কৃশাঙ্গী মুনমুনের ওই টিফিনটি দেখে মিতুলের ভারী মজা লাগে। কেন যে প্রায় রোজই ওই একই খাদ্য আনে মুনমুন? ওর বাবা সুবল সর্দার মানুষটি শুধু বুঝি বামপন্থীই নন, কট্টর চিনপন্থীও! গ্রামের মেয়েরা তো মুড়িটুড়িই বেশি ভালবাসে বলে জানত মিতুল, কৃষক নেতার কন্যাটি তাকে চমকে দিয়েছে রীতিমতো।

অন্য দিন মুনমুন ওই রক্তবর্ণ নুডলসের মণ্ড খাওয়ার জন্য একবার অন্তত সাধে মিতুলদের, কিন্তু আজ মেয়েটা যেন সকাল থেকেই কেমন অন্যমনস্ক। খাচ্ছেও এক ভাবে, ঘাড় নিচু করে। অপর্ণাও খিচুড়িতে নিমগ্ন, তার মুখেও বাক্যটি নেই। তা অপর্ণা নয় এমনিতেই কথা বলে কম, মুনমুনের আজ হল কী?

অনেকক্ষণ ধরেই প্রশ্নটা মিতুলের পেটে বুড়বুড়ি কাটছিল। ফস করে বেরিয়ে এল, —এই মুনমুন, তোমার কি শরীরটা খারাপ?

মুনমুন দু'দিকে মাথা নাড়ল, —না তো।

—তা হলে মুখে কুলুপ এঁটে রেখেছ কেন?

উত্তর নেই।

অপর্ণা চাপা স্বরে বলল, —ওর বাড়িতে অশান্তি চলছে।

—কী অশান্তি?

অপর্ণা চুপ। আড়চোখে দেখছে মুনমুনকে।

বেশ কয়েকবার পীড়াপীড়ির পর মুনমুন মুখ খুলল। তবে যা বলল তাতে মিতুলের চোখ কপালে ওঠার উপক্রম। মুনমুনের বিয়ে নাকি সব ঠিকঠাক, সামনের অঘ্রানে দিনক্ষণ পর্যন্ত স্থির হয়ে গেছে। হবু বর সরকারি গেজেটেড অফিসার। তা এখন হঠাৎ পাত্রপক্ষ নাকি বেঁকে বসেছে। পাত্রী স্কুলে চাকরি পেয়েছে বলে তারা নাকি পঞ্চাশ হাজার টাকা পণে রাজি হয়েছিল, মুনমুনের স্কুলের টালমাটাল দশার কথা জানতে পেরে তারা দুম করে পণের বহর বাড়িয়ে দিয়েছে। পুরো এক লাখ।

মিতুল স্তম্ভিত মুখে বলল, —বলো কী? সরকারি অফিসার পণ চাইছে? এমন লোককে তো পুলিশে দেওয়া উচিত।

মুনমুন শ্বাস ফেলল, —ওসব করে কোনও লাভ হবে না ভাই। বিয়েতে তো পণ দেওয়া নেওয়া চলবেই।

—তুমি একজন শিক্ষিত মেয়ে হয়ে এই কথা বলছ?

—তুমিই তো ভারী আশ্চর্য কথা বলছ। ছেলেপক্ষকে টাকা

না দিলে মেয়েদের বিয়ে হয় নাকি?

—না হওয়ার কী আছে? জানো না, ডাউরি নেওয়া গ্রস বেআইনি কাজ?

—ওসব আইন তোমাদের শহরের জন্য। গাঁয়ে ওই আইনটাইন চলে না। একশোটা ঘর থাকলে আশিটা ঘরে টাকা দেওয়াটাই আইন।

মিতুল উত্তেজিত মুখে বলল, —তোমার বাবা তো একজন প্রগতিবাদী মানুষ, তিনিই বা ব্যাপারটা হজম করছেন কেন?

মুনমুন ম্লান মুখে বলল, —বাবাও দেশাচারের বাইরে বেরোতে পারবে না। বাবা নিজেই তো দাদার বিয়েতে টাকা নিয়েছিল। আশি হাজার। তাও তো দাদা আধা সরকারি অফিসে কাজ করে। এল-আই-সি'তে।

মিতুলের মুখ দিয়ে আর কথা সরছিল না। যা শুনছে তা সত্যি? মধ্যযুগীয় প্রথা এখনও রমরমিয়ে চলছে? মুনমুনের মতো লেখাপড়া জানা মেয়েরা তা মেনেও নিচ্ছে মুখ বুজে?

অপর্ণার খিচুড়ি শেষ। কোল্ডড্রিংকসের বোতলে জল এনেছিল, ছিপি খুলে ঢকঢক ঢালছে গলায়। গাছের গুঁড়ির ওপারে গিয়ে কুলকুচি করল। বোতলের মুখ আটকাতে আটকাতে বলল, —তোমাদের শহরে কি দেনাপাওনা একেবারে উঠে গেছে সুকন্যা?

মিতুল ঈষৎ থমকে গেল। সত্যি তো, অপর্ণার কথাও তো উড়িয়ে দেওয়ার মতো নয়। দানসামগ্রীর নাম করে মেয়ের বাড়ি থেকে যা চায়, সেও তো পাহাড়। খাট আলমারি ড্রেসিংটেবিল ওয়ার্ড্রোব, কোথাও কোথাও টিভি ফ্রিজ ওয়াশিং মেশিন মাইক্রোওভেন, সঙ্গে মেয়ের শাড়ি গয়না, ছেলের ঘড়ি আংটি বোতাম জামা জুতো, মেয়ের কসমেটিকস, ছেলের কসমেটিকস, প্রণামীর কাপড় ইত্যাদি ইত্যাদি তো আছেই। কায়দা করে বলা হয়, মেয়েকে ভালবেসে দেওয়া হল এসব,

১২২

কিন্তু দিতে গিয়ে বেশির ভাগ বাবা মায়েরই কি নাভিশ্বাস ওঠে না? দেওয়ার মধ্যে একটা বাধ্যবাধকতাও তো থাকে। বাবা-মাকে অহরহ ভাবতে হয়, প্রতিবেশীরা কী বলবে, আত্মীয়স্বজনরা আড়ালে কী ফিসফাস করবে, শ্বশুরবাড়িতে মেয়ের মান থাকবে কিনা ...। দিদির বিয়ের সময়ে বাবা যে কী কষ্ট করে টাকার জোগাড় করেছিল মিতুল কি তা দেখেনি? নগদ দিতে না হলেও এই দেওয়া থোওয়ার রীতি নগদের চেয়ে কম কীসে?

তবু মিতুল তর্কের খাতিরে ক্যাশের প্রসঙ্গটাই ওঠাতে যাচ্ছিল, তখনই সনৎ ঘোষের সেই লোকটা এসে হাজির। সাইকেল থামিয়ে একটু দূর থেকে দেখছে মিতুলদের।

মিতুল টিফিনবক্স বন্ধ করে জিজ্ঞেস করল, —কিছু বলবেন?

—সনৎদা আপনাদের ডাকছেন।

—কেন?

—খুব জরুরি দরকার।

তিন সহকর্মী মুখ চাওয়াচাওয়ি করল। গ্রামে এসে মিতুলরা এর-ওর বাড়ি যায় বটে, তবে পারতপক্ষে সনৎ ঘোষ আর বিশ্বম্ভর দাসকে এড়িয়ে চলে। এতদিনে তারা বুঝে গেছে বিশ্বম্ভর আর সনৎ দু'জনেরই গ্রামে ভালই প্রতাপ, এক পক্ষে সামান্য হেলেও অন্য পক্ষের চক্ষুশূল হওয়া কাজের কথা নয়। কিন্তু তারা তলব পাঠালে তো যেতেই হয়।

মুনমুন আর অপর্ণাকে চোখের ইশারা করল মিতুল। তলপিতলপা গুটিয়ে তিনজনেই উঠে পড়েছে। লোকটার পিছু পিছু এল সনৎ সদনে।

বিশ্বম্ভর দাসের মতো না হলেও সনতের বাড়িও নেহাত ছোট নয়। মূল অংশটা একতলা। পাকা। সামনে টানা লম্বা বারান্দা, পিছনে সার সার ঘর। খড়ে ছাওয়া মাটির বাড়িও আছে একখানা। সঙ্গেই। উঠোনও বেশ বড়সড়ই। মধ্যিখানে তুলসী

১২৩

মঞ্চ, খুদে ঘট বাঁধা আছে তুলসীগাছে। খিড়কি দরজা দিয়ে বেরোলে ছোট্ট পুকুর, গোয়ালঘর, গাছগাছালি। বিশ্বম্ভরের মতো দু'খানা নয়, সনতের ধানের মরাই একটিই। তবে সাইজ মন্দ নয়। বাড়ির লাগোয়া খামারবাড়িও আছে। বিশ্বম্ভরের মতোই। উঠোনের মাথা বেয়ে পাকা বাড়িতে ঢুকে গেছে কেবল্ টিভির মোটা তার।

বারান্দায় জমিদারি ভঙ্গিতে বসে ছিল তালসিড়িঙ্গে প্রৌঢ় সনৎ। পুরনো আমলের হাতলঅলা চেয়ারে দু'হাত ছড়িয়ে। পাশে দাঁড়িয়ে বছর ত্রিশ-বত্রিশের এক তরুণ, আগে কখনও একে দেখেনি মিতুল। পার্টির ছেলে?

মিতুলদের জন্য বারান্দায় মোড়া এনে দিতে বলল সনৎ। বসেছে মিতুলরা। বসেই টের পেল এদিক-ওদিক থেকে উঁকি দিচ্ছে বাড়ির মহিলারা। মিতুলের সঙ্গে চোখাচোখি হতেই ছিটের নাইটি পরা এক কিশোরী সুড়ুৎ সরে গেল।

সনৎ বিশ্বম্ভরের মতো বসিয়ে রেখে চাপে ফেলার তত্ত্বে বিশ্বাসী নয়। ঝলক তিনজনকে দেখে নিয়ে কর্তৃত্বব্যঞ্জক সুরে প্রশ্ন করল, —বড়দিদিমণি আসেন নাই আজ?

অপর্ণা মুনমুন শাড়ির আঁচল পাকাচ্ছে। মিতুলই উত্তর দিল, —রেখাদি আজ কলকাতায় গেছেন। হেড অফিসে।

—আশ্চর্য, কাল তো উনি কিছু বললেন না?

—কাল আপনার সঙ্গে দেখা হয়েছিল বড়দির?

—আমি কাল ডি-আই অফিসে ছিলাম। সনৎ গলা আরও ওজনদার করল, —যাক গে, কাজের কথা শুনুন। ডি-আই অফিসে কাল সিদ্ধান্ত হয়ে গেছে। বিদ্যালয়ের নতুন পরিচালন সমিতিকে মেনে নিতে বাধ্য হয়েছেন ডি-আই। এটা অবশ্যই আপনাদের জন্য একটা বড় সুসংবাদ।

মিতুল কৌতূহলী মুখে জিজ্ঞেস করল, —বিশ্বম্ভরবাবুও কি ছিলেন মিটিংয়ে?

—ছিল তো বটেই। ওর সামনেই তো দেখিয়ে দিয়েছি যে

সভায় ওকে বহিষ্কার করা হয়েছিল, কর্মসমিতির সেই সভা বৈধ ছিল কিনা। আদালত থেকে কবে বিদ্যালয়ে তত্ত্বাবধায়ক বসানো হয়েছিল, কবে তত্ত্বাবধায়ক প্রত্যাহার করে নেওয়া হয়েছে, মামলার রায়, নতুন কর্মসমিতি কবে থেকে কার্যভার গ্রহণ করেছে, কোন সভায় আমাকে সম্পাদক পদে বহাল করা হল, কত তারিখে নতুন পরিচালন সমিতির পূর্ণ তালিকা জেলা দপ্তরে জমা দেওয়া হয়েছে, সমস্ত প্রমাণপত্রই মুখের ওপর ফেলে দিয়েছি।

মিতুল সামান্য উৎসাহিত হল, —ও। তা হলে আর অনিশ্চয়তা থাকছে না?

—কীসের অনিশ্চয়তা? আপনাদের জন্য অ্যাদ্দিন যে হাঁটাহাঁটি করলাম, সে কি এমনি এমনি? শুনলে আপনাদের ভাল লাগবে, আমাদের আঞ্চলিক কমিটি আপনাদের হয়রানির বৃত্তান্ত জেলা কমিটিকে জানিয়েছিল। জেলা কমিটি আপনাদের প্রতি সহানুভূতিপরবশ হয়ে মাননীয় শিক্ষামন্ত্রীর সঙ্গে সাক্ষাৎ করেছিল ভায়া প্রাদেশিক কমিটি। শুনে আপনাদের আরও ভাল লাগবে, মন্ত্রীমহাশয় স্বয়ং এখন বিদ্যালয় স্থাপনে উৎসাহ দেখাচ্ছেন। তিনিই সম্পাদক সংক্রান্ত বিবাদের আশু মীমাংসার জন্য তাঁর দপ্তরকে নির্দেশ দেন। জেলা পরিদর্শক দপ্তরেরও আর তাই ট্যাঁ ফোঁ করার সাধ্য নাই। বিশ্বম্ভর দাসেরও না।

তা সনৎ ঘোষরা এই কাজ আরও আগে করেনি কেন? দু'মাস ধরে অকারণে মিতুলদের আগুনে সেঁকে জলে ভিজিয়ে কী সুখ পেল সনৎরা? মিতুল অবশ্য উচ্চারণ করল না কথাগুলো। অ্যাদ্দিন পর আশার আলো দেখা গেছে এই না কত!

কৃতজ্ঞতার হাসি ফুটেছে মিতুলের মুখে, —এবার তা হলে নিশ্চয়ই স্কুলের অ্যাপ্রুভালও চলে আসবে?

—সব হবে। আপনাদের চিন্তা ছাড়া আমার মাথায় এখন

আর কিছু নাই। বিদ্যালয় চালু করতে হবে, ছাত্রী ভরতি হবে, পঠনপাঠন শুরু হবে, অশিক্ষক কর্মচারী নিয়োগ করতে হবে...। বলতে বলতে চোখের কোণ দিয়ে পাশে দণ্ডায়মান তরুণটিকে দেখাল সনৎ,—একে চেনেন?

—না তো।

—নবীন দাস। বিশ্বম্ভর দাসের ভাইপো। আগে মাটিকুমড়া বিদ্যালয়ে পড়াত। মানে যখন সোনাদিঘিতে বিদ্যালয় বসত, তখন। নবীনের খুব ইচ্ছে আবার পূর্ব পদে নিযুক্ত হওয়ার। কিন্তু সে উপায় তো নাই। পঞ্চম শ্রেণি থেকে পড়াতে গেলে অন্তত স্নাতক তো হওয়া আবশ্যক।

মুখে একটা বোকা বোকা হাসি মাখিয়ে নবীন দাস হাত কচলাচ্ছে। মিতুল অপর্ণা আর মুনমুন তিনজনেরই চোখ একবার দেখে নিল তাকে।

সনৎ বলল, —আমি স্থির করেছি নবীনকে অশিক্ষক পদে বহাল করব। বিদ্যালয়ের কাজকর্ম দেখবে, হিসাবপত্র রাখবে ...। বিশ্বম্ভরের মতো আমি তো প্রতিশোধপরায়ণ মানুষ নই, আমার ক্ষমতা দখলের লিপ্সাও নাই। আমি মনে করি পুরনো শিক্ষক হিসেবে নবীনেরও কাজ পাওয়ার একটা ন্যায্য অধিকার আছে।

যার ক্ষমতার আসক্তি থাকে না সে কি এত আমি আমি করে? যাক গে, যা খুশি হোক, এখন মানে মানে জটটা ছাড়লেই মিতুল বাঁচে।

অপর্ণা আস্তে করে ঠেলছে মিতুলকে। ফিসফিস করে বলল, —জিজ্ঞেস করে দ্যাখো না আমরা এখন কী করব?

সনতের কান সর্ব অর্থেই খাড়া। ঠিক শুনতে পেয়ে গেছে। নড়ে বসে বলল, —আপনাদের কী কী করণীয় তা আমি পরিষ্কার বলে দিচ্ছি। নতুন করে আপনাদের চাকরিতে যোগদান করতে হবে। আমার কাছে। সেটা আপনারা আজও করতে পারেন, আপনাদের বড়দিদিমণির সঙ্গে পরামর্শ করে কালও করতে পারেন, অথবা সংশোধিত সরকারি আদেশনামা

১২৬

আসা অবধি অপেক্ষাও করতে পারেন। তবে দেরি করলে আপনাদেরই ক্ষতি। যেদিন যোগদান করবেন, সরকার ধরে নেবে সেই দিন থেকেই আপনাদের চাকরি শুরু হল। বুঝতে পারলেন তো কী বলছি?

না, বুঝতে পারেনি মিতুল। তাকাচ্ছে অপর্ণা মুনমুনের দিকে। ভ্যাবাচ্যাকা খাওয়া মুখে বলল,—আমাদের আগের জয়েনিংটা ধরা হবে না?

—প্রথমদিনই তো আপনাদের সাবধান করে দিয়েছিলাম, আপনারা শোনেননি। সনতের গলায় ধমকের সুর, —ঠিক আছে, দেখব কী করা যায়। আশা করি ওটারও ফয়সালা হয়ে যাবে। আগের চিঠির প্রতিলিপি নিশ্চয়ই রেখে দিয়েছেন?

—হ্যাঁ।

—ওটি হারাবেন না। পরে কাজে লাগলেও লাগতে পারে। আর হ্যাঁ, মাঠের ধারে বসে থাকাটা এবার বন্ধ করুন। বাড়ি বাড়ি ঘুরে বেড়ানোও আর চলবে না। মাটিকুমড়া বালিকা বিদ্যালয়ের এতে সম্মানহানি হয়।

—কিন্তু বসবটা কোথায়? জায়গা তো নেই?

—প্রথম থেকে আমার বাড়িতে এসে বসে থাকলেই ভাল করতেন। কিন্তু আপনারা তো আমাকে ধর্তব্যের মধ্যেই আনেননি। এবার থেকে অবশ্যই আসবেন। আশা করছি শিগগিরই বিদ্যালয়টি সাময়িক ভাবে কোথাও একটা চালু করা সম্ভব হবে। এ বিষয়ে বড়দিদিমণির সঙ্গেও কাল আলোচনা হয়েছে। সনৎ চেয়ার ছেড়ে উঠে দাঁড়াল, —আজ আপনারা আসতে পারেন।

সনৎ ঘোষ আচমকা কথায় ইতি টেনে দেওয়ায় থতমত খেয়েছে মিতুল। তবু দাঁড়িয়ে পড়ে বিনীত ভঙ্গিতে বলল, — ধন্যবাদ সনৎবাবু। আজ আপনি আমাদের অনেকটাই ভরসা দিলেন।

সনৎ যেতে গিয়েও থেমে গেল। ভুরুতে গোটা দশেক ভাঁজ ফেলে দেখছে মিতুলকে। কয়েক সেকেন্ডের মধ্যেই ভাঁজগুলো বিলীন করে দিয়ে বলল, —আপনাদের দোষ দিই না। নতুন চাকরি তো, কিছু নীতি নিয়ম এখনও আপনাদের রপ্ত হয় নাই। বিদ্যালয়ের সম্পাদক মহাশয়কে শিক্ষক শিক্ষিকারা সার বলে সম্বোধন করেন। এটিই প্রথা। আশা করব আপনারাও প্রথাটা মান্য করবেন।

মহা দাম্ভিক লোক তো! তেজে মটমট করছে! তবে মিতুলের পেট গুলিয়ে হাসিও আসছিল। স্যার শব্দটা উচ্চারণের গুণে কেমন ষাঁড় ষাঁড় শোনাল না? থাক বাবা, মশকরা করে কাজ নেই। বিশ্বম্ভরের মতো প্যাঁচালো না হলেও সনতের সত্যি শিং আছে, গুঁতিয়ে দিলেও দিতে পারে।

বাইরে এসে এতক্ষণ বোবা হয়ে থাকা মুনমুনের মুখে খই ফুটছে। চোখ ঘুরিয়ে বলল, —জানো তো, সনৎ ঘোষ যতই ক্রেডিট নিক, আমার বাবাও কিন্তু কলকাঠি নেড়েছিল। জেলা কমিটির সেক্রেটারিকে বাবা কতবার বলেছে জানো?

অপর্ণা ঠোঁট উলটে বলল, —আমার কাকাও তো মিউনিসিপ্যালিটির চেয়ারম্যানকে দিয়ে বলিয়েছে। আমাকে তো একদিন ডেকেছিলেন চেয়ারম্যান, ডিটেলে শুনলেন সব। আমার সামনেই তো উনি ফোন করেছিলেন কলকাতায়।

—যে ভাবেই হোক বাবা, ফাঁড়াটা তো কেটেছে। বিপত্তারিণীর থানে আমার মানত করা আছে প্রথম মাসের মাইনে পেয়েই পাঁচশো এক টাকার পুজো দেব।

—তোমার তো আরও বেশি দেওয়া উচিত ভাই। এক লাখ টাকা আবার পঞ্চাশ হাজারে নেমে যাবে।

—দেখি কী হয়। একটা খিঁচ বেঁধেছে তো, বাবা হয়তো ওখানে আর না-ও এগোতে পারে।

—গলায় দুঃখী দুঃখী সুর কেন, অ্যাঁ? গেজেটেড অফিসারকে খুব মনে ধরেছে?

—ত্যাৎ, কী যে বলো না !

—নাম কী অফিসারবাবুর ?

—সমীরণ নস্কর।

—দারুণ রোম্যান্টিক নাম তো! ছুঁলেই মনে হবে গায়ে ফুরফুরে বাতাস লাগছে।

—আমাকে নিয়ে পড়লে কেন? তোমারও তো নিশ্চয়ই সম্বন্ধ আসছে, তাদের কথা বলো না !

—আমার এখন কোনও সুযোগ নেই। অপর্ণার হাসি কেমন মিয়োনো মিয়োনো, —সব কথা তো হুট করে সবাইকে বলা যায় না, আমার মাথায় এখন অনেক দায়িত্ব। মা ভাই বোন মিলে কদ্দিন কাকাদের ঘাড়ে বসে খাব?

—কেন? তোমাদের তো ফ্যামিলি বিজনেস?

—নামেই ফ্যামিলি বিজনেস, দেখার লোক নেই। বাবা যদ্দিন ছিল বাবাই চালাত। এখন মেজোকাকা আর সেজোকাকা কোনওক্রমে হাল ধরে আছে। বড়কাকা তো পার্টি নিয়েই মেতে থাকে, ছোটকাকাও চাকরি নিয়ে বাইরে এখন। নেহাত যৌথ পরিবার বলে গড়িয়ে গড়িয়ে চলে যায়। ভাইটা সবে কলেজে ঢুকল, দু'বোন নাইন আর সিক্স, এখন চাকরির কথা না ভেবে বিয়ের চিন্তা করলে আমার চলবে? কাকারা যতই বলুক আমরা আছি, বড় মেয়ে হিসেবে আমার তো একটা কর্তব্য আছে, না কী ?

মিতুল হাঁটতে হাঁটতে দু'জনের কথাই শুনছিল। অপর্ণা আর মুনমুন কেন যে সবসময়ে ভয়ে ভয়ে থাকে আন্দাজ করতে পারছে কিছুটা। দু'জনের কাছেই চাকরিটা যেন নিশ্চিন্ত জীবনের হাতছানি। একজন মা ভাই বোন নিয়ে কাকাদের সংসারে মাথা উঁচু করে থাকতে চায়, অন্যজনের স্বপ্ন ভাল বর। কী অদ্ভুত বৈপরীত্য, তাই না ?

গল্পে কথায় এসে গেছে বাসরাস্তা। প্রায় সঙ্গে সঙ্গে বাসও। এ লাইনের কনডাক্টর চিনে গেছে নতুন দিদিমণিদের,

১২৯

বাচ্চাকাচ্চাদের ঠেলেঠুলে বসার জায়গাও করে দিল। অপর্ণার গন্তব্যস্থল চন্দ্রপল্লি, এই বাসেই সোজা চলে যাবে সে। মুনমুন বামুনঘাটা থেকে ধরবে শেয়ারের ভ্যানরিকশা। মিতুলের পথই এখন সবচেয়ে লম্বা। ভাদ্রের গরমে পচতে পচতে না হোক আরও ঘণ্টাতিনেক।

আজ অবশ্য অতটা সময় লাগল না। বামুনঘাটায় এসেই মিলে গেছে বাস, সাড়ে পাঁচটার মধ্যেই মিতুল পৌঁছে গেছে বাড়ি।

মৃদুলা টেলিফোনে কথা বলছিল, মিতুলকে দরজা খুলে দিয়েই আবার ফিরে গেছে রিসিভারে। চোখ নাচিয়ে বলল, —তোর দিদি।

ক্লান্ত মিতুল সোফায় গা ছেড়ে দিয়েছে। চুলে আঙুল চালাতে চালাতে বলল, —বাবা ফেরেনি?

—দেরি হবে আজ। নির্মলবাবুদের বাড়ি যাবে।

—ও।

—তুতুল তোকে কী বলতে চাইছে।

—কীই?

—ধর না এসে ফোনটা।

মিতুলের মোটেই উঠতে ইচ্ছে করছিল না। তবু গিয়ে ধরল ফোন, —কী বলছিস?

—তোর জন্য একটা দারুণ কাঁথাস্টিচের শাড়ি রেখেছি। প্রতীকের অফিসের ডিপিদা আছেন না, ডিপিদার মিসেস পাঠিয়েছিলেন একটা লোককে। শান্তিনিকেতনের তাঁতি। আমার জন্য একটা মেরুন রেখেছি, তোর জন্যে গোল্ডেন। পিয়োর সিল্কের ওপর দুর্দান্ত কাজ।

—আমার জন্য আবার শাড়ি রাখতে গেলি কেন?

—তুই তো আজকাল খুব শাড়ি পরছিস।

—সে তো স্কুলে। উপায় নেই বলে। জানিস তো আমার শাড়ি পরতে ভাল্লাগে না। মিছিমিছি এক কাঁড়ি দাম দিয়ে ...

—দাম নিয়ে তোকে ভাবতে হবে না। পরতে হলে পরবি, নইলে বিয়ের জন্য তুলে রাখবি। মা'র জন্যেও রেখেছি একখানা। তসরের ওপর অলওভার ছোট ছোট মোটিফ।

তুতুলের মুখ দিয়ে বেরিয়ে যাচ্ছিল, এটা কি বাবাকে দিয়ে কালো টাকা সাদা করানোর ঘুষ? বলল না। থাক, কী দরকার! অন্য প্রসঙ্গে চলে গেল মিতুল। রুপাইয়ের কথায়।

এলোমেলো সংলাপের মাঝে আচমকাই মনে পড়ল কথাটা। অতনুদার সঙ্গে আবার দেখা হওয়ার ঘটনাটা বলা হয়নি দিদিকে। আজ বলবে কি?

থাক। কী দরকার।

॥ দশ ॥

কলেজ অডিটোরিয়ামে নির্মলের শোকসভা চলছে এখনও। ডায়াসে বড় টেবিলে পাতা হয়েছে সাদা চাদর, তার ওপরে নির্মলের বাঁধানো ফটোগ্রাফ। ছবিটা এত জ্যান্ত যে এক্ষুনি মনে হয় নির্মল কথা বলে উঠবে। কৌতুক মাখানো হাসিটাও লেগে আছে ঠোঁটে। ছবিতে মালা, ছবির দু'পাশে পেতলের ফুলদানিতে হাইব্রিড রজনীগন্ধা, সামনে ফুলের স্তবক, পাশে ফুলের স্তবক ...। ফুলে ফুলে প্রায় ঢেকে গেছে নির্মল। আজ ফুল কিছু জুটল বটে নির্মলের কপালে। অথচ সোমনাথ যদ্দূর জানে ধূপ আর ফুলের গন্ধে নির্মলের অ্যালার্জি ছিল।

সভা থেকে খানিক আগে বেরিয়ে এসেছে সোমনাথ। বসে আছে ফাঁকা স্টাফরুমে। ঝুম হয়ে। ভাল্লাগছে না। একটা চোরা বিবমিষা পাক খাচ্ছে শরীরে। কাঁহাতক আর বাঁধা গতের বুলি বরদাস্ত করা যায়! নির্মল এই ছিল, নির্মল ওই ছিল, নির্মলের মতো মহৎ প্রাণ মানুষ আজকাল আর দেখা যায় না, নির্মল বন্ধুবৎসল, নির্মল পরোপকারী, নির্মলের মতো প্রতিবাদী চরিত্র

আজকের দিনে বিরল, নির্মলের মতো প্রখর যুক্তিবাদী লাখে একটা মেলে, নির্মল এই কলেজে এক জাজ্বল্যমান আদর্শের প্রতীক, নিজে অরাজনৈতিক ব্যক্তিত্ব হওয়া সত্ত্বেও রাজনীতি করা সহকর্মীদের কাছে তার এক বিশেষ আসন ছিল ...। সব ঠিক। প্রতিটি প্রশংসাই অক্ষরে অক্ষরে সত্যি। কিন্তু সবার মুখে সব কথা মানায় কি? আর কেউ না জানুক সোমনাথ তো জানে কারা পছন্দ করত নির্মলকে, কারা করত না। গত মাসেই তো সমিতির চাঁদা দেওয়া নিয়ে দীপেনের সঙ্গে নির্মলের জোর কথা কাটাকাটি হয়েছিল। নির্মল চোখের আড়াল হতেই নির্মলের সম্পর্কে নিন্দে না করে ওই দীপেন কলেজে এক গ্লাস জল পর্যন্ত খেত না, স্রেফ নির্মলের বন্ধু বলে সোমনাথের মতো নির্বিরোধী মানুষের পিছনেও কাঠি করার চেষ্টা করেছে। আজ সেও কেমন নির্মলের শোকে গলা কাঁপায়! শুধু কুম্ভীরাশ্রু, শুধুই কুম্ভীরাশ্রু। শোকসভাটাই একটা ফার্স। দুম করে ছুটির ঘণ্টা পড়ে গেল, পড়িমড়ি করে পালাচ্ছে ছেলেমেয়েরা, কলেজের গেট বন্ধ করে যে ক'টাকে পারল গলায় দড়ি বেঁধে সভায় টেনে আনল ছাত্র ইউনিয়নের পাণ্ডারা। প্রিন্সিপালের নির্দেশ, ভিড় বাড়াতে হবে সভার! সদ্যমৃত সহকর্মীকে স্মরণ করে দু'মিনিট নীরবতা পালন করবে সেটুকুনিতেও তো কারুর ধৈর্য নেই! তিরিশ সেকেন্ড যেতে না যেতেই সবাই উসখুস করছে, ঘড়ি দেখছে, হাই তুলছে! এমন প্রহসনের দরকারটা কী?

সোমনাথের আর কলেজেই থাকতে ইচ্ছা করছিল না, হাত বাড়িয়ে জলের জগটা টানল, জল খেল খানিকটা। উঠে টয়লেটে গেল। ঘুরে এসে দেখল শর্মিলাও ফিরে এসেছে স্টাফরুমে। সোমনাথ কথা বলল না শর্মিলার সঙ্গে, চুপচাপ ফ্যোলিওব্যাগখানা টেবিল থেকে নিয়ে হাতে ঝুলিয়েছে।

শর্মিলাই জিজ্ঞেস করল, —চলে যাচ্ছেন?

—যাই।...ওখানে শেষ হতে আর কত দেরি?

—হয়ে এসেছে। অভিজিৎ ছাত্রদের তরফ থেকে বলছে, তারপর বোধহয় প্রিন্সিপাল আর একবার...

—ও।

—আপনি আজ কেন কিছু বললেন না সোমনাথদা? নির্মলদা আপনার এত বন্ধু ছিলেন...?

—আজ তো নির্মলের অনেক বন্ধু। সোমনাথের গলা দিয়ে শ্লেষটা বেরিয়েই এল, —তারা যা বলছে তাতেই নির্মলের আত্মার শান্তি হয়ে যাবে।

শর্মিলা আর প্রশ্ন করল না। সোমনাথের দিকে একটু তাকিয়ে থেকে বলল,—চলুন, আমিও যাই। বসে থাকলেই মনখারাপটা বাড়বে।

শর্মিলার সঙ্গে করিডোর ধরে হাঁটতে হাঁটতে সোমনাথ পিছন ফিরে তাকাল একবার। সঙ্গে সঙ্গে বুকটা ছ্যাঁত করে উঠেছে। মনে হল এক্ষুনি যেন গমগমে গলায় হেঁকে উঠবে নির্মল, কী হে, আমাকে ফেলে কাটছ!

সোমনাথ ছোট্ট শ্বাস ফেলল। নাহ্, নির্মলের অনুপস্থিতিটা এখনও রপ্ত হয়নি।

কলেজগেটে এসে রিকশা নিয়েছে শর্মিলা। সোমনাথও উঠল। মহিলা সহকর্মীদের সঙ্গে রিকশায় ওঠার খুব একটা অভ্যেস নেই, সামান্য অস্বস্তি হচ্ছিল সোমনাথের।

কোলের ওপর ব্যাগ গুছিয়ে নিয়ে শর্মিলা বলল,—ঠিকঠাক বসেছেন তো সোমনাথদা? অসুবিধে হচ্ছে না?

সোমনাথ তাড়াতাড়ি বলল,—না না, ঠিক আছে।

—নির্মলদা বলতেন তোমার সঙ্গে আর রিকশায় বসা যায় না, যা মোটাচ্ছ! শর্মিলার ঠোঁটে চিলতে হাসি ফুটেই মিলিয়ে গেল,—সত্যি, নির্মলদা নেই এ যেন বিশ্বাসই হয় না, তাই না?

—হুম।

—নির্মলদা কিন্তু নিজেই নিজের মৃত্যুটা ডেকে আনলেন। এত মুঠো মুঠো সিগারেট খাচ্ছিলেন আজকাল!

—হুম্। সোমনাথ বিড়বিড় করে বলল,—কারুর কথা শুনলে তো।

—নির্মলদার ছেলেও তো সেদিন বলছিল, কত বার বাবাকে বলেছি এবার একটা থরো চেকআপ করাও... নির্মলদা নাকি তুড়ি মেরে উড়িয়ে দিতেন। বলতেন, এই বয়সে চেকআপ করালে প্রত্যেকেরই কিছু না কিছু ধরা পড়বে, আর ডাক্তাররা ওমনি একগাদা রেসট্রিকশান চাপিয়ে দেবে। ওতে আমি নেই!

আচমকা সোমনাথের মনে পড়ে গেল সেদিনের বুক ব্যথাটার কথা। কী বিশ্রী একটা চাপ ছিল হৃৎপিণ্ডে। কোনও বড়সড় বিপদের পূর্বলক্ষণ ছিল না তো? পরদিন ভোরে নির্মলের বদলে সোমনাথও তো মরে যেতে পারত। নিজে মরে নির্মল কি সোমনাথকে বাঁচিয়ে দিয়ে গেল?

শর্মিলা বলেই চলেছে,—সত্যি নির্মলদা বড্ড বেপরোয়া ছিলেন। সব ব্যাপারেই। কত শত্রুও যে বেড়ে গেছিল তার জন্যে! সোজা কথা মুখের ওপর চ্যাটাং চ্যাটাং বলে দিতেন, কাউকে রেয়াত করতেন না। আমায় ফিক্সেশানটা যে কী করে বার করেছিলেন। ডিপিআই অফিস তো ইচ্ছে করে এক বছর আটকে রেখেছিল। অকারণে। নির্মলদা শুনে বললেন, চলো তো দেখি। চেনেন তো ওখানকার লোকগুলোকে, কী কুৎসিত ব্যবহার। বিশেষ করে ওই স্টাফটা...অজিত সরখেল না কী যেন নাম। লোকটা তো স্ট্রেট বলে দেয়, পারব না এখন! হবে না! তিন মাস পরে আসুন! বারবার তাড়া লাগালে আরও বেশি দেরি হবে! মনে হয় কলেজের টিচাররা ওর চাকরবাকর। আমাদের এক্স-প্রিন্সিপালকে পর্যন্ত বেমালুম শুনিয়ে দিয়েছিল, কোত্থাও চুকলি খেয়ে লাভ হবে না, জানেন অধ্যাপকদের প্রাপ্য আটকে আমি গভর্নমেন্টের বিশ কোটি টাকা বাঁচাচ্ছি! কোন অফিসারের ঘাড়ে কটা মাথা আছে আমার কাছে কৈফিয়ত চায়! ভাবা যায়, ওই লোকটাকে একেবারে শুইয়ে দিয়েছিলেন নির্মলদা। কী ঝাড় ঝেড়েছিলেন, বাপস্। কাজ না ক'রে সিটে

বসে ঠ্যাং নাচিয়ে নাচিয়ে খুব রোয়াব মারা হচ্ছে, অ্যাঁ? আপনাকে মাইনে দিয়ে কেন পোষা হয়েছে জানেন তো? আমাদের কাজ করার জন্য। মনে রাখবেন গভর্নমেন্ট মানে কয়েকটা আমলা মন্ত্রী নয়, তার মধ্যে আমরাও পড়ি। কোনও বাহানাতেই আপনি আমাদের কাজ ফেলে রাখতে পারেন না। সাতটা দিন সময় দিয়ে যাচ্ছি, এরপর কিন্তু এই অফিসের মধ্যে আপনাকে বাঁশপেটা করে যাব। দেখি তখন আপনার কোন ইউনিয়নের খুঁটি এসে আপনাকে বাঁচায়। সরকারের টাকা বাঁচানো দেখাচ্ছেন? নিজের হকের টাকা হলে এভাবে ফেলে রাখতেন? ...আমি তো নির্মলদার পেছনে দাঁড়িয়ে কাঁপছি। বেরিয়ে বললাম, কী সর্বনাশ হল নির্মলদা, এ তো এবার আমায় মৃত্যু পর্যন্ত বিশ বাঁও জলে ডুবিয়ে রাখবে! নির্মলদা বললেন, দাঁড়াও না, দেখি ওর কত মুরোদ। সবাই ওর সামনে হাত কচলায় বলেই তো ও এত বেড়েছে। এই ধরনের মানুষগুলো ফিজিকাল অ্যাসল্টকে খুব ডরায়।...বিশ্বাস করবেন না, এক সপ্তাহের মধ্যেই চিঠি চলে এল। শর্মিলার গলা ভারী হয়ে এল,—নির্মলদার মতো মানুষের এত তাড়াতাড়ি চলে যাওয়ার কোনও মানে হয়? আমাদের ইংলিশ ডিপার্টমেন্টটা একদম কানা হয়ে গেল। সাবজেক্ট অ্যালটমেন্ট, ম্যাগাজিন পাবলিশ করা, রিইউনিয়ন... ডিসেম্বরে তো আবার ডিপার্টমেন্টের টোয়েন্টিফাইভ ইয়ারস সেলিব্রেশান... নির্মলদা পারতেন, আমি যে কী করে সামলাব!

বুকের ব্যথাটাকে ফের মনে পড়ে গেল সোমনাথের। নির্মলের বেঁচে থাকাটা কত জরুরি ছিল। সেদিন সোমনাথ মরে গেলে নির্মল হয়তো বেঁচে থাকত।

স্টেশন এসে গেছে। রিকশা থেকে নেমে সোমনাথ টাকা বার করতে যাচ্ছিল, শর্মিলা জোর করে মিটিয়ে দিল ভাড়াটা। প্ল্যাটফর্মে উঠতে উঠতে আঙুল তুলে বলল,—ওই দেখুন সোমনাথদা, ওখানে কেমন নির্মলদার অনারে একটা সভা চলছে!

১৩৫

স্টেশনের বাইরেটায় এক ফুচকাওয়ালা, তাকে ঘিরে দাঁড়িয়ে এক দল মেয়ে। কলকল করছে খুশিতে। হাসিতে ভেঙে ভেঙে পড়ছে।

শর্মিলা বলল,—সব ক'টা আমাদের কলেজের।

বটেই তো। ওদের মধ্যে একজনকে তো খুব ভালমতোই চিনেছে সোমনাথ। সেই মেয়েটা, যে অ্যাডমিশনের দিন ইউনিয়নের সঙ্গে তর্ক করছিল। এ ক'দিনে বেশ ঝলমলে হয়েছে মেয়েটা, রুখুসুখু ভাবটা যেন আর নেই। সোমনাথের সঙ্গে হঠাৎ হঠাৎ দেখা হয়ে যায় এক-আধ দিন। করিডোরে। হাসে আলগাভাবে। পাসে সায়েন্স পড়ছে। মেয়েটা কি সেদিন চাঁদাটা দিয়েছিল শেষপর্যন্ত? এখনও কি ওরকমই প্রতিবাদী আছে? বোঝা যায় না দেখে। আর জিজ্ঞেসও করেনি সোমনাথ।

প্ল্যাটফর্মে এসে শর্মিলা বলল,—পরশু তো নির্মলদার কাজ।

আনমনে সোমনাথ বলল,—হুঁ।

—আপনি যাচ্ছেন তো?

—সকালে যাব। আপনারা?

—আমাদের ডিপার্টমেন্টের সবাই সকালেই যাবে। আমার সকালে হবে না। মেয়েটা সেদিন দুপুরে হায়দ্রাবাদ রওনা দিচ্ছে। ওকে ট্রেনে তুলে দিয়ে তারপর...

—ও। মেয়ে খেলতে যাচ্ছে বুঝি?

—হ্যাঁ। ওদের ন্যাশনাল চ্যাম্পিয়নশিপ শুরু হচ্ছে নেক্সট উইক থেকে।

—কাগজে দেখেছি। আপনার মেয়ে তো এবার জুনিয়ার সিনিয়ার দুটোতেই সিডেড?

—জুনিয়রে সেকেন্ড, সিনিয়রে সিক্সথ। সিড পাওয়ায় সুবিধেও হয়েছে। কোয়ার্টার ফাইনালের আগে তেমন টাফ অপোনেন্ট নেই।

—টেবিলটেনিস খেলাটা কিন্তু খুব ভাল! বডি খুব ফিট থাকে।

১৩৬

—শুধু প্লেয়ারেরই নয়। বাড়ির লোকজনেরও। মেয়ের পেছনে দৌড়ে দৌড়ে মেয়ের বাবার তো পাঁচ কেজি ওয়েট কমে গেল।

সোমনাথ হেসে ফেলল। হাসতে ভালও লাগল, মনের গুমোট যেন কাটল কিছুটা। নির্মলের প্রসঙ্গ থেকে সরে এসে খানিকটা যেন স্বচ্ছন্দও হয়েছে। এটা ওটা আলোচনা করছে। শরীরচর্চা ছেলেমেয়ে...। স্টলে দাঁড়িয়ে লেবু চা-ও খেল দুজনে। সিগনাল ডাউন হতে শর্মিলা চলে গেল লেডিজ কম্পার্টমেন্টের দিকে।

ট্রেনে উঠেও নির্মলের চিন্তাটাকে ফিরতে দিল না সোমনাথ। এটা ওটা ভাবছে। মৃদুলার থাইরয়েডের ডোজে গণ্ডগোল হচ্ছে বোধহয়, মাথা জ্বালা খুব বেড়েছে, শরীরের ফোলা ফোলা ভাবটাও। ডাক্তারকে ফোন করে একটা অ্যাপয়েন্টমেন্ট চাইতে হবে। খুকুর বাড়িতেও একটা টেলিফোন করা দরকার। খোঁজ নিতে হবে কেরালা বেড়িয়ে ফিরল কিনা। মজায় আছে খুকু আর রণজিৎ। বুবলির বিয়ে দিয়েই স্বেচ্ছা অবসর নিয়ে নিল রণজিৎ, এখন খুব ভারতভ্রমণে বেরোচ্ছে স্বামী স্ত্রী। দক্ষিণে যাওয়ার আগে দেখা করতে এসেছিল। বলছিল, বুবলি ভীষণ ডাকাডাকি করছে, সামনের বছর হয়তো মেরিল্যান্ডে গিয়ে মেয়ে জামাইয়ের কাছে কাটিয়ে আসবে কয়েকটা মাস। আহা, সোমনাথও যদি অমন একটা ডানামেলা জীবন পেত! তার তো শুধুই টেনশান, শুধুই সমস্যা। ক'দিন ধরেই ফ্ল্যাটের পাম্পে জল উঠছে না, মৃদুলা আজ সকালেও খ্যাচখ্যাচ করছিল। দোতলার রজতবাবুর সঙ্গে দেখা করে অবিলম্বে ফ্ল্যাট কমিটির মিটিং ডাকার জন্য বলতে হবে। আজই। ছ্যাকরা ছ্যাকরা সারানো নয়, তেমন হলে পাম্পের খোলনলচেই বদলাতে বলবে সোমনাথরা।

বিচ্ছিরি একটা ধাক্কা খেয়ে চিন্তার সুতো ছিঁড়ে গেল সহসা। সোমনাথ ঘুরে দেখল পাশে বসা লোকটা অসভ্যর মতো

ঠেলছে। সোমনাথের চোখে চোখ পড়তেই খেঁকিয়ে উঠল,—
তাকাচ্ছেন কী? সরে বসুন। এটা কি আপনার বৈঠকখানা যে
হাত পা এলিয়ে দিয়েছেন?

আশ্চর্য, দপ করে জ্বলে উঠল সোমনাথ। গলা থেকে বেরিয়ে
এসেছে কর্কশ স্বর,—ওভাবে বলছেন কেন? ভদ্রভাবে কথা
বলুন। কোথায় সরব? জায়গা আছে?

—দেখছেন না আমি পড়ে যাচ্ছি?

—তো আমি কী করব? নিজেকে ভাঁজ করে রাখব? এই
সিটে চারজন বসলে অসুবিধে তো হবেই। না পোষালে উঠে
দাঁড়িয়ে থাকুন।

—শুনলেন? শুনলেন দাদা? বছর চল্লিশের লোকটা
আশপাশের যাত্রীদের সাক্ষী মানছে, —দেখুন, দেখুন কী
সেলফিশ!

—অ্যাই, একদম উলটোপালটা কথা নয়। সব্বাই শুনেছে
আপনি কী ভাষায় বলছিলেন। আর একটু জায়গার দরকার
সেটা ভালভাবে বললেই তো হয়। গুঁতোনোর তো প্রয়োজন
দেখি না। সোমনাথ মুখ বেঁকাল,—অভদ্রতা করাটা আপনাদের
স্বভাবে দাঁড়িয়ে গেছে।

বেশির ভাগ সহযাত্রী সোমনাথের পক্ষে। টুকটাক মন্তব্য
ছুড়ছে। লোকটা মিইয়ে গেল। অন্যমনস্কতার ভান করে চোখ
মেলেছে জানলার বাইরে।

ছোট্ট যুদ্ধটা জিতেও কেমন যেন একটা লাগছিল
সোমনাথের! নিজের আকস্মিক আচরণে নিজেই বিস্মিত
হয়েছে। হঠাৎ অমন অধৈর্য হয়ে পড়ল কেন? নির্মলের মৃত্যু কি
তার সহিষ্ণুতার পুরু খোলসটায় চিড় ধরিয়ে দিল!

মাথা দপদপ করছে। নিজেকে সুস্থিত করার জন্য দমদমে
নেমে আবার এক কাপ চা খেল সোমনাথ। ধীরেসুস্থে। বেশ
খানিকটা সময় নিয়ে। প্ল্যাটফর্মের স্টলে দাঁড়িয়ে ম্যাগাজিন
উলটোল কিছুক্ষণ। মিতুল আবার কম্পিটিটিভ পরীক্ষায় বসার

তোড়জোড় করছে, মিতুলের কথা ভেবেই কারেন্ট অ্যাফেয়ারের একখানা পত্রিকা কিনে নিল। কলেজে পিক সিজন শুরু হয়ে গেছে, কাল সওয়া দশটায় ক্লাস, সকালে তাড়াহুড়োর মাথায় বাজার যেতে পারবে কিনা ঠিক নেই, স্টেশনের বাইরে এসে আলু কিনল কেজি খানেক। সঙ্গে শসা টোম্যাটো পেঁয়াজ। সবজি কিছু আছে ফ্রিজে। ফ্ল্যাটের সামনে একটা মাছওয়ালা বসছে ইদানীং, তার কাছ থেকে সকালে কাটাপোনা কিনে নিলেই চলে যাবে কালকের দিনটা।

স্বপ্ননিবাসের গেটে এসেই চমক। একটি মরালশুভ্র মারুতি দণ্ডায়মান। আনকোরা গাড়ি, এখনও মোটর ভেহিকল্সের নাম্বার প্লেট লাগেনি। বনেটে জ্বলজ্বল করছে গোলা সিঁদুরের স্বস্তিকা চিহ্ন, ঝুলছে জবাফুলের মালা। স্টিয়ারিংয়ে এক ছোকরা ড্রাইভার। ঢুলছে।

কাদের গাড়ি? তুতুলদের নাকি? সোমনাথের মনের ভুরুতে ভাঁজ পড়ল। এর মধ্যে এসে গেল রথ?

ভার ভার ভাবটা আবার ফিরে আসছে। পা টেনে টেনে তিনতলায় উঠল সোমনাথ।

ফ্ল্যাটের দরজা খুলে যেতেই রুপাই ঝাঁপিয়ে পড়েছে গায়ে, —দাদুন এচেচে, দাদুন এচে গেচে...

রুপাইয়ের চুল ঘেঁটে দিতে দিতে সোমনাথ দেখল ড্রয়িংস্পেসে সবাই মজুত। প্রতীকও। গাড়ি কেনার আনন্দে অফিস ডুব?

প্রতীকের সামনে সেন্টার টেবিলে সাজানো রয়েছে প্রচুর খাদ্য। কেক প্যাটিস পিৎজা লাড্ডু...। ওরাই এনেছে নিশ্চয়ই! গাড়ি কেনার আনন্দে মোচ্ছব? তুতুলের পরনে লালপাড় গরদ, প্রতীক পরেছে ঘিয়ে রং সিল্কের চুস্ত পাঞ্জাবি। দু'জনেরই কপালে সিঁদুরের লম্বা তিলক। গাড়ি কেনার আনন্দে দু'জনের পোশাকের রং এক হয়ে গেছে আজ?

তুতুল প্লেট থেকে একখানা লাড্ডু তুলে নিয়ে সোফা ছেড়ে

উঠে এল। রুপাইয়ের হাতে লাড্ডুটা দিয়ে বলল,—দাদুনকে খাইয়ে দাও, দাদুনকে খাইয়ে দাও...

সোমনাথ হালকা আপত্তি জুড়ল,—আহা, এখন কেন? আগে হাতমুখটা ধুয়ে নিই।

—উঁহু, কোনও কথা নয়। প্রথমে মিষ্টিমুখ, তারপর অন্য কিছু। হাঁ করো।

রুপাইও বায়না ধরেছে, —হাঁ কলো না দাদুন...

অগত্যা খেতেই হয়। রুপাইয়ের হাত থেকে লাড্ডুর খানিকটা ভেঙে মুখে পুরল সোমনাথ। বিস্বাদ হয়ে গেল জিভটা। মিষ্টিও কখনও কখনও এত তেতো লাগে?

তুতুল চোখ নাচাল, —গাড়িটা দেখলে?

—হুম।

—কেমন লাগল? পছন্দ হয়েছে?

মেয়ের খুশিতে খুশি হওয়াই তো নিয়ম। সোমনাথ হাসি ফুটিয়ে বলল,—খাসা রং। খুব সুন্দর।

—রংটা তোমার জামাইয়ের চয়েস। সাদা রঙে নাকি গ্ল্যামার বেশি। অ্যারিস্টোক্রেসি আছে। আমার ইচ্ছে ছিল ডিপ কালার। চেরি রেড, কিংবা ডিপ ব্লু। কলকাতায় সাদা রং কি মেনটেন করা যায়, বলো?

—সে তো বটেই। চারদিকে যা পলিউশন। বলে ফেলেই সচকিত হয়েছে সোমনাথ। ঝটপট কথা ঘোরাল,—তোরা বুঝি পুজো দিয়ে এলি?

—ওমা, পুজো না দিয়ে কেউ গাড়ি রাস্তায় বের করে নাকি? কাল থেকেই ড্রাইভার ফিট করা ছিল, গাড়ি ডেলিভারি নিয়েই সোজা গেলাম কালীঘাট, সেখান থেকে স্ট্রেট এ-বাড়ি। তোমার জামাই বলল আগে তোমাকে দেখিয়ে তবে গাড়ি বরানগর যাবে।

মৃদুলা জামাইয়ের জন্য আলাদা প্লেটে পিৎজা তুলছিল। গদগদ মুখে বলল,—প্রতীক কত খাবারও এনেছে দ্যাখো।

লাজুক মুখে প্রতীক বলল,—কিচ্ছু বেশি নয় মা। আজ একটা

স্পেশাল ডে, সবাই মিলে হইচই করব, দু'মিনিটে খাবার উড়ে যাবে।

—বলছ তো, কিন্তু কিছুই তো মুখে তুলছ না!... কী রে মিতুল, তোর প্রতীকদাকে খাওয়া জোর করে।

মিতুল বসে আছে প্রতীকের উলটোদিকের সোফায়। পরনে এখনও বাইরের শাড়ি। এইমাত্র ফিরেছে বোধহয়, মুখে চোখে ক্লান্তির কালো ছোপ স্পষ্ট। সে ঠাট্টার গলায় বলল,—কিচ্ছু জোর করতে হবে না মা, প্রতীকদা আজ নিজেই খাবে। আমি বরং একটু চা বানিয়ে আনি।

মৃদুলা বলল,—তুই বোস না, আমি করছি।

—না না, তুমি কথা বলো।... বাবা, তুমি খাবে তো চা?

অনেকক্ষণ পর অনাবিল হাসল সোমনাথ,—আমি কি কখনও চায়ে না বলি? প্রতীক, তুমিও খাবে তো?

প্রতীক যেন আজ একটু বেশি প্রগল্‌ভ। হেসে বলল,— শ্যালিকার হাতের চা তো খেতেই হয়।

মিতুল চলে গেল রান্নাঘরে। রুপাইও লাফাতে লাফাতে গেছে তার পিছন পিছন। সোমনাথ মিতুলের জায়গায় বসল,— ছোট গাড়ি কিনে ভালই করেছ প্রতীক। তোমাদের মতো ছোট ফ্যামিলির পক্ষে ছোট গাড়িই আইডিয়াল।

প্রতীক বিনীত স্বরে বলল,—গাড়ি তো শুধু আমাদের কথা ভেবে কিনিনি বাবা। গাড়ি সকলের। আপনাদেরও। যখনই প্রয়োজন হবে বলবেন, গাড়ি দরজায় লেগে যাবে।

তুতুল গরবিনীর ভঙ্গিতে প্রতীকের পিছনে গিয়ে দাঁড়িয়েছিল। আলতো ঠেলল প্রতীককে, —এই, বাবাকে তোমার প্রোপোজালটা বলো না।

আবার প্রোপোজাল? সোমনাথ চোখ পিটপিট করল, —কী রে?

—প্রতীকের খুব ইচ্ছে এখন একটা জয়রাইডে বেরোনোর। সবাই মিলে।

—ভালই তো। ঘুরে আয়।

—ঘুরে আয় মানে? তোমার জন্যই তো আমরা অপেক্ষা করছি।

—আআআমি? আমি গিয়ে কী করব?

—চড়বে গাড়িটা। দেখবে কেমন চলছে। টেস্ট করবে এসিটায় কেমন ঠান্ডা হচ্ছে। চলো চলো, বেশি দূর যাব না। এয়ারপোর্ট। এয়ারপোর্টের কাছে একটা দারুণ ধাবা আছে, ওখানে ডিনার করে তোমাদের নামিয়ে দিয়ে আমরা ব্যাক।

মিতুল রান্নাঘর থেকে চেঁচিয়ে বলল,—আমাকে কিন্তু হিসেবের বাইরে রাখ।

তুতুলও গলা ওঠাল,—কেনওওও?

—তোদের গাড়ি কি দাদুর দস্তানা? বাবা উঠবে, মা উঠবে, প্রতীকদা, রুপাই, তারপর তুই দেড়মণি লাশটা ঢোকাবি..., প্রথম দিনই তোদের গাড়ির স্প্রিংপাত্তি বসে যাবে।

—আহা, তুই বসলে কী এমন ওয়েট বাড়বে শুনি? ওই তো হাড়গিলে চেহারা!

—ওইটুকুনিও তোর গাড়ির সইবে নারে। মিতুল রান্নাঘরের দরজায় এল,—শরীরটা আজ আর চলছে না রে দিদি। ভাবছি কিছুক্ষণ মড়ার মতো শুয়ে থাকব।

সঙ্গে সঙ্গে সোমনাথও অনুনয়ের সুরে বলল,—প্রতীক, আমাকেও আজ বাদ দাও।

—কেন বাবা? চলুন না, ভাল লাগবে।

—আজ আমার মনটা ভাল নেই। শুনেছ নিশ্চয়ই, আমার এক কলিগ সম্প্রতি...তার আজ কনডোলেন্স ছিল...

—ও। তা হলে তো...। প্রতীক মৃদুলার দিকে তাকাল,—মা, আপনি?

মৃদুলা দৃশ্যতই দোটানায় পড়ে গেছে। সোমনাথকে বলল,—চলোই না। ওরা বলছে এত করে।

—আমাকে ছেড়েই দাও। তুমি বরং ঘুরে এসো।

১৪২

তুতুলের মুখ থমথমে হয়ে গেছে। অভিমানী স্বরে বলল,—ঠিক আছে থাক, তোমাদের কাউকে যেতে হবে না। আর কাউকে আমি সাধব না। মা, তুমি কি যাবে? না তুমিও যাবে না?

—রাগ করছিস কেন? আমি কি বলেছি যাব না?

বাসনা আর অস্বাচ্ছন্দ্যের দোলাচলে ভুগতে ভুগতে শাড়ি বদলাতে গেল মৃদুলা। মিতুল চা এনেছে। প্রতীকের হাতে চায়ের কাপ ধরিয়ে দিয়ে টেবিল থেকে একখানা প্যাটিজ তুলে নিল মিতুল। নিজে খাচ্ছে, রুপাইয়ের মুখেও দেওয়ার চেষ্টা করছে ভেঙে ভেঙে। রুপাইয়ের প্যাটিজে আগ্রহ নেই, তার নজর কেক-পেস্ট্রির ওপরকার ক্রিমে। আঙুল দিয়ে ক্রিম তুলে তুলে চাটছে। প্রতীক পলকের জন্য চোখ পাকাল, পরমুহূর্তে আবার ভাবলেশহীন করে ফেলেছে মুখখানা। তার মুখে খুশি অসন্তোষ কিছুই ফোটে না চট করে, সে মনের ভাব চমৎকার গোপন করতে জানে।

চায়ের কাপ-প্লেট হাতে সোমনাথ নিরীক্ষণ করছিল প্রতীককে। হঠাৎ বলল,—তোমার দিদির সঙ্গে সেদিন দেখা হল।

প্রতীক অভিব্যক্তিহীন স্বরে বলল,—তাই বুঝি? কবে?

—এই তো, দিন আট-দশ আগে। দমদম স্টেশনে। দেওরের শাশুড়ি মারা গেছেন, ইছাপুর যাচ্ছিল...

—হ্যাঁ, সীমাবউদির মা গত হয়েছেন। শ্রাদ্ধে আমাদের বলেছিল।

—সেদিন তোমার দিদি বলেনি আমার সঙ্গে দেখা হয়েছে?

—আমরা কাজের দিন যেতে পারিনি।

—ও।... তোমার দিদির কথা শুনে মনে হল খুব লোন্‌লি হয়ে গেছে।

—কেন! লোন্‌লি কীসের?

—তোমার ভাগনি ইঞ্জিনিয়ারিং পড়তে চলে গেল, তোমার জামাইবাবুও তো বোধহয় ট্যুরে ট্যুরে থাকে...

তুতুল চুলটুল ঠিক করতে ঘরে ঢুকেছিল। ফিরেছে। ফস করে বলল, ওর দিদির আবার একটু লোনলিনেসের বাতিক আছে। আমি তো সব সময়ে বলি, দুপুর বিকেলে চলে এসো! আড্ডা মারতে পারে, আমার সঙ্গে মার্কেটিং টার্কেটিংয়ে যেতে পারে...

—তুইও তো দুপুর বিকেলের দিকে ওর বাড়ি একটু যেতে পারিস।

—যাই তো। মাঝে মাঝেই যাই। তা বলে আমাদের পক্ষে তো আর রোজ রোজ গিয়ে সঙ্গ দেওয়া সম্ভব নয়।

প্রতীক বলল,—দিদির কথা বাদ দিন। দিদিটা আজকাল বড্ড ঘরকুনো হয়ে গেছে।

সোমনাথ আর কথা বাড়াল না, চুপ করে গেল। কেন যে অতি তুচ্ছ ব্যাপারেও মিথ্যে বলছে তুতুলরা? অরুণার সঙ্গে তুতুলরা সম্পর্ক রাখবে কি রাখবে না, রাখলে কতটুকু রাখবে, না রাখলে কেন রাখবে না, এসব তো তুতুলদের নিতান্তই পারিবারিক সমীকরণ। এর মধ্যেও অকারণে ছলনা আনে কেন? অপরাধবোধ না থাকলে তো মানুষ মিছিমিছি মিথ্যের আশ্রয় নেয় না?

মৃদুলাকে নিয়ে তুতুল প্রতীক চলে যাওয়ার পর বাথরুমে ঢুকল সোমনাথ। শরীরটা জ্বালা জ্বালা করছে, স্নান করতে ইচ্ছে করছে খুব। কিন্তু ঋতু বদলের সময়, এখন গায়ে জল ঢালা কি সমীচীন হবে? থাক, ভাল করে নয় হাত পা মুখ ধুয়ে নিক, তাতেই যতটুকু মালিন্য দূর হয় হোক।

বাথরুম থেকে বেরিয়ে সোমনাথ ব্যালকনিতে এসে দাঁড়াল। তাদের স্বপ্ননিবাস একেবারে বড় রাস্তার ওপর নয়, সামান্য ভেতরে। সামনের রাস্তার অধিকাংশ টিউব লাইটই জ্বলছে না। কবেই বা জ্বলে? একটা-দুটো ল্যাম্পপোস্টের আলোয় আঁধার পুরোপুরি কাটেনি, আলো আর অন্ধকার দাঁড়িয়ে আছে পাশাপাশি। ফ্ল্যাটের গেটের মুখটায় একটা ছোট গর্ত তৈরি

১৪৪

হয়েছে অনেক দিন। কাল রাতে অল্প বৃষ্টি হয়েছিল, তাতেই জলে ভরে গেছে গর্তটা। একটা চলন্ত ট্যাক্সির চাকা পড়ে নোংরা জল ছিটকোল গর্ত থেকে। ছড়িয়ে গেল রাস্তাময়। কোথাও এক পাল কুকুর ডেকে উঠল। উৎকট স্বরে চেঁচাচ্ছে। কানে লাগে।

পাশে ছায়া পড়েছে একটা। সোমনাথ ফিরে তাকাল। মিতুল।

কোমল গলায় সোমনাথ বলল, —কী রে, তুই উঠে এলি যে? শুয়ে থাকবি বলছিলি না?

—ধুস্, ওটা তো ওদের কাটানোর বাহানা।

—কেন রে? গেলেই তো পারতিস। তুতুলটার ভাল লাগত।

—আমার ভাল লাগত না বাবা।

—কেন?

—তুমি জানো না?

সোমনাথের বুকে ধক করে লাগল কথাটা। তুতুল-প্রতীকের গাড়ি কেনার প্রক্রিয়াটা তা হলে শুধু সোমনাথকেই আহত করেনি!

সোমনাথ ম্লান গলায় বলল, —তুতুলদের শুধু দোষ দিয়ে কী লাভ? চারপাশটাই তো এখন এরকম। আমরা কে আর কতটুকু খাঁটি আছি বল?

—প্লিজ বাবা, ওদের আর ডিফেন্ড কোরো না। অন্তত একটা দিনের জন্যও প্রোটেস্টটা থাকুক। ওরা বুঝুক ওরা চাইলেই সবাই ওদের সঙ্গে তাল মিলিয়ে হ্যাহ্যা হিহি করবে না।

সোমনাথের বুক থেকে একটা ভারী নিশ্বাস গড়িয়ে এল, —তোর দিদিটা কেমন বদলে গেছে, না রে?

আবছায়াতেও মিতুলের কালো চোখের মণি চিকচিক করে উঠল, —না বাবা, দিদি যেমন ছিল তেমনই আছে। বাবা-মা

১৪৫

তো নিজের সন্তানের ত্রুটি দেখতে পায় না। তোমরাও চিরকাল মনকে চোখ ঠেরে এসেছ।

মিতুলের কথার কি প্রতিবাদ করা উচিত? কেন জোর পাচ্ছে না সোমনাথ? কেন মনে হচ্ছে মিতুল ভুল বলেনি? চিরকাল তুতুলের চাওয়াটা ছিল বড্ড বেশি বেশি। কখনও সস্তার জিনিসে তুতুলের মন উঠত না, বহু সময়ে সাধ্যের বাইরে গিয়েও বড়মেয়ের বায়না মিটিয়েছে সোমনাথ। তুতুলের বিয়ের সময়ে মৃদুলা নিজের জড়োয়ার সেটটা দিয়ে দিতে চেয়েছিল, মেয়ের পছন্দ হল না, নতুন করে গড়াতে হল সেট, বেরিয়ে গেল চল্লিশ হাজার। সেরা খাট চাই, সেরা আলমারি চাই, সেরা বেনারসিটা চাই— নিজে ঘুরে ঘুরে দেখিয়ে দিচ্ছে কোনটা পছন্দ, সোমনাথ না দিয়ে পারে কী করে! অথচ মিতুলটার চাহিদা কত কম। দিদির চাই চাইয়ের বহর দেখেই বুঝি আপনা থেকেই নিজেকে সংকুচিত করে ফেলেছে মিতুল। একই মায়ের পেটে জন্মে দু'বোন কী করে এমন বিপরীত মেরুর হয়? হলেও তার পিছনে বাবা-মা'র কিছু অবদান কি থেকে যায় না? মৃদুলা এসেছিল অপেক্ষাকৃত সচ্ছল পরিবার থেকে, তুতুল হওয়ার পর কিছুটা বা তার শখ শৌখিনতা মেটাতে, কিছুটা বা প্রথম সন্তানের প্রতি বিশেষ অপত্য স্নেহে, মেয়েকে দামি দামি খেলনা, দামি দামি জামাকাপড় কিনে দিয়েছে সোমনাথ। মিতুলের বেলায় ঠিক ততটা আর হয়নি। তাকে তো কত সময়ে পরানো হয়েছে দিদির ছোট হয়ে যাওয়া জামা জুতো, দেওয়া হয়েছে দিদির পুরনো বই, পুরনো খেলনা...। তখন থেকেই কি তফাতটা তৈরি হয়ে গেছে? তুতুলের ক্ষেত্রে সোমনাথের কি আগে থেকেই রাশ টেনে ধরা উচিত ছিল?

মিতুলের পিঠে হাত রাখল সোমনাথ, —তুই তো বেশ কথা শিখে ফেলেছিস। দিব্যি পুটুস পুটুস শোনাতে পারিস!

—বাধ্য হয়ে শিখেছি বাবা। মিতুল হাসল, —আগুনের ওপর দিয়ে হাঁটছি না?

—কেন? তোর প্রবলেম তো অনেকটা সল্‌ভ হয়ে গেছে। বড় ঝামেলাটাই তো ওভার।

—তুমি সেক্রেটারির ব্যাপারটা বলছ?

—হ্যাঁআ্যা। তুইই তো বললি সনৎ ঘোষ রাজ্যপাট পেয়ে গেছে!

—তাতে আমাদের কী লাভ? আমরা তো যে তিমিরে ছিলাম সেই তিমিরেই আছি।...সনৎ ঘোষ কাজ করছে না যে তা নয়। করছে। শিগগিরই বোধহয় ক্লাসও শুরু হবে। রেখাদি সনৎবাবুকে সঙ্গে নিয়ে পলাশপুর গ্রামে গিয়েছিলেন। ওখানে চন্দ্রনাথ মেমোরিয়াল বয়েজ স্কুলের সঙ্গে কথাবার্তাও হয়ে গেছে, ওরা মাটিকুমড়া বালিকা বিদ্যালয়কে দুটো ক্লাসরুম ছেড়ে দেবে। ওখানেই আমরা আপাতত ফাইভ-সিক্স শুরু করব। সনৎ ঘোষের তো চমৎকার পলিটিকাল নেটওয়ার্ক আছে, পার্টির ছেলেদের দিয়েই আশপাশের গ্রামে স্কুল শুরু হওয়ার সংবাদটা ছড়িয়ে দেবে। লোকাল লোকের কাছ থেকে চাঁদা তুলে স্কুল বিল্ডিংও নাকি তৈরি করা শুরু হবে এবার।

—কোথায় করবে? বিশ্বম্ভর দাসের সেই জমিতে?

—অবভিয়াসলি। ওই জমি তো এখন স্কুলেরই। বিশ্বম্ভর দাসকে কিল খেয়ে কিল হজম করতেই হবে।

—তা হলে আর মন খারাপ করছিস কেন? সব তো ভাল দিকেই এগোচ্ছে!

—আমাদের আর ভাল কোথায়? আগের জয়েনিংটা তো কেঁচে গেল। দু'মাস ধরে এত ছোটাছুটি করলাম, এই পিরিয়ডের মাইনেটা দেবে বলে তো মনে হচ্ছে না। অবশ্য ক্লাস নিয়েও মাইনে পাব কিনা ঠিক নেই। রেখাদি বলছিলেন, অ্যাপ্রুভাল না পৌঁছোনো পর্যন্ত মাইনের নো চান্স।

—তা হলে অ্যাপ্রুভালের ব্যাপারটাতেই বেশি জোর দে।

—আমরা জোর দেওয়ার কে বাবা? রেখাদি নিজের মতো করে চেষ্টাচরিত্র করছেন। সনৎ ঘোষও হয়তো করছে। আমরা

একমাত্র যে পথে এগোতে পারি, সে পথটা আমি অন্তত ধরব না। মরে গেলেও না। মাইনে পাওয়ার জন্য টাকা খাওয়াব, এ আমি পারব না বাবা। লাগুক দু'মাস, লাগুক চার মাস, লাগুক ছ' মাস... দেখি কত দিন ভোগাতে পারে। মিতুলের চোয়াল শক্ত হল,—আমি ঠিকই করে ফেলেছি, এই দু'মাসের মাইনেও আমি আদায় করব। একবার মাইনেটা পেতে শুরু করি, তারপরেই আমি কেস করব। আমি ছাড়ব না।

—কোর্ট...উকিল...মামলা...তুই এসব পারবি করতে?

—পারতেই হবে। যেখানে যা খুশি হয়ে যাবে, কোথাও কোনও প্রতিবাদ হবে না? সহ্যেরও তো একটা সীমা থাকা উচিত, না কী?

সোমনাথ নিশ্চুপ হয়ে গেল। গায়ে কাঁটা দিচ্ছে সহসা। কেন যে দিচ্ছে!

॥ এগারো ॥

—অ্যাই তুতুল, দাদাকে আর একটু ইলিশমাছের তেল দাও।

—না রে পল্টু, আর নয়। তেল দিয়ে সব ভাত মেখে ফেললে বাকি পদ খাব কী করে!

—বেশি আইটেম তো হয়নি দাদা। শুধু ইলিশমাছ আর খাসির মাংস। তোমার জন্য আজ একটু চিংড়ি খুঁজেছিলাম, ভাল কোয়ালিটির গলদা বাজারে পেলামই না।

—বাপস, এর ওপর আবার চিংড়ি! এই হজম করতে পারি কিনা তার ঠিক নেই।

—খুব পারবে। নাও একটু তেল। তোমার তো ইলিশমাছের তেল খুব ফেভারিট।

—আজকাল আর ভরসা পাই না রে। ইলিশ খাওয়ার অভ্যেসটাও তো প্রায় ছেড়েই গেছে। যা গলাকাটা দাম!...এত

১৪৮

তেল বেরোল, কী রকম সাইজ ছিল রে মাছটার?

—পৌনে দু'কেজি মতন।

—কত করে নিল?

দাদার এই এক স্বভাব, সব জিনিসেরই দাম জানা চাই! প্রতীক রাখঢাক না করেই বলল, —তিনশো করে বেচছিল। আমার চেনা মাছঅলা... খুব খাতির করে আমায়... দুশো আশিতে দিল।

—তাও তো অনেক পড়েছে রে! প্রায় পাঁচশো! অত দাম দিয়ে আনতে গেলি কেন?

—অত দাম দাম কোরো না। একদিন এসেছ, খাও।

আড়াইটে বাজে। শনিবার প্রতীকের ছুটির দিন, দ্বিপ্রাহরিক আহার পর্ব চুকতে দেরিই হয় শনি রোববার। আজ অনেক রান্নাবান্না ছিল, বেলা একটু বেশিই গড়িয়েছে। চম্পাকে পাশে নিয়ে পরিবেশন করছে তুতুল। চেয়ারে শেফালি। তার নিরামিষ ভোজন অবশ্য আগেই সাঙ্গ হয়েছে, পরিতৃপ্ত মুখে শুনছে দুই ছেলের বাক্যালাপ।

কাল রাতে বহরমপুর থেকে এসেছে প্রণব। মাস তিনেক আগে তার ছোটছেলে ফুটবল খেলতে গিয়ে চোট পেয়েছিল, এখনও একটা পিঠের যন্ত্রণায় ভুগছে খুব। বহরমপুরের ডাক্তাররা বলছে হাড় নয়, সম্ভবত স্নায়ুর অসুখ। রোগটা ঠিকমতো ধরতে পারছে না। স্থানীয় চিকিৎসায় উন্নতিও হচ্ছে না তেমন। তাই বড় ডাক্তারের সঙ্গে যোগাযোগ করতে প্রণবের এই কলকাতায় আসা। সকালে বেরিয়ে কাজটা চুকিয়ে এসেছে, হপ্তা দুয়েক পরে ছেলেকে এনে দেখাবে কলকাতায়।

পুঁইশাকের কাঁটাচচ্চড়ি দিয়ে ভাত মাখতে মাখতে ভাইপোর অসুখের প্রসঙ্গটা তুলল প্রতীক। বলল, —গুবলুর কপাল ভাল। তিন মাসের আগে দেবোপম গুপ্তর তো ডেটই পাওয়া যায় না।

—এমনি এলে আমিও পেতাম না। প্রণব ইলিশমাছের

ডিমটা মুখে পুরল,— নেহাত সঙ্গে অমিতাভ নন্দীর চিঠি ছিল... অমিতাভ নন্দী ওর ছাত্র তো...

—তা নন্দী কেসটা ছেড়ে দিল যে বড়?

—অমিতাভ নন্দী একটু অন্য রকম, বেশি দিন রোগী হাতে রাখে না।

—তাও তো নয় নয় করে তিন মাস ধরে রাখল। প্রতীক কাঁটা চুষছে, —নিজের দোহন করার পালা শেষ, এবার পেশেন্টকে চ্যানেলে ঢুকিয়ে দিল।

—মানে?

—আজকাল মফস্‌সলের ডাক্তাররা তো বেশির ভাগই আড়কাঠি। কলকাতার নামী নামী ডাক্তারদের পেশেন্ট সাপ্লাই করাটাও তাদের একটা ইনকাম। দ্যাখো, দেবোপম গুপ্ত হয়তো বহরমপুরের মুরগি ধরার জন্য নন্দীকে ফিট করে রেখেছে।

—যাহ্, অমিতাভ ছেলে ভাল। বহরমপুরে দারুণ পপুলার। কত গরিবদুঃখীকে বিনা পয়সায় দেখে।

—সবই ইমেজ তৈরির খেলা দাদা। তোমাদের নন্দী রোগ না ধরতে পারুক, একগাদা টেস্ট নিশ্চয়ই করিয়ে নিয়েছে?

—হ্যাঁ, তাতে তো প্রায় হাজার দুয়েক মতো গেল।

—তার কিছুই কি নন্দীর পকেটে আসেনি? এবার দেখো, দেবোপম আবার নতুন করে সব ক'টা টেস্ট করাবে। সঙ্গে কয়েকটা লেজুড়ও জুড়ে দেবে। মোটা মোটা। ভারী ভারী। এবং সেগুলো তার পছন্দসই জায়গা থেকেই করাতে হবে। প্রতীক চোখ টিপল, —বুঝছ তো ব্যাপারটা? সব্বার কমিশান চাই।

শেফালি বলে উঠল, —বলছিস কী রে পল্টু? ডাক্তারও কমিশান খায়?

এমনভাবে কথা বলছে মা, যেন এটা সত্যযুগ! এইসব খাওয়াখাওয়িয়র ব্যাপার কিছুই যেন মা বোঝে না! অথচ বাবা যখন বহরমপুর কোর্টে চাকরি করত, তখন তারও টু পাইস

আমদানি ছিল। বাবা ঘাড় মটকে আদায় করত না বটে, তবে ভাগের বখরা তো মিলতই। সেই এক্সট্রা পয়সা দিয়ে মা হার গড়াচ্ছে, দুল গড়াচ্ছে... এসব তো প্রতীকের স্বচক্ষে দেখা!

শেফালির দিকে একবার তাচ্ছিল্যের ভঙ্গিতে তাকিয়ে নিয়ে প্রতীক বলল, —কমিশান খাওয়াটা তো আদ্যিকালের দস্তুর দাদা। এখন তার অষ্টোত্তর শত নাম। কেউ বলে কাটমানি, কেউ বলে স্পিডমানি, কেউ বলে ডিসকাউন্ট, কেউ বলে নজরানা...। ভাবো তুমি, ডাক্তাররা কী লাখ লাখ টাকা কামায়, তবু তাদের আরও চাই, আরও চাই। যেখান থেকে যেভাবে পারবে খামচেখুমচে নিচ্ছে। তোমরা বলবে, সরকারি লোকগুলো সব বজ্জাত ঘুষখোর, কিন্তু এদের তুলনায় তো তারা নাঙ্গা ফকির। সমাজের মহান মহান ব্যক্তিরাও আর কেউ সাধুপুরুষ নেই। আদর্শ ধুয়ে জল খাওয়ার দিন শেষ। চুনোপুঁটিরা খায় খাম, আর রাঘব বোয়ালরা খায় আস্ত ব্রিফকেস।

একসঙ্গে এতগুলো কথা বলা প্রতীকের স্বভাবে নেই। তবু বলে ফেলে বেশ একটা আরাম বোধ করছিল। প্রতীকের সচ্ছলতা দেখে দাদা দিদি আজকাল বড্ড নাক কুঁচকোয়। এ বাড়ি এলেই ভিজিল্যান্স অফিসারদের মতো খর চোখে সমীক্ষা চালাচ্ছে প্রতীক কী ভাবে থাকছে, কী খাচ্ছে, কী কী গ্যাজেট কিনে ফেলল...! দাদা তাও চোখ টেরচা করে আর আলটপকা টিপ্পনী কেটেই থেমে থাকে, দিদি চোখ ঘুরিয়ে ঘুরিয়ে শোনায় জামাইবাবু কোন অফিসে অডিট করতে গিয়ে কোন দু' নম্বরিটা কী কায়দায় ধরেছে, কোন অসাধু লোকটাকে ফাঁসিয়েছে...! ওই সব গপ্পো শোনানোর মর্মার্থ কি বোঝে না প্রতীক? আজ দাদাকে শুনিয়ে রাখল, এবার সুযোগ পেলে একদিন দিদিকে ঝাড়তে হবে।

তুতুল হাতায় মাছ তুলেছে। মিষ্টি করে প্রণবকে বলল, — আপনাকে আগে কালোজিরের ঝোল দিই দাদা? ভাপাটা পরে খাবেন?

প্রণব বুঝি ঈষৎ অন্যমনস্ক। বাঁ হাতে চশমা ঠিক করছে। বলল, —দাও।

—পেটি গাদা দু'রকমই দেব? না শুধুই পেটি?

—দুটো পারব না। যে-কোনও একটা।

শেফালি বলল, —খা না খোকন। তুইই তো বলছিলি ইলিশমাছ খাওয়া হয় না!

সরল মনে বলা কথাও কখনও কখনও আহত করে মানুষকে। প্রণবের মুখ ক্ষণিকের জন্য ম্রিয়মাণ। পরক্ষণেই হেসে বলল, —খেতে পাই না বলে সারা বছরের খাওয়া এক দিনেই খেয়ে নেব?

—তা কেন। অনন্যা আজ নিজের হাতে রাঁধল তো!

এটাও একটা বেফাঁস কথা। প্রতীকের ভুরুতে ভাঁজ পড়ল, —কেন মা, তুতুল কি রাঁধে না? কালও তো তোমার জন্য পনির করেছিল।

—সে তো করেই। এই তো গত হপ্তায় কী সুন্দর নারকোল দিয়ে লাউ রেঁধেছিল। এক তরকারিতেই আমার গোটা ভাত খাওয়া হয়ে গেল।

এও বেফাঁস কথা। তুতুল মুখটা ভার করে বলল, —কবে আপনাকে এক তরকারি দিয়ে খেতে দেওয়া হয় মা?

—ওমা না না, আমি সেকথা বলিনি। সঙ্গে সর্ষে পটল ছিল, মুগ ডাল ছিল, ভিন্ডি ছিল, চাটনি ছিল...। আমি বলছিলাম রান্নাটা এত ভাল ছিল যে একটা তরকারিতেই আমার...।

শেফালি সন্ত্রস্ত যেন, —আসলে রোজ রোজ সুষমার রান্না খেয়ে কেমন মুখ মেরে গেছে তো..

আবার বেফাঁস বাক্যি। তুতুলের মুখ আরও ভারী, —আমি তো রোজই আপনার রান্নাটা করে দিতে পারি মা। আপনিই তো বলেন, পয়সা দিয়ে লোক রেখেছ... তুমি কেন রোজ হেঁশেলে ঢুকবে!

উপর্যুপরি আক্রমণে চুপসে গেছে শেফালি। টুঁ শব্দটি করছে

১৫২

না আর। প্রণব খাচ্ছে মাথা নিচু করে। মাছের পালা চুকিয়ে থমকে রইল একটুক্ষণ। যেন মাংসের বাটি টানবে কিনা ভাবছে। সামান্য ইতস্তত করে চামচে এক টুকরো মাংস তুলে ঠেলে সরিয়ে দিল বাটিটা।

তুতুলও বসে পড়েছিল খেতে। হাঁ হাঁ করে উঠল, —ও কী দাদা, ওইটুকু মাংস দিয়েছি তাও...?

—আর পারছি না অনন্যা। এই খেয়েই রাত অবদি পেট আইঢাই করবে। রুনুর বাড়িতে রাত্তিরে আর খেতেই পারব না।

—সে কী? ওবেলা এখানে খাবেন না?

—উপায় নেই গো। রুনু বার বার বলে দিয়েছে। ঝিমলি আজ খড়্গাপুর থেকে এসেছে, তারও কড়া ফরমান বড়মামাকে রাত্তিরে ও বাড়িতে থাকতে হবে।

—অ। প্রতীক বলল, —তার মানে তুমি ওখান থেকেই বহরমপুর চলে যাবে?

—হ্যাঁ। কাল দুপুরের লালগোলা ধরব ভাবছি। দুটো কুড়ি।

—ভাল। আবার যেন আসছ কবে?

—ওই তো, সামনের বেস্পতিবারের পরের বেস্পতিবার। বিশ্বকর্মা পুজোর দিন। শুক্কুরবার ডাক্তার দেখিয়ে, যদি কিছু টেস্ট করতে বলে তো করিয়ে, রোববার গুবলুকে নিয়ে ব্যাক। ভাবছি ওই দিনই মাকেও নিয়ে যাব।

শেফালি জিজ্ঞেস করে উঠল, —ওই দিন কী তিথি পড়ছে?

একসঙ্গে তিন জোড়া চোখ ঘুরে গেল। প্রণব বলল, —তিথি? তিথি দিয়ে কী হবে? কী রে পল্টু, মা কি তোর দেখাদেখি তিথি ক্ষণ মানা শুরু করেছে?

প্রতীকের এই ধরনের ঠাট্টাবিদ্রুপ পছন্দ নয়। তবে তার পরিপাকযন্ত্রটি যথেষ্ট শক্তিশালী, হজম করে নিল নীরবে।

শেফালি বলল, —আমি জানতে চাইছি মহালয়াটা কবে?

—মহালয়ার তো এবার ঢের দেরি। সেই অক্টোবরের গোড়ায়।

—তা হলে আমি অত তাড়াতাড়ি গিয়ে কী করব? পল্টুরা তো বেড়াতে বেরোবে সেই অষ্টুমির দিন। তুই বরং আমায় পঞ্চুমি টঞ্চুমির দিন এসে নিয়ে যাস।

—আবার একদিন আমায় দৌড় করাবে মা? নয় ক'দিন আগেই আমাদের কাছে গেলে। নয় কষ্ট করে ক'দিন বেশিই আমাদের কাছে থাকলে।

—তুই বরং আর একদিন কষ্ট করে আয় না বাবা।

—বুঝেছি। কলকাতার আরাম ছেড়ে তোমার আর মফস্সলে যেতে প্রাণ চায় না।

—আহা, ওখানে আমায় এক মাস মতন তো থাকতেই হবে। যাওয়ার আগে কলকাতার সুন্দর সুন্দর প্যান্ডেলগুলো একবার দেখে যাব না?

মা আর দাদার সূক্ষ্ম দড়ি টানাটানি খুব উপভোগ করছিল প্রতীক। তার ওপর মা'র যে একটা অন্ধ স্নেহ আছে তা সে ছোট থেকেই জানে। রান্না হত তিনটে ডিম, গোটা ডিম প্রতীকের জন্য, বাকি দুটো চার ভাগ করে বাবা-মা-দাদা-দিদি। মাছের পেটিটা, দুধের সরটা তোলা থাকত প্রতীকেরই জন্য। দিদির আট বছর বয়সে পৃথিবীতে এসেছে প্রতীক, দাদা তখন দশ, কোলপোঁছা ছেলের খাতিরদারি একটু বেশি তো হবেই। সুন্দর অজুহাত দিত মা, পল্টুটা তো শাকসবজি কিচ্ছু খায় না, ওরও তো পুষ্টি চাই...! অবশ্য শুধু স্নেহের বশেই মা এখানে আছে তা নয়, এখানকার স্বাচ্ছন্দ্যে বিলাসে রীতিমতো অভ্যস্ত হয়ে গেছে মা। কুটোটি নাড়তে হয় না, সারাদিন বসে বসে টিভি দেখছে, এখন তো মাঝে মাঝেই গাড়ি গিয়ে নামিয়ে আসছে দিদির বাড়িতে...। এরপর কি এল-আই-সির টাইপিস্ট প্রণব চ্যাটার্জির কাছে থাকতে ভাল লাগে? মা এই হিসেবগুলো ভালই বোঝে। দাদার ওই লোকদেখানো আদিখ্যেতায় মা

ভুলবেই না। ওদিকে দাদাও দাদার হিসেবটা ঠিক রাখছে। বহরমপুর থাকার ওপেন অফার দিয়ে রাখছে মাকে। সাপও মরল, লাঠিও ভাঙল না। কেউ কখনও বলতে পারবে না প্রণব চ্যাটার্জি মা'র দায়িত্ব নিতে চায়নি।

মাংস না খেলেও দইটা চেটেপুটে খেল প্রণব। রসগোল্লা নিল মাত্র একটা। উঠে কুলকুচি করছে বেসিনে। শব্দ করে। যত দিন যাচ্ছে তত যেন গেঁয়ো হচ্ছে দাদাটা!

প্রতীক মুখ ধুয়ে দাদাকে জিজ্ঞেস করল, —তুমি কখন যাবে দিদির বাড়ি? সন্ধেবেলা?

—না। ঘণ্টাখানেক পর বেরোব। চারটে নাগাদ। একটুখানি গড়িয়ে নিই।

—মা'র ঘরে গিয়ে তা হলে শুয়ে পড়ো। বালিশ দিয়ে দিচ্ছি, এখানেও গড়াতে পারো। ডিভানে।

শেফালি খাবার টেবিল থেকে সোফায় এসেছে। জুলজুল চোখে বলল, —হ্যাঁ রে পল্টু, তোরা কি বিকেলে কোথাও বেরোবি?

—কেন মা?

—না ভাবছিলাম...ঝিমলিটা এল, মেয়েটার সঙ্গে দু'-তিন হপ্তা দেখা হয়নি, আজ আমিও রুনুর ওখানে রাত্তিরটা থেকে আসি।

বোঝো মহিলার অবস্থা। গাছেরও খাব, তলারও কুড়োব! ষোলোআনা সুখ চাই! প্রতীক বেজার মুখে বলল, —আজ না গেলেই নয়? তুতুল পুজোর বাজার করতে যাবে, আমিও সন্ধেবেলা দক্ষিণেশ্বর যাব...

—না না, মা যান। থেকে আসুন একদিন। তুতুল প্রায় সঙ্গে সঙ্গে উড়ে এসেছে, —চম্পা তো আছে, রুপাইকে দেখবে। আমি আজ বেশি মার্কেটিং করব না, আটটার মধ্যে ফিরে আসব।

—ও কে। মধু তা হলে আগে দাদাদের নামিয়ে আসুক। তারপর তুমি বেরিয়ো।

প্রণব দাঁত খোঁচাচ্ছিল। হাঁ হাঁ করে উঠল, —আহা, গাড়ি কেন? টবিন রোড আর কত দূর? আমি মাকে নিয়ে টুকটুক করে রিকশায় চলে যাব।

—যাও না গাড়িতে। রয়েছে যখন।

—কী দরকার রে পল্টু? এটুকু রাস্তা রিকশাতেই তো ভাল।

—অ। ঠিক আছে। যা তোমার ইচ্ছা।

প্রতীক গোমড়া হয়ে গেল।

রুপাই এখনও ঘুমিয়ে আছে বলে ফ্ল্যাটটাও যেন ঝিমোচ্ছে। শেষ দুপুরে কোথায় যেন একটা পাখি ডাকছিল। বোধহয় নীচের কম্পাউন্ডের কোনও গাছগাছালিতে। তুতুলের চোখ জানলায় গাঁথা। দেখছে নীচটাকে। আনমনে।

হঠাৎই ঘুরে ডাকল, —এই? শুনছ?

প্রতীক বিছানায়। রুপাইয়ের পাশে। চোখ খুলল, —বলছ কিছু?

—তোমার বেআক্কেলেপনার বহরটা ভাবছি। কী দরকার ছিল দাদা এসেছেন বলে গদগদ হয়ে অত্ত বাজার করার?

—আমি আমার কর্তব্য করেছি। আদরযত্নের ত্রুটি রাখিনি।

—তোমার দাদা আদরযত্নের মর্ম বোঝেন? সেই তো বোন বোন করে ছুটছেন। অথচ ওই বোন দাদার কী কম্মে আসে? বিপদ-আপদে সেই তো এসে হাত পাতবেন ছোট ভায়ের কাছে।

—কী আর করা যাবে? যার যেখানে প্রাণের টান।

—ব্যাপারটা বোঝো। মাথায় রেখো, আর একটা এক্সট্রা ঝঞ্ঝাট কিন্তু চাপল ঘাড়ে। মাঝে মাঝেই এখন ছেলেকে নিয়ে কলকাতায় দেখাতে আসবেন। তখন কিন্তু গুবলুকে নিয়ে দিদির বাড়িতে উঠবেন না, এখানেই বডি ফেলবেন। তুমি দেখে নিয়ো।

—আমি আমার যথাসাধ্য করে যাব। প্রতীক একটা শ্বাস ফেলল, —দিদির বাড়ি যখন এক বছর ছিলাম, তখন কম করেছি দিদির জন্যে? জামাইবাবুর গলব্লাডার অপারেশান হল, ডাক্তার নার্সিংহোম সর্বত্র তো আমিই ছুটেছি। সেই দিদির এখন আর আমায় পছন্দ হয় না।

—চেনো তোমার আপনজনদের। তুতুল ড্রেসিংটেবিলের সামনে গিয়ে বসল। চুলে চিরুনি চালাতে চালাতে বলল, —তোমার দাদাও কেমন অপমানটা করলেন দেখলে তো? আমাদের গাড়িতে চড়লে উনি যেন ক্ষয়ে যেতেন! আমিও দেখব গুবলুকে যখন ডাক্তার দেখাতে আসবেন, তখন গাড়ি লাগে কিনা। তখন কিন্তু আমি অকারণে গাড়ি নিয়ে বেরিয়ে যাব, আগে থেকে কিন্তু বলে রাখছি। তোমার যদি তখন খুব প্রেম জাগে, দাদার হাতে ট্যাক্সিভাড়া ধরিয়ে দিয়ো।

প্রতীক উত্তর দিল না। পাশ ফিরে শুয়ে ভাবছে কী যেন।

তুতুল মন দিল সাজে। সরু কাজলের রেখায় উদ্ভাসিত করল আয়ত আঁখি, লিপ লাইনারের টানে প্রস্ফুটিত করল অভিমানী ঠোঁট। হালকা ব্রাশ অন ছোঁয়াবে কি গালে? থাক, এই ঘামে গরমে মানাবে না। তার চেয়ে হালকা করে কমপ্যাক্টের স্পর্শই ভাল। শাড়ি পরবে? না সালোয়ার কামিজ? শাড়ি পরলে বেশ একটা গিন্নি গিন্নি ভাব আসে, দোকানবাজারে শাড়িই চলুক। ওয়ার্ড্রোব খুলে আকাশি নীল জর্জেটখানা বার করল তুতুল, সঙ্গে ম্যাচিং স্লিভলেস ব্লাউজ।

আয়নায় দাঁড়িয়ে ঘেমো ব্লাউজ ছেড়ে ব্রেসিয়ার বদলাতে গিয়ে তুতুল থামল হঠাৎ। ষষ্ঠ ইন্দ্রিয় কী যেন সংকেত পাঠাচ্ছে। প্রায় সঙ্গে সঙ্গে আয়নায় দেখতে পেল উপুড় হয়ে কেমন ঘোর লাগা চোখে তার আদুড় গায়ের পানে তাকিয়ে আছে প্রতীক।

তুতুল আদুরে গলায় ধমক দিল, —অ্যাই? কী গিলছ? মুখ ঘোরাও।

১৫৭

প্রতীকের দৃষ্টি সরল না।

তুতুল লজ্জা পেল একটু। লজ্জা? না লজ্জার ভান? তুতুল নিজেও ঠিক জানে না। তবে এটা বেশ বুঝতে পারে তার এই ব্রীড়াটুকু এখনও প্রতীকের চোখে তাকে খানিকটা রহস্যময়ী করে রেখেছে। মুচকি হেসে শাড়িতে আড়াল করল দেহলতা, কায়দা করে পরল জামা। তুতুল জানে এই আড়ালটুকু পুরুষমানুষের খিদে বাড়িয়ে দেয়।

সযত্নে শাড়ি পরে আঁচলখানা হাতের ওপর মেলে ধরল তুতুল। ব্যালেরিনার মতো এক পাক ঘুরে গিয়ে নিশ্চল হল পেশাদার মডেলদের ভঙ্গিমায়। নেশা ধরানো গলায় বলল, — দ্যাখো তো কেমন লাগছে?

প্রতীকের মুখে শব্দ নেই। দু'আঙুলে মুদ্রা ফোটাল শুধু। তুমি সত্যিই অনন্যা।

তুতুল খিলখিল হেসে উঠল, —তাও তো এখনও টিপ পরিনি। বলেই টিপের পাতা থেকে তুলে ছোট্ট একটা নীল ফুল ফুটিয়ে দিয়েছে দুই ভ্রূপল্লবের মধ্যিখানে। মদির হেসে বলল, —এবার?

প্রতীকের ঠোঁট কেঁপে উঠল, —লর্ড, আই অ্যাম নট ওয়ার্দি, লর্ড আই অ্যাম নট ওয়ার্দি...

—কীই?

—এলিয়টের ভাষায় বলছি। আমি তোমার যোগ্য নই।

—নও'ই তো। সাত জন্ম তপস্যা করলেও এর চেয়ে ভাল বউ তোমার মিলত না, বুঝেছ মশাই?

পেনসিল হিল পায়ে গলিয়ে ফের তুতুল আয়নায় দেখছে নিজেকে। আপনা গন্ধে আপনি বিভোর হয়ে। কস্তুরী মৃগের মতো।

ছন্দ কেটে গেল অকস্মাৎ। ডোরবেল বাজছে। টকটক শব্দ তুলে ড্রয়িং-ডাইনিং স্পেসে এল তুতুল। দরজা খুলে দেখল মধু এসেছে। তাকে গাড়ি বার করতে বলে গ্রীবা হেলিয়ে নিরীক্ষণ

১৫৮

করল ডিভানে অর্ধশায়িত প্রণবকে। গলা মধুর করে বলল,
—গেলে পারতেন। নামিয়ে দিয়ে যেতাম।

প্রণব উঠে বসেছে। একটু অপ্রস্তুত মুখে বলল, —কেন
মিছিমিছি কষ্ট করবে? আমাদের কিছু অসুবিধে হবে না।

ভেতরটা চিড়বিড়িয়ে উঠল তুতুলের। মহা ঢ্যাঁটা। অবশ্য
প্রতীকের এই দাদাটিকে একা দোষ দিয়ে কী লাভ? তার
নিজের বাড়ির লোকরা কী করল সেদিন? মিতুল? বাবা?
প্রতীককে একটু সাহায্য করতে হয়েছে বলে ওই আচরণ?
গাড়িতে চড়বে না তো চড়বে না। তুতুলের ভারী বয়েই
গেল।

রুপাই ঘুম থেকে ওঠার পর কী কী করতে হবে চম্পাকে
তার নির্দেশ দিয়ে তুতুল নেমে এসেছে মাটিতে। কাঁধে খাঁটি
ইটালিয়ান ভ্যানিটি ব্যাগখানা ঝুলিয়ে। এখনও মোড়ক না
খোলা মারুতির কোমল গদিতে বসল রাজেন্দ্রাণীর মতো।
শীত বিলোনো যন্ত্রটাকে চালু করে দিয়েছে মধু, হালকা
আমেজে শিরশির করে উঠল শরীর।

গাড়ি স্টার্ট দিয়ে মধু জিজ্ঞেস করল, —কোন দিকে যাব
ম্যাডাম?

শকটের মালকিন হওয়ার পর থেকে অদ্ভুত এক ব্যক্তিত্ব
জেগেছে তুতুলের। গলায় সেই দাপটটাকে ফুটিয়ে বলল,
—নিউ মার্কেট।

রাস্তায় প্রচুর জ্যামজট। সম্ভবত দুপুরে কোনও মিছিল
বেরিয়েছিল, এখনও তার ফল ভুগছে শহর। পথ আটকে
হেনো চাই তেনো চাই বলে শির ফুলিয়ে লোকগুলোর যে কী
লাভ হয় তুতুলের মাথায় ঢোকে না। কাজ না করে দাবিতে
দাবিতে আকাশ ফাটানো লোকগুলোর যেন স্বভাবে দাঁড়িয়ে
গেছে। এখন এই যানবাহনের জঙ্গল টপকে তুতুল যে এগোয়
কী করে!

নিউ মার্কেট পৌঁছোতে ঘণ্টা দেড়েক লেগে গেল। পুজোর

১৫৯

ভিড় শুরু হয়েছে সবে, এখনও তেমন জমেনি, ঝলমলে শোরুমে এখনও শান্তিতে পা রাখা যায়। তবে তুতুলের আজ কেনাকাটার বড় একটা স্পৃহা নেই, আজ সে এসেছে ঘুরে ঘুরে ঘ্রাণ নেওয়ার বাসনায়। শান্তাবউদি একদিন একসঙ্গে বেরোবে বলছিল, হয়তো সামনের সপ্তাহে আবার একবার এ চত্বরে আসতে হবে। তাও খালি হাতে কি ফেরা যায়, রুপাইয়ের জন্য আপাতত জামাপ্যান্টের সেট কিনল গোটা তিনেক। বাচ্চা মেয়েদের কত রকম পোশাক যে বেরিয়েছে! বাহারি ফ্রক, সুন্দর সুন্দর স্কার্ট ব্লাউজ, স্মার্ট ক্যাপ্রি, মিষ্টি প্যারালাল্স...। ইস রুপাইটা যদি ছেলে না হয়ে মেয়ে হত। উইনডো শপিং করতে করতে ম্যানেকুইনকে পরানো একখানা সালোয়ার কামিজ দেখে চিত্রার্পিতের মতো দাঁড়িয়ে রইল কিছুক্ষণ। কিনে ফেলতে যাচ্ছিল প্রায়, শেষ মুহূর্তে সিদ্ধান্ত বদলাল। থাক, আর কোথায় কী নতুন ডিজাইন এসেছে দেখা যাক। পরিচিত কস্মেটিকসের দোকানটায় দু'-তিন রকমের বিদেশি মেকআপ বক্স এসেছে, দোকানদার প্রায় জোর করে গছিয়ে দিল একটা সেট। প্রতীকের জন্য একখানা মোরামরঙা টিশার্ট কিনে যখন নিউ মার্কেটের গেটে এল ঘড়ির কাঁটা তখন সাড়ে সাতটা ছুঁইছুঁই।

পার্কিং লটে এসে তুতুল গাড়িটা খুঁজছিল। এত রকম গাড়ির মাঝে কোথায় যে লুকিয়ে আছে তার দুধসাদা মারুতি! ইতিউতি চোখ চালাতে চালাতে সহসা স্থির হয়ে গেছে তুতুলের চোখের মণি। ওপারে ফলের রসের বিপণির সামনে ওরা দু'জন কে দাঁড়িয়ে? শরবতের গ্লাস হাতে হাসির ফোয়ারা ছোটাচ্ছে? স্ট্র-এ ঠোঁট লাগাতে গিয়ে ঠেকে যাচ্ছে পরস্পরের মাথা?

অতনু আর মিতুল! মিতুল আর অতনু!

বিস্ময়ের ধাক্কাটা সামলে উঠতেই মাথাটা দপ করে উঠল তুতুলের। ত্বরিত পায়ে পার হল রাস্তা। সোজা গিয়ে দাঁড়িয়েছে

১৬০

মিতুল-অতনুর মাঝখানে।

ভূত দেখার মতো চমকে উঠেছে মিতুল। অতনু যেন তড়িৎস্পৃষ্ট।

ওরা কিছু বলার আগেই তুতুলের মুখ বিকৃত হয়ে গেছে, —বাহ্ বাহ্, দু'জনের জোর পিরিত জমেছে দেখছি! চমৎকার!

—আহ্, দিদি, কী আজেবাজে বকছিস? আমি অতনুদার নাটক দেখতে গিয়েছিলাম।

—নাটকটা কোথায় হচ্ছিল? ভিক্টোরিয়ায়? না গঙ্গার পাড়ে?

—কী হচ্ছে কী দিদি? অসভ্যর মতো কথা বলিস না।

তুতুল বোনকে আমলই দিল না। তীব্র দৃষ্টিতে অতনুকে পুড়িয়ে দিয়ে বলল, —তোর অতনুদার তো শোকে মূৰ্ছা যাওয়ার চেহারা দেখছি না? দিব্যি তো রসেবশে আছে!

আশপাশের লোকজন তুতুলের তীক্ষ্ণ স্বরে ঘুরে ঘুরে তাকাচ্ছে। অতনু চাপা গলায় বলল, —প্লিজ তুতুল, পাবলিক প্লেসে সিন ক্রিয়েট কোরো না।

—থাক, বড় মুখ করে আর কথা বোলো না। আমি জানি তুমি লম্বা লম্বা ডায়ালগ ঝাড়তে পারো। তোমায় ছাড়া বাঁচব না... আমায় ছেড়ে যেয়ো না... হাহ্! তুতুল ভেংচে উঠল, —ভাল নাটক করতে পারো। গুড অ্যাক্টর। আমায় নাচিয়ে এখন আমার বোনের সঙ্গে লীলায় মেতেছ!

—দিদি, তুই কিন্তু বেশি বাড়াবাড়ি করছিস। একটা সহজ বন্ধুত্বের সম্পর্ককে তুই...

—চুপ। বুলি কপচাস না। তোকে চেনা হয়ে গেছে। ছিঃ।

বলেই আর দাঁড়াল না তুতুল। হনহনিয়ে চলে এল এপারে। উদভ্রান্তের মতো খুঁজছে গাড়িখানা। পেয়েই মধুকে ধমক, —থাকো কোথায়, অ্যাঁ? সামনে দেখতে পাই না!

মধু কাচুমাচু মুখে বলল, —ফাঁকা পেলাম বলে এদিকে রেখেছি।

—এখন চলো দয়া করে।

হাতের প্যাকেটগুলো গাড়িতে ছুড়ে দিল তুতুল। সিটে বসে ফোঁস ফোঁস শ্বাস ফেলছে। শ্বাস? না হল্‌কা? মধু কখন গাড়ি স্টার্ট দিয়েছে, পথে কোথায় কী কী পড়ল, ক'বার ট্রাফিক সিগনালে আটকাল কিছুই টের পেল না তুতুল। গাড়ির ভেতরের চড়া ঠান্ডাতে স্বস্তি নেই। ঘামছে। তীব্র এক ক্রোধ মত্ত কুরঙ্গীর মতো পাক খাচ্ছে বুকের কন্দরে। ক্রোধ, না ঈর্ষা? ক্রোধ, না অভিমান? ক্রোধ, না পরাজয়ের গ্লানি?

বাড়ি ঢুকতেই তুতুলকে দেখে চম্পা চমকে উঠেছে, —এ কী বউদি, তোমার মুখচোখ এমন কেন? শরীর খারাপ?

—ন্যাকামো মারিস না। তুতুল খেঁকিয়ে উঠল, —রুপাইকে খাইয়েছিস?

—এই তো মাংসর স্টু দিয়ে রুটি খাওয়াচ্ছিলাম। খেতেই চাইছে না।

—অপদার্থ। দূর করে দেব, দূর করে দেব।

ঘরে ঢুকে আলো জ্বালল না তুতুল। ঝাঁপিয়ে পড়েছে বিছানায়। ঠিকরে আসছে কান্না, ভিজে যাচ্ছে চোখ। মিতুল তাকে হারিয়ে দিল? অতনুর মন থেকে মুছে দিল তুতুলকে?

চম্পা দরজায় দাঁড়িয়ে, খেয়ালও নেই তুতুলের। কাঁদছে তুতুল। রুপাই কক্ষনও মাকে কাঁদতে দেখেনি, সে থতমত মুখে খাটে উঠে বসেছে। ঝুঁকে পড়ল মায়ের গায়ে, —ও মা, কানচো কেনো? কান্‌চো কেন?

তুতুলের একটু একটু করে সংবিৎ ফিরছিল। নাক টানছে জোরে জোরে। অশ্রু নিশ্চিহ্ন ক্রমশ। আবার চোখ জ্বলছে তুতুলের। বাঘিনীর মতো।

॥ বারো ॥

ফার্স্ট ইয়ার পাসের ক্লাস শেষ করে কলেজ লাইব্রেরিতে এসেছিল সোমনাথ। চারখানা বই ফেরত দেবে। কাল সন্ধেবেলা বুকসেলফ গোছগাছ করতে গিয়ে হঠাৎই চোখ পড়েছিল বইগুলোর ওপর। পাস কোর্স ইতিহাসের বই, সেই কোনকালে নিয়ে গিয়েছিল তুতুলের জন্য, জমা না দেওয়াটা নিছকই গড়িমসির ফল।

গ্রন্থাগারের কাউন্টারে যথারীতি ভিড়। ছাত্রছাত্রীদের। প্রয়োজনীয় বইয়ের জন্য তারা স্লিপ পাঠাচ্ছে। ঘেঁটেঘুটে বার করে আনছে গ্রন্থাগারের কর্মীরা। স্টাফদের বিব্রত না করে সরাসরি লাইব্রেরিয়ানের টেবিলে এসে বসল সোমনাথ, —কী ধনঞ্জয়বাবু, খুব ব্যস্ত নাকি?

ধনঞ্জয় পাত্র প্রবীণ মানুষ, বছর পঞ্চান্ন বয়স। কথাবার্তায় কখনও সখনও বাঁকা সুর থাকলেও সোমনাথের সঙ্গে সম্পর্কটা ভাল। হেসে বলল, —এই একটু। নতুন ক'টা বই এসেছে, স্টকে এন্ট্রি করছি। অনেকদিন পর কিন্তু এলেন লাইব্রেরিতে।

—আসি তো মাঝে মাঝে। আপনি কাজে থাকেন, ডিসটার্ব করি না।

—চাপ তো থাকবেই মাস্টারমশাই। মাত্র পাঁচজন স্টাফ নিয়ে এত বড় লাইব্রেরি চালানো, বিশেষ করে এই পিক্ সিজনে...। প্রিন্সিপালকে কতবার বলছি আরও একটা-দুটো হেড দিন, শুনলেই অন্যমনস্ক হয়ে যান। বেশি তাগাদা দিলে বলেন যেভাবে পারছেন সেভাবেই চালান, নতুন পোস্ট আর মিলবে না! কথার ফাঁকেই ধনঞ্জয় দেখে নিয়েছে সোমনাথের হাতের বইগুলো। হাঁক দিয়ে অধ্যাপকদের জাবদা খাতাখানা আনাল। পাতা উলটে বার করল সোমনাথের নাম। বইগুলো জমা করতে করতে বলল, —চা খাবেন নাকি একটু?

—পেলে মন্দ হয় না। ...থাক, কে আবার আনতে যাবে।

—ওটা আমার ব্যাপার। ধনঞ্জয় গলা ওঠাল, —বিজয়, ক্যান্টিনে দুটো চা বলে আয় তো। লিকার। বলেই আবার জাবদা খাতায় চোখ, —শুনেছেন তো, জি-বি মিটিংয়ে কী ডিসিশান হয়েছে?

—কী ব্যাপারে?

—রিগার্ডিং লাইব্রেরি, এখন থেকে নিয়ম হচ্ছে রিটায়ারমেন্টের সময়ে লাইব্রেরির ক্লিয়ারেন্স লাগবে। সব ক'টা বই বুঝে না পেলে কোনও অধ্যাপকেরই পেনশান পেপার প্রসেসড হবে না।

—তাই নাকি? সর্বনাশ! আমার কাছে তো অনেকগুলো আছে!

ধনঞ্জয় ঝটপট গুনে ফেলল সোমনাথের নেওয়া বইয়ের সংখ্যা। বলল, —আপনার কাছে মোট বাষট্টিটা বই আছে।

সোমনাথ দুশ্চিন্তায় পড়ে গেল। এত বই রয়েছে তার কাছে? অবশ্য হলেও হতে পারে। এই কলেজে তিরিশ বছর শিক্ষকতার জীবনে অন্যের জন্যও বই নিয়েছে কত। বুবলির জন্যই তো ফিজিক্সের কয়েকটা বই নিয়েছিল, সে বই বুবলি ফেরতও দেয়নি। খুকুর বাড়িতে সেগুলো কি আর খুঁজে পাওয়া যাবে? কাজটা মোটেই উচিত হয়নি, কলেজের বই নিয়ে এভাবে দানছত্র করাটা খুব অন্যায় হয়ে গেছে। কিন্তু যা করে ফেলেছে তা পূরণ হবে কী করে?

ধনঞ্জয় মিটিমিটি হাসছে, —কী ভাবছেন? আরে, আপনার চেয়ে অনেক বড় বড় ওস্তাদ আছে কলেজে। কারুর কাছে আশিটা, কারুর কাছে নব্বই, কেউ কেউ সেঞ্চুরি করে ফেলেছে।

—ও। তা হঠাৎ এমন কড়াকড়ি হচ্ছে যে?

—কেউ একজন জি-বি প্রেসিডেন্টের কানে তুলে দিয়েছে কথাটা। কলেজের মাস্টাররা নাকি শয়ে শয়ে বই গাপ করে দিচ্ছে। কথাটা অবশ্য খুব ভুলও নয়। মনে আছে, নির্মলবাবু

১৬৪

বলতেন আমরা মাস্টাররা হলাম ছ্যাঁচড়ার ছ্যাঁচড়া? গাঁটের কড়ি খরচা করে বই কিনি না, কলেজের লাইব্রেরিটাকে বাপের জমিদারি ভেবে নিই! ধনঞ্জয় একটু গলা নামাল, —তবে আর একটা ইনফরমেশানও আপনাকে দিতে পারি। আমাদের জি-বি প্রেসিডেন্টও তো একসময়ে কলেজেরই শিক্ষক ছিলেন ... দুর্জনেরা বলে তাঁর বাড়িতেই নাকি নিজের কলেজ লাইব্রেরির দেড়শো বই মজুত আছে। এখনও। রিটায়ারমেন্টের ছ' বছর পরেও। তা তিনি হলেন বড় গাছের মোটা গুঁড়ি, তাঁর তো কোনও পাপ নেই!

সোমনাথ মনে মনে বলল, একেই বলে চোরের মায়ের বড় গলা!

মুখে বলল, না না, আমি দিয়ে দেব। একমাত্র যদি হারিয়ে টারিয়ে গিয়ে থাকে ...

—দাম দিয়ে দেবেন। ... এই দেখুন না, কী অপ্রিয় কাজ করতে হচ্ছে। নির্মলবাবুর নামে গোটা বারো-তেরো বই ইস্যু করা ছিল, সেগুলো চেয়ে বাড়িতে চিঠি পাঠাতে হবে।

কথায় ছেদ পড়ল। প্রিন্সিপালের পিয়োন সুরথ এসে ডাকছে সোমনাথকে, —স্যার, আপনার ফোন।

—আমার?

—হ্যাঁ স্যার। আপনার বাড়ি থেকে। প্রিন্সিপালের ঘরে। এক্ষুনি আসুন।

—চা খাওয়াটা আমার কপালে নেই। সোমনাথ উঠে দাঁড়াল, —চলি।

দ্রুত পায়ে প্রিন্সিপালের চেম্বারে এসে টেবিলে নামিয়ে রাখা রিসিভার তুলেছে সোমনাথ। সামান্য চিন্তিত মুখে। হঠাৎ বাড়ির ফোন কেন?

ওপ্রান্তে মৃদুলার তরল স্বর, —অ্যাই, তুমি আজ বাড়ি ফিরছ কখন?

স্বস্তি পেল সোমনাথ। যাক, তেমন কিছু নয়! স্বাভাবিক স্বরে

বলল, —কেন?

—আমি খেয়েদেয়ে উঠে একটু বেরোব। তুতুল এক্ষুনি ফোন করেছিল। ও গাড়ি নিয়ে আসছে। আমায় তুলে নিয়ে দক্ষিণেশ্বর আদ্যাপীঠ বেলুড় যাবে। ওর শাশুড়িও থাকছে সঙ্গে।

অজান্তেই গলাটা বিরস হয়ে গেল সোমনাথের, —ও।

—আমাদের ফিরতে কিন্তু সাড়ে সাতটা-আটটা। বেলুড়মঠের সন্ধ্যা আরতি না দেখে আসব না।

—হুঁ।

—পাশে সর্বাণীদের ফ্ল্যাটে চাবি রেখে যাচ্ছি। মিতুলের আগে ফিরলে ওখান থেকে চাবি নিয়ে নিয়ো।

—আর মিতুল যদি আগে আসে?

—ও নিয়ে তোমায় ভাবতে হবে না। ওরা মিতুলকে ডেকে চাবি দিয়ে দেবে।

—ও।

—রান্নাঘরে কৌটোয় চিঁড়েভাজা আছে, বের করে নিয়ো।

—ঠিক আছে।

—ইস, ক'দিন ধরেই মনটা বেলুড় দক্ষিণেশ্বর করছিল। ... রাখছি।

ফোন নামাতেই পুলকেশের সঙ্গে চোখাচোখি। কোথাও বেরোচ্ছে বোধহয়। উঠে দাঁড়িয়েছে।

জিজ্ঞেস করল, —এনি সিরিয়াস নিউজ?

—নাহ্।

—আপনাকে কি ক্লাস থেকে ডেকে আনল?

—না। লাইব্রেরিতে ছিলাম।

—এখন বুঝি অফ পিরিয়ড?

—হ্যাঁ। এরপর টানা তিনটে ক্লাস আছে। তিনটেই অনার্সের।

পুলকেশকে আর কিছু জিজ্ঞাসার অবকাশ না দিয়ে তার সাজানো গোছানো চেম্বার থেকে বেরিয়ে এল সোমনাথ।

১৬৬

মেজাজ আচমকাই খিঁচড়ে গেছে খানিকটা। কল্পচক্ষে দেখতে পাচ্ছে মেয়ের গাড়ি চড়ে ঘোরার আনন্দে কেমন ডগমগ হয়ে আছে মৃদুলা। যেন তুতুলের কল্যাণে এই প্রথম বেলুড়মঠ দর্শনের সুযোগ জুটল! অথচ ফি-বছর বার দুয়েক তো যায়ই, এই মাস কয়েক আগেও মৃদুলাকে বেলুড় দক্ষিণেশ্বর ঘুরিয়ে এনেছে সোমনাথ। তুতুলের গাড়ি নিয়ে এত আদিখ্যেতা করছে কেন? পরশুই তো গাড়ি পাঠিয়ে দিয়েছিল তুতুল, মহারানির মতো বাপের বাড়ি ঘুরে এল মৃদুলা। সম্ভবত দাদা বউদিকে সমঝে দিয়ে এল, গাড়ি শুধু তাদের একার নেই। কী নির্লজ্জের মতো মেয়ের কাছে চাইল গাড়িটা। হয়তো আজও নিজেই যেচে ...। সোমনাথ তো স্পষ্ট বুঝিয়ে দিয়েছে তুতুলদের অন্যায় আবদারে সে যথেষ্ট আহত, তার পরও মৃদুলার এই আদেখলেপনা কি সোমনাথকে ছোট করা নয়?

সোমনাথ স্টাফরুমে এসে বসল। অপ্রিয় প্রসঙ্গটা মন থেকে তাড়াতে ব্যাগ খুলে একটা বই বার করেছে। চোখ বুলোচ্ছে বইয়ের পাতায়। অনার্স পিরিয়ডের প্রস্তুতি। লেকচার পুরো তৈরি না করে ক্লাসে যেতে সোমনাথের এখনও অস্বস্তি হয়।

পাঠে তবু মন বসাতে পারছে না সোমনাথ। মৃদুলাকে ছেড়ে এবার তুতুল প্রবেশ করেছে মাথায়। বড়মেয়ে ভালমতোই বুঝে গেছে বাবার অসন্তোষটা, সেদিনের পর থেকে আর আসছে না এ-বাড়ি। নিয়মিত টেলিফোন করে মাকে, একদিন সোমনাথের সঙ্গেও কথা বলেছে, কিন্তু গলায় কেমন যেন আড়ষ্ট ভাব। রুপাইকে ফোন ধরিয়ে দিয়ে সরে গেল। মিতুলের ওপরও খুব চটেছে মনে হয়। সোমনাথ সেদিন আগ্রহ করে মিতুলের স্কুলের প্রসঙ্গ তুলতে গেছিল, তুতুল নিষ্প্রাণ স্বরে জানিয়ে দিল, মিতুলের ব্যাপার মিতুল বুঝুক, তার জানার কোনও কৌতূহল নেই। দু'বোনে তেমন গভীর সখিত্ব না থাকলেও মাঝে মাঝে ফোনাফুনি চলত, এখন তাও বন্ধ। মিতুলটাও তেমনি জিদ্দি, কিছুতেই যেচে কথা বলে না। এই ধরনের ঘরোয়া মন কষাকষি

১৬৭

সোমনাথের ভাল লাগে না। কিন্তু কী করা যাবে? তুতুলের তালে তাল দেওয়াও তো সবসময়ে সম্ভব নয়। আপাতত তুতুলের মান ভাঙাতে সোমনাথ হয়তো কৃত্রিম উচ্ছ্বাস দেখিয়ে মেয়ে-জামাইয়ের সঙ্গে একটা সন্ধি করে নিতে পারে। কিন্তু সেই বা এগোবে কেন? প্রথম পদক্ষেপ তো তুতুল প্রতীকেরই নেওয়া উচিত। তাদের স্বীকার করা উচিত পন্থাটা তাদের সঠিক হয়নি। অবশ্য তাতেই বা কী? তুতুলদের জীবন যাপনের ধারা কি বদলাবে?

সীতাংশুর উত্তেজিত স্বরে চিন্তা ছিঁড়ে গেল। নির্মলকে নিয়ে কী যেন বলছে সীতাংশু। সোমনাথ বই থেকে মুখ তুলল, —কী হল সীতাংশুবাবু? এত রাগারাগি করছেন কেন?

—রাগ নয়, কী ঝঞ্ঝাটে পড়লাম, তাই বলছি। সীতাংশুর স্বর তেতো, —নির্মল আগ বাড়িয়ে সার্ভিস বুকের কাজগুলো নিয়েছিল ... কী করে গেছে, কতটুকু করে গেছে, কিছুই জানি না। এখন দেখছি আমার সার্ভিস বুকটা কোথায় তারই হদিশ নেই।

—অফিসে দেখেছেন?

—সব দেখা হয়ে গেছে। একমাত্র বাকি নির্মলের ওই লকার।

মৃগাঙ্ক বলে উঠল, —তা নির্মলদার লকার খুলে দেখলেই তো হয়।

—তার চাবি থাকলে তো! বড়বাবু বলল শুধু নির্মলের লকারেরই ডুপ্লিকেট চাবি নেই।

—তা হলে নির্মলদার বাড়িতে ফোন করতে হবে।

—যদি বাড়িতেও না পাওয়া যায়?

—আগেই বলে দিচ্ছেন কেন? খোঁজ নিয়ে দেখুন না। যদি একান্তই না পাওয়া যায় তো লকার ভাঙতে হবে।

—যদি লকারে না থাকে? যদি মিসপ্লেসড হয়ে গিয়ে থাকে? নির্মলের তো অভ্যেস ছিল সব কাজ একা করে দেখিয়ে দেওয়ার। কোথায় কী রাখছে কাউকে তো বলেওনি।

১৬৮

একা সমস্ত দায়িত্ব কাঁধে নিয়ে নির্মলের কাজ করে ফেলার অসামান্য দক্ষতায় সীতাংশু না উচ্ছ্বসিত ছিল সেদিনের শোকসভায়? আজ সামান্য উৎকণ্ঠার মুখোমুখি হয়েই নির্মলের গুণটা সীতাংশুর চোখে দোষ হয়ে গেল? একটু ভাল করে খোঁজার ধৈর্য নেই, অবলীলায় পালটি খেয়ে সমালোচনা করছে মৃত সহকর্মীর?

অবশ্য সীতাংশু ঘোষ তো এই টাইপেরই। চাকরির প্রথম দিন থেকেই তো দেখছে সোমনাথ। যেমনি ধান্দাবাজ, তেমনি সুবিধেবাদী। রং পালটানোয় গিরগিটিকেও হার মানায়। এককালে ঘোর দক্ষিণপন্থী ছিল, এখন হাওয়ার সঙ্গে সাঁতরে সাঁতরে নদীর বাঁ পাড়ে। পড়ানোয় কোনও দিনই কণামাত্র উৎসাহ নেই, সিলেবাস আউড়ে আর সাজেশান দিয়ে কোর্স শেষ করে দেয়, অনবরত চেষ্টা চালিয়ে গেছে কী করে হোস্টেল সুপারের পোস্টটি বাগিয়ে কিংবা এন এস এস অফিসার হয়ে বাড়তি কিছু রোজগার করা যায় ...। আগের দুই অধ্যক্ষের অতি বশংবদ ছিল সীতাংশু, এখন সে পুলকেশের প্রায় আজ্ঞাবহ ভৃত্য। নির্মল রসিকতা করে বলত, এদের চিনে রাখো সোমনাথ, এরাই হচ্ছে খাঁটি দল মতের ঊর্ধ্বের মানুষ। চিরটাকাল এরা বাঁধা থাকে চেয়ারের সঙ্গে।

জেনেশুনেও কেন যে নির্মল এর কাজটা হাতে নিয়েছিল? সোমনাথ অপ্রসন্ন মুখে বলল, —বি সেন্সিবল সীতাংশুবাবু। নির্মল শুধু আপনারই কাজ করছিল না, আমাদের বেশ কয়েকজনের সার্ভিস বুকও নির্মল হ্যান্ডল্ করছিল।

—তারাও ভুগবে। টেরটি পাবে।

—চমৎকার দৈববাণী করলেন তো। সোমনাথের গলায় হঠাৎ শ্লেষ ফুটেছে। চোখা স্বরে বলে উঠল, —আমি তো নির্মলকে একটু একটু চিনতাম, আমি জানি নির্মল অত দায়িত্বজ্ঞানহীন ছিল না। প্রতিটি সার্ভিস বুকই ও যত্ন করে রেখেছিল। এবং সব ওর লকারেই আছে।

—আপনি যখন নির্মলের হয়ে গ্যারান্টি দিচ্ছেন তা হলে হয়তো আছে। না থাকলে তো ব্যাম্বু।

এই মুহূর্তে সীতাংশুর বাকভঙ্গি অসম্ভব অশালীন মনে হল সোমনাথের। লোকটার সঙ্গে আর কথা বলার প্রবৃত্তি হচ্ছে না। চোয়ালে চোয়াল কষে মুখ নামিয়ে নিল বইয়ের পৃষ্ঠায়। টের পাচ্ছিল গরম হচ্ছে কান, তপ্ত হচ্ছে মাথা। বেল পড়তেই উঠে গেল টেবিল ছেড়ে।

বর্ষা এবার তাড়াতাড়ি চলে গেছিল। ভাদ্রের শেষে আবার যেন সেজেগুজে উঁকিঝুঁকি মারছে। সকাল থেকেই আকাশ আজ মনমরা। একটু বুঝি থমথমেও।

সোমনাথ আকাশ দেখতে দেখতে করিডোর ধরে হাঁটছিল। হাতে অ্যাটেন্ডেন্স রেজিস্টার আর চক-ডাস্টার। হঠাৎই সামনে পথ রোধ করেছে এক জোড়া ছাত্রছাত্রী।

সোমনাথ দাঁড়াল, —কিছু বলবে?

ছেলেটি বলল, —স্যার, আপনি কি পড়াচ্ছেন?

ক্ষণপূর্বের বিরক্তি ভুলে সোমনাথ হাসল, —পড়ানোই তো আমার কাজ। পড়াতেই তো আমি কলেজে আসি।

মেয়েটি কুণ্ঠাহীন স্বরে বলল, —ও পড়ানোর কথা বলছি না স্যার। জিজ্ঞেস করছিলাম আপনি প্রাইভেট পড়াবেন?

প্রশ্নটা সরাসরি এসে বিঁধল সোমনাথকে। আজকালকার ছেলেমেয়েরা অনেকটাই বদলে গেছে। কী অকপটে প্রস্তাব রাখে প্রাইভেট পড়ানোর! মাত্র ক'বছর আগেও এরা সরাসরি জিজ্ঞেস করার সাহসই পেত না। অন্য যারা প্রাইভেট পড়ত, তাদের মাধ্যমে আসত ছাত্রছাত্রীরা। এখন আর কোনও সংকোচ নেই। ভাবটা এমন, কড়ি ফেলে তেল মাখব, এতে আর লজ্জা কীসের!

অবশ্য এদের দুষে কী লাভ! প্রশ্রয় তো সোমনাথরাই দিয়েছে। এখন যে সোমনাথ প্রাইভেটে পড়াচ্ছে না, তার যতটা না নীতিবোধে তার চেয়ে বেশি তো ভয়ে। এই কুৎসিত

সত্যিটাকে সোমনাথ মন থেকে অস্বীকার করে কী করে? তা ছাড়া এখনও যারা চোরাগোপ্তা টিউশ্যনি চালিয়ে যাচ্ছে তারা যে কী স্তরের নোংরামি করে তাও তো সোমনাথের অজানা নয়। এই স্বপনই তো প্রতি মাসে পড়ানোর জায়গা বদলায়, পাছে কেউ ধরে ফেলে। অংশুমান তো আরও সরেস। থোক নোট দিয়ে থোক টাকা নিয়ে নেয়। সৌরীন তো প্রথম দিন ক্লাসে গিয়ে হাবভাবে বুঝিয়ে দেয় তার সঙ্গে আড়ালে যোগাযোগ না করলে পরিণাম খারাপ হওয়ার সম্ভাবনা আছে। নির্মল দেবব্রত তথাগতদের মতো ক'জনই বা সারাটা জীবন প্রাইভেট টিউশ্যন না করে চালাতে পেরেছে? মহিলা শিক্ষকরাও অবশ্য অনেকটাই পরিষ্কার। একে ডবল ইনকাম গ্রুপ, তার ওপর ক্লাস সেরেই সংসার করতে ছোটার তাড়না, কেনই বা তারা এ বোঝা নেবে!

যাই হোক, এই ছাত্রছাত্রীদের ওপর অসন্তুষ্ট হওয়া সোমনাথের সাজে না। সোমনাথ স্মিত মুখে জিজ্ঞেস করল, —তোমরা নিশ্চয়ই ফার্স্ট ইয়ার?

—হ্যাঁ স্যার।

—শোনো, আমি একসময়ে পড়াতাম। এখন ছেড়ে দিয়েছি। তোমরা নিয়মিত আমার ক্লাস করো, মনে হয় তোমাদের অসুবিধে হবে না। অন্তত আমার পেপারে।

দু'জনের একজনেরও মনে ধরল না কথাটা। মেয়েটা মাথা ঝাঁকিয়ে বলল, —আপনার কোনও প্রবলেম হবে না স্যার। আমরা বাড়ি গিয়ে পড়ে আসব। কাউকে জানাবই না।

—আহ্‌। সোমনাথ ঈষৎ উষ্ণ গলায় বলল, —তোমাদের তো বললাম, আমি পড়াই না।

ছেলেটা বলল, —তা হলে আর কে পড়ান স্যার? এস ডি? পি কে?

সোমনাথের ধৈর্যচ্যুতি ঘটল। শুধু এ-বছরই নয়, গত বছরও প্রায় এরকমই ভাষায় প্রাইভেট পড়ানোর আবেদন জানিয়েছিল

১৭১

ছাত্রছাত্রীরা, কিন্তু এই দু'জনের প্রত্যাশা যেন লাগামছাড়া। এদের টিউটর জোগাড় করে দেওয়াও কি সোমনাথের কাজ?

সোমনাথ রুক্ষ গলায় বলল, —বিহেভ ইয়োরসেলফ। ডোন্ট আস্ক সিলি কোয়েশ্চেনস।

আশ্চর্য, তেমন কোনও বিকার নেই ছেলেমেয়ে দুটোর। কাঁধ ঝাঁকিয়ে সরে গেল শুধু। সোমনাথ ঘুরে ঘুরে দেখছিল তাদের। ছেলেমেয়েদের মধ্যে এই ধরনের মানসিকতা গড়ে ওঠার জন্য কি শুধু শিক্ষকরাই দায়ী? পরিবারেরও কি কোনও ভূমিকা নেই? সমাজের? রাষ্ট্রের? মিডিয়ার? দুনিয়া এখন এমন এক বাজার যেখানে সব কিছুকেই দেখা হবে কেনা বেচার নিরিখে! শিক্ষাও! সম্পর্কও!

ঝিমঝিমে মাথায় ক্লাসরুমে এল সোমনাথ। চেয়ারে বসে নিজেকে স্থিত করার চেষ্টা করল কিছুটা। সাধারণত সে রোল কল করে ক্লাসের শেষে, আজ কাজটা শুরু করল গোড়াতেই। দীর্ঘ শিক্ষকজীবনের অভিজ্ঞতা তাকে শিখিয়েছে এতে খানিকটা মাথা ঠান্ডা হয়।

সেকেন্ড ইয়ার অনার্সের ক্লাসে আজ পঁয়ত্রিশজন মতন উপস্থিত। ছাত্রীই বেশি, ছাত্র আছে গোটা দশেক। রোল কল সেরে ব্ল্যাকবোর্ডে গেল সোমনাথ, লিখল আজকের বিষয়। মতাদর্শের প্রকৃতি বিচার।

গলা ঝেড়ে নিয়ে ডায়াসের সামনে এল সোমনাথ। স্পষ্ট উচ্চারণে বলতে শুরু করল, —মতাদর্শের প্রকৃতি বিচারের আগে আমাদের বুঝতে হবে মতাদর্শ কাকে বলে। মতাদর্শ হল বিশেষ ধরনের মূল্যবোধ বা বিশ্বাসের সমষ্টি। যখন একটা বিশেষ সমাজ বিশেষ কিছু বিশ্বাস বা নিয়মকে সমাজের পক্ষে কল্যাণকর বলে ধরে নিয়ে মেনে চলতে শুরু করে, তখন আমরা তাকে বলি সামাজিক মূল্যবোধ। একই ধরনের ধারণা থেকে আমরা বলতে পারি, রাজনীতির ক্ষেত্রে যদি এরকম কোনও মূল্যবোধ বা বিশ্বাসকে মেনে চলার ব্যাপারে কিছু মানুষ অঙ্গীকারবদ্ধ হয়, তখন

১৭২

আমরা বলি এই মানুষগুলো ওই রাজনৈতিক মতাদর্শের অনুগামী। যত ধরনেরই রাজনৈতিক মতাদর্শ থাক না কেন, তাদের আমরা মূলত তিনটে ভাগে ভাগ করতে পারি। প্রথমত দক্ষিণপন্থী, যারা বর্তমান ব্যবস্থা বজায় রাখতে চায়। দ্বিতীয়ত বামপন্থী, যারা পরিবর্তন আনতে চায়। আর তৃতীয়টি হল মধ্যপন্থী। যারা পরিবর্তনও চায়, আবার বর্তমান ব্যবস্থার অল্পস্বল্প পরিবর্তন ঘটিয়ে প্রধানত বর্তমান কাঠামোটাকে বজায় রাখতে চায়।

থার্ড বেঞ্চ থেকে একটি ছাত্রী উঠে দাঁড়িয়েছে, —স্যার, একটা প্রশ্ন করব ?

—বলো।

—স্যার আমাদের রাজ্যে তো পঁচিশ বছর ধরে একই ধরনের গভর্নমেন্ট রয়েছে। মানে একই মতাদর্শে বিশ্বাসী কিছু দলের সরকার। কোনও রাজনৈতিক দল যদি এই ব্যবস্থাটার পরিবর্তন ঘটাতে চায় তাকে কি আমরা বামপন্থী বলব ? অথবা যারা দীর্ঘকাল সরকার চালানোর সুবাদে একটা সিস্টেম কায়েম করেছে, এবং সেই অবস্থাটাকেই বজায় রাখতে চায়, তাদের কি আমরা দক্ষিণপন্থী বলতে পারি ?

বিটকেল প্রশ্ন! এ ধন্দ তো সোমনাথেরও মনে জাগে। সামান্য থমকে থেকে সোমনাথ বলল, —বর্তমান ব্যবস্থা বলতে আমরা কিন্তু শুধু কে গভর্নমেন্টে আছে, কে গভর্নমেন্টে নেই, এ-কথা বলছি না। রাজনৈতিক মতাদর্শ তার চেয়ে অনেক বড় ব্যাপার। একটা রাষ্ট্রের সামগ্রিক কাঠামো কী ভাবে চলবে, বা কী রকম হবে, তা নির্ধারণ করাই রাজনৈতিক মতাদর্শের কাজ। এই কাঠামোটাকে যারা টিকিয়ে রাখতে চায় তারাই মূলগত অর্থে দক্ষিণপন্থী। কোন পার্টি এটাকে চালাচ্ছে সেটা বড় কথা নয়। কাঠামোটাকে যারা রাখতে চায় তারাই দক্ষিণপন্থী, আর যারা ভেঙে ফেলতে চায় তারা বাম। অর্থাৎ এই বিচারে ভারতের সংসদীয় গণতন্ত্রে অংশগ্রহণকারী প্রত্যেকটি দলই কিন্তু দক্ষিণপন্থী। কারণ এরা প্রত্যেকেই মূল

কাঠামো, অর্থাৎ সংসদীয় গণতন্ত্রটাকে বজায় রাখায় বিশ্বাসী। অবশ্য ঘোষিত রাজনৈতিক মতাদর্শের ক্ষেত্রে অনেক রাজনৈতিক দলই সংসদীয় গণতন্ত্রে বিশ্বাস করে না বলে ঘোষণা করে, যদিও তারা পুরোমাত্রায় সংসদীয় গণতন্ত্রের ওপর ভিত্তি করেই দাঁড়িয়ে আছে। আমাদের মনে রাখতে হবে রাজনৈতিক মতাদর্শের প্রধান গুরুত্ব ...

—একটু আসছি স্যার।

পড়ানোয় জোর হোঁচট খেল সোমনাথ। ক্লাসরুমের দরজায় অভিজিৎ দেবলীনার সঙ্গে গোটা চারেক ছেলেমেয়ে।

সোমনাথের অনুমতির অপেক্ষা না করেই অভিজিৎ সদলবলে ঢুকে পড়েছে ঘরে। তড়বড় করে বলল— শারদোৎসব নিয়ে ছাত্রবন্ধুদের কিছু বলার ছিল স্যার। বলে নিই?

সোমনাথ আহত স্বরে বলল, —তুমি ক্লাস চলার সময়ে দুম করে ঢুকে পড়লে?

—ঢোকার আগে বলে নিলাম তো।

ইদানীং স্নায়ু যেন আর কিছুতেই বশে থাকছে না সোমনাথের। চড়াং করে গরম হয়ে গেল মাথা। গমগমে গলায় বলল, —আমি তো তোমাদের অ্যালাও করিনি। তোমরা এখন বাইরে যাও। যা বলার ক্লাস শেষ হওয়ার পরে এসে বলবে।

—অতক্ষণ তো অপেক্ষা করা যাবে না স্যার। অভিজিৎ উড়িয়ে দিল সোমনাথকে, —খুব আরজেন্ট ব্যাপার।

—ক্লাসের টাইমে ক্লাসের চেয়ে আরজেন্ট কোনও কাজ নেই। আমি আবার বলছি, গো আউট।

—কেন ঝামেলা করছেন স্যার? তিন মিনিটের একটা বক্তব্য রাখব, এতে আপনার কী অসুবিধে হবে? বলেই অভিজিৎ ছাত্রছাত্রীদের দিকে ঘুরেছে, —বন্ধুগণ, প্রতি বছরের মতো এবারও দুর্গাপুজোর আগে ছাত্র সংসদের পক্ষ থেকে শারদোৎসবের আয়োজন করা হয়েছে ...

সোমনাথ রাগে কাঁপছে ঠকঠক। বদলে গেছে পুরোপুরি। পা

১৭৪

ঠুকে চেঁচিয়ে উঠল, —উইল ইউ প্লিজ শাট আপ? আমি তোমাদের ক্লাসের বাইরে যেতে বলেছি না? এক্ষুনি বেরোও। ইমিডিয়েটলি।

অভিজিৎ ঘুরে দাঁড়িয়ে তর্জনী তুলল, —চোখ রাঙাবেন না স্যার। আমি ছাত্র সংসদের সম্পাদক। আমি যে-কোনও সময়ে আমার ছাত্রবন্ধুদের সঙ্গে মিট করতে পারি। আপনি আমার সেই গণতান্ত্রিক অধিকারে হস্তক্ষেপ করতে পারেন না। এ ধরনের প্রতিক্রিয়াশীল কার্যকলাপ আমরা কিন্তু বরদাস্ত করব না।

সোমনাথ ক্রোধে তোতলাচ্ছে, —তোতোতোতোমরা বাইরে যাবে না?

—না। মাথায় রাখবেন ছাত্র ইউনিয়ন একটা স্ট্যাটিউটরি বডি। অভিজিৎ ফের বক্তৃতা শুরু করেছে, —বন্ধুগণ, ওই শারদোৎসবে আমরা ছাত্র সংসদের তরফ থেকে একটা সাংস্কৃতিক অনুষ্ঠান করতে চলেছি। গান নাটক গীতিআলেখ্য...। প্রতিটি ক্লাসের ছেলেমেয়েকেই আমরা সক্রিয় অংশগ্রহণ করার জন্য অনুরোধ জানাচ্ছি। যারা যারা অংশগ্রহণ করতে ইচ্ছুক তারা ইউনিয়ন অফিসে এসে অবিলম্বে...

কান মাথা ঝাঁ ঝাঁ করছে সোমনাথের। পলকের জন্য মনে হল সে বুঝি বধির হয়ে গেছে। পরক্ষণেই যেন সামনে বসা পঁয়ত্রিশটা ছেলেমেয়ে কানের কাছে খলখল হেসে উঠল। সবাই একসঙ্গে আঙুল নাচাচ্ছে, —তুই একটা ভাঁড়। তুই একটা জোকার। একটা নপুংসক।

সোমনাথ জ্ঞান হারাল। জন্ম থেকে বুকের ভেতর জমে থাকা তুষের আগুন পলকে জ্বলে উঠল দাউদাউ। ঝাঁপিয়ে পড়েছে অভিজিতের ওপর। চুলের মুঠি ধরে চড় কষাল সপাটে। হতচকিত অভিজিৎ বাধা দেওয়ার সুযোগ পেল না। আবার চড় মারল সোমনাথ। আবার।

গোটা ক্লাসরুম স্তব্ধ। নিষ্পলক।

॥ তেরো ॥

...বন্ধুগণ, আমি বলতে চাই অভিজিতের ওপর আক্রমণটা কোনও ব্যক্তিগত আক্রমণ নয়। এই আক্রমণের লক্ষ্য ছাত্র সংসদ। ছাত্রসমাজ। একজন অভদ্র অধ্যাপক আমাদের প্রিয় সম্পাদককে আক্রমণ করে আমাদের পুরো ছাত্রসমাজকে অপমানিত করেছেন। আমরা কি বুঝি না এই ধরনের ন্যক্কারজনক আচরণের কী অর্থ। কিছুকাল ধরেই আমরা লক্ষ করছি, অধ্যাপকদের একটা অংশ আমাদের মোটেই সুনজরে দেখছেন না। কারণও আছে। আমরা তাঁদের কায়েমি স্বার্থে আঘাত করেছি। কলেজে না পড়িয়ে তাঁরা যেভাবে প্রাইভেট টিউশ্যনি করে লক্ষ লক্ষ টাকা রোজগার করেন তাতে আমরা বাধা দিয়েছি। তাঁরা যাতে ক্লাস ফাঁকি দিয়ে আমাদের বঞ্চিত করতে না পারেন, তার জন্য আমরা সতর্ক প্রহরায় থেকেছি। একটা হতদরিদ্র পরিবারের ছেলে বা মেয়ে কত কষ্ট করে উচ্চশিক্ষা লাভের আশায় কলেজে পড়তে আসে তা বোঝার ক্ষমতা এইসব অধ্যাপকদের নেই। তাঁরা বসে আছেন টাকার পাহাড়ে, কলেজ তাঁদের মুনাফা লোটার জায়গা...

কলেজ গেটে আজ তুমুল উত্তেজনা। এতক্ষণ ছাত্র ইউনিয়নের মুহুর্মুহু স্লোগানে কেঁপে কেঁপে উঠছিল দশ দিক। এখন শুরু হয়েছে বক্তৃতার পালা। ক্লাসরুম থেকে টেবিল নিয়ে গিয়ে অস্থায়ী এক মঞ্চ বানানো হয়েছে গেটের মুখে। মঞ্চের সামনে বড়সড় জটলা, জনা পঞ্চাশ-ষাট ছেলেমেয়ের জমায়েত। তাদের বেশির ভাগের চোখেই মজা দেখার কৌতূহল। একের পর এক বক্তা উঠছে মঞ্চে। কেউ বা কলেজেরই পড়ুয়া, কেউ বা স্থানীয় ছাত্রনেতা। মাইক্রোফোনে চলছে জ্বালাময়ী ভাষণ। এখন বলছে দেবলীনা। তার ধারালো চিৎকারে মুখরিত গোটা কলেজ চত্বর।

দেবলীনার গলা চড়ছে ক্রমশ, —প্রিয় বন্ধুগণ, অধ্যাপকরা

যতই ক্ষিপ্ত হোন, আমরা সাফ জানিয়ে দিচ্ছি এ জিনিস চলতে দেব না। আজ একজন প্রতিক্রিয়াশীল অধ্যাপক সাংস্কৃতিক অনুষ্ঠানকে উপলক্ষ করে আমাদের ওপর আঘাত হেনেছেন। কাল হয়তো আরও বড় আক্রমণ আসবে, তবু আমাদের আদর্শ থেকে বিচ্যুত করা যাবে না। হয়তো অনেক অধ্যাপকের সঙ্গে আমাদের রাজনৈতিক আদর্শ মেলে না, তা বলে ছোটখাটো অজুহাতে তাঁরা আমাদের ওপর দমন পীড়ন চালাবেন এ তো হতে পারে না। আমরা পরিষ্কার জানিয়ে দিচ্ছি, ওই উদ্ধত অধ্যাপক যতক্ষণ না নিঃশর্ত ক্ষমা চাইছেন, ততক্ষণ আমাদের ক্লাস বয়কট চলছে চলবে...

বক্তৃতার মাঝেই স্লোগান বেজে উঠল, —আমরা ক্লাস করছি না করব না। অধ্যাপক সোমনাথ মুখার্জিকে ক্ষমা চাইতে হবে চাইতে হবে। প্রতিক্রিয়াশীল অধ্যাপকদের কালো হাত ভেঙে দাও গুঁড়িয়ে দাও...

পুলকেশ গরগর করে উঠল, —শুনছেন? শুনতে পাচ্ছেন? কানে যাচ্ছে কিছু?

সোমনাথ নীরব। দু'আঙুলে কপাল টিপে বসে আছে উলটো দিকের চেয়ারে। পাশে দেবব্রত মৃগাঙ্ক আর দীপেন। এই শেষ ভাদ্রেও তাদের মুখে আষাঢ়ের মেঘ।

পুলকেশ জোরে জোরে মাথা নাড়ল, —ইস, কী কুক্ষণে যে কাল বেরিয়ে গেলাম। আমি থাকলে এত দূর গড়াতেই দিতাম না।

দেবব্রত বলল, —আমি কিন্তু থামাতে গেছিলাম। মৃগাঙ্ক স্বপন তথাগতরাও সঙ্গে ছিল। সবাই মিলে বললাম, আলোচনায় বসো। সোমনাথ স্যারের সঙ্গে কথা বলো। ওরা আমাদের পাত্তাই দিল না। প্রত্যেকটা ক্লাস থেকে ছেলেমেয়েদের বার করে দিয়ে যা একটা সিন করল!

—অল বিকজ অফ দিস সোমনাথবাবু। আমি বুঝতে পারছি না সোমনাথবাবুর মতো একজন সিনিয়র টিচার কী করে এমন

১৭৭

দায়িত্বজ্ঞানহীন কাজ করেন।

সোমনাথ ঘড়ঘড়ে গলায় বলল, —কী? অভিজিৎ যেভাবে আমাকে অগ্রাহ্য করে...

—অভিজিৎ যাই করুক, সে ছাত্র ইউনিয়নের সেক্রেটারি। বেআক্কেলের মতো তাকে আপনি চড় কষিয়ে দিলেন? রিপারকেশানের কথাটা একবার ভাবলেন না?

ভেবেছে বই কী সোমনাথ। কাল সারা রাত ছটফট করেছে বিছানায়। অত মাথা গরম করে ফেলল কেন হঠাৎ? মানসিক অশান্তির কারণে? ছোট ছোট বিরক্তিগুলো জমা হয়েই কি ওই চকিত বিস্ফোরণ? বারবার মনে হয়েছে আজ কলেজে এসে মিটিয়ে নেবে। কেন যে পারছে না? কোথায় যে বাধছে?

সোমনাথের মুখ দিয়ে বেরিয়ে গেল, —সবই তো আপনাকে বললাম। আপনার ক্লাসে কেউ ওরকম অসভ্যতা করলে আপনি কী করতেন?

—অন্তত এমন কিছু ঘটতে দিতাম না। আঠারো বছর ধরে ছাত্র পড়িয়েছি, আই নো হাউ টু ট্যাকল দা স্টুডেন্টস।

সোমনাথের অন্দরে ঘাপটি মেরে থাকা অন্য একটা সোমনাথ নিঃশব্দে বলল, তোমার মতন মেরুদণ্ডহীন মানুষ কদ্দূর কী পারে তা আমি খুব জানি। তোমার কাছে ট্যাকল মানে তো ম্যানেজ। যেভাবে ম্যানেজ মাস্টারি করে জুলজির অধ্যাপক হয়েও তুমি এ-কলেজে জুলজি নেই বলে পরিবেশবিজ্ঞানের মাস্টার সেজে প্রিন্সিপালের পোস্টখানা ম্যানেজ করেছ, তেমনই কোনও তেলবাজির খেলা খেলতে নিশ্চয়ই!

মৃগাঙ্ক অনেকক্ষণ চুপচাপ ছিল। হঠাৎ নিচু স্বরে বলে উঠেছে, —সোমনাথদাও তো তিরিশ বছর ধরে পড়াচ্ছেন স্যার। আগে কখনও সোমনাথদার সঙ্গে কোনও ছাত্র-ছাত্রীর সামান্যতম গণ্ডগোল হয়েছে কি? আমি তো অন্তত শুনিনি। সোমনাথদার মতো ভালমানুষ যখন এক্সাইটেড হয়েছেন, তখন

১৭৮

নিশ্চয়ই যথেষ্ট প্রোভোকেশান ছিল!

—আহ্, এখন আর ওসব কাটাছেঁড়া করে কোনও লাভ আছে? দীপেন তাড়াতাড়ি বলে উঠল, —একটা অবাঞ্ছিত পরিস্থিতির সৃষ্টি হয়েছে, আমাদের এখন যেমন করে হোক তার মোকাবিলা করতে হবে। অ্যাজিটেটেড ছাত্রছাত্রী নিয়ে তো কলেজ চালানো যাবে না।

—কী করা উচিত বলে আপনার মনে হয়?

—সোমনাথবাবুকেই তা ভাবতে হবে। আফটার অল উনিই উত্তেজনার কারণ।

সোমনাথের মনে পড়ে গেল চণ্ডীনগরের চপলানন্দ মহাবিদ্যালয়ে প্রায় একই ধরনের ঘটনা ঘটেছিল মাস দুয়েক আগে। ইউনিয়ানের পাণ্ডা দেরি করে ক্লাসে ঢুকেছিল বলে ইংরিজির অধ্যাপক বিধান চক্রবর্তী তাকে প্রবেশের অনুমতি দেননি, কড়া গলায় ধমকে তাকে হাঁকিয়ে দিয়েছিলেন। ব্যস, সঙ্গে সঙ্গে তুলকালাম, একই রকম অসভ্যতা, ক্লাস বয়কট, ঘেরাও...। এই দীপেনই সেদিন প্রিন্সিপালের ঘরে বসে ফোন করেছিল চপলানন্দ মহাবিদ্যালয়ে, অধ্যাপকদের পরামর্শ দিয়েছিল পুলিশ ডাকার জন্য। চপলানন্দ মহাবিদ্যালয়ে ছাত্র ইউনিয়ানের রং আলাদা ছিল বলেই কি তাদের জন্য আলাদা দাওয়াই? নির্মল ঠিকই বলত। এই কলেজেরও আর চপলানন্দ মহাবিদ্যালয়ে পরিণত হতে বেশি দেরি নেই। তখন দেখবে কিছু একটা ঘটলেই আমাদের সমিতির প্রাথমিক শাখার আহ্বায়কমশাই কেমন একশো আশি ডিগ্রি ডিগবাজি খায়! আজই কি সেই দিন?

পুলকেশ ঝুঁকেছে সামনে। বলল, —কী সোমনাথবাবু, এক্ষুনি তো ইউনিয়ন আমার কাছে ডেপুটেশন দিতে আসবে। কী বলব তাদের?

সোমনাথ নিরুত্তর।

—আমি কি বলব আপনি নিঃশর্ত ক্ষমা চাইতে রাজি আছেন?

এবারও সোমনাথের উত্তর নেই। বুকের ভেতরকার অচেনা সোমনাথটা গাঁক গাঁক চেঁচাচ্ছে। ধমকাচ্ছে সোমনাথকে। মুখে একটা শব্দও ফুটতে দিচ্ছে না। কী যে করে সোমনাথ?

পুলকেশ অধৈর্যভাবে বলল, —কিছু একটা তো বলুন।

দীপেন পাশ থেকে বলল, —অত মানসম্মানের কথা ভাবলে চলবে না সোমনাথদা। মুখে একটা সরি বললে কী এসে যাবে? স্বয়ং চাঁদসদাগরও মা মনসাকে বাঁ হাতে ফুল ছুড়ে দিয়েছিল। তাতে কি চাঁদসদাগরের মর্যাদা ক্ষুণ্ণ হয়েছে? এটা তো জাস্ট একটা ট্যাক্টিকাল মুভ। ছেলেমেয়েদের ঠান্ডা করার কৌশল। দেখছেন তো, ওদের না থামালে কত অপ্রিয় প্রসঙ্গ এসে যাচ্ছে! ওরা যা নয় তাই বলছে অধ্যাপকদের নামে...!

এবারও সোমনাথ রা করল না। একবার দেবব্রতকে দেখছে, একবার মৃগাঙ্ককে। যেন অনুভব করতে চাইছে কতটা পাশে আছে তারা। কিংবা আদৌ আছে কিনা।

নাহ্, তেমন একটা ভরসা পেল না সোমনাথ। উঠে পড়ল বিমর্ষ মুখে। দরজা অবধি পৌঁছোনোর আগে পুলকেশের স্বর শুনতে পেল, —আপনি কিন্তু কিছু বলে গেলেন না?

লুকিয়ে থাকা সোমনাথ ঠেলে উঠল স্বরযন্ত্রে, —আমার আর কিছু বলার নেই।

—ক্ষমা তা হলে চাইছেন না?

—দেখি। ভাবি একটু।

অধ্যক্ষের কক্ষ থেকে বেরিয়ে কয়েক পা গিয়েছে সোমনাথ, সামনে এক তরুণ। বছর পঁয়ত্রিশ বয়স, গালে সযত্নচর্চিত দাড়ি। সোমনাথকে পেরিয়ে চলে গিয়েছিল ছেলেটা, ঘুরে এসেছে, —আপনিই তো সোমনাথ স্যার?

সোমনাথের ভুরুতে ভাঁজ পড়ল। এ আবার কে? স্থানীয় রাজনীতির কেউ?

আড়ষ্টভাবে সোমনাথ বলল, —হ্যাঁ। কেন?

—আমি আপনাকে দেখেই চিনতে পেরেছি। আমার ভাই...

স্পন্দন রায়... আপনার কাছে পল সায়েন্স পড়তে যেত... নাইন্টিফোরে এই কলেজ থেকেই পাশ করেছে...

—ও।

—আমি চন্দন। দৈনিক সমাচারের লোকাল করেসপন্ডেন্ট।

বুকটা ধক করে উঠল সোমনাথের। খবরের কাগজের লোকও চলে এল?

চন্দন বলল, —কালকের ঘটনাটা নিয়ে আপনার সঙ্গে একটু কথা বলতে চাই স্যার। স্টুডেন্ট ইউনিয়নের মুখে শুনেছি, এখন আপনার তরফের বক্তব্যটা যদি...

সোমনাথ এক সেকেন্ড ভেবে নিয়ে বলল, —কিছু মনে কোরো না ভাই, আমি ওই ব্যাপারে কিছুই বলব না। প্রিন্সিপালের কাছে যাও, যা বলার উনিই বলবেন।

—তবু... আপনিই তো ফোকাল পয়েন্ট...! ইউনিয়ন বলছিল ওদের সঙ্গে নাকি এর আগেও কয়েকবার আপনার ক্ল্যাশ হয়েছে?

—ওরা তাই বলল?

—হ্যাঁ। বলছিল ছাত্র ভরতির সময়েও ওদের সঙ্গে নাকি একবার মন কষাকষি হয়েছিল? আরও বলল আপনি নাকি এর আগেও একদিন অভিজিৎকে অপমান করেছিলেন? ক্লাস না নিয়ে স্টাফরুমে বসেছিলেন, অভিজিৎ আপনাকে স্মরণ করিয়ে দিতে গেছিল...?

—অভিজিৎরা ঠিক বলেনি। ...যাই হোক, আমি তো বলেই দিয়েছি কিছু বলব না! তুমি বরং প্রিন্সিপালের সঙ্গে গিয়েই দেখা করো।

—সে তো যাব। তবে আপনার মুখ থেকে একবার শুনতে পেলে...

—শুনেছ তো। ছেলেমেয়েরাই বলেছে তো।

—আমরা দু'পক্ষের ভারসানই ছাপতে চাই স্যার। পাঠক যাতে পড়ে বুঝতে পারে আসল ঘটনাটা কী।

বারবার চন্দন দু'পক্ষ বলে কেন? ছাত্র আর শিক্ষক কি পরস্পরের প্রতিপক্ষ? মিডিয়া কি একটা বিতর্ক তুলে দিয়ে মজা দেখবে? পাবলিককে খাওয়ানোর ট্যাক্টিস?

চন্দনের চোখ যেন চকচক করছে। সোমনাথের মুহূর্তের জন্য মনে হল সে যেন একটা শকুনের সামনে দাঁড়িয়ে। আহত প্রাণীর যন্ত্রণা কি উপলব্ধি করতে পারে শকুন? সোমনাথের হৃদয়ে এই মুহূর্তে যে কী ভয়ানক তোলপাড় চলছে তা কখনও ছেলেটা বুঝবে না, তথ্যগুলোকে সরস অক্ষরে সাজিয়ে দিয়েই তার দায়িত্ব খালাস।

সোমনাথ ব্যথিত মুখে বলল, —না ভাই, বলছি তো আমি কিছুই বলব না। কেন ওই কাসুন্দি আবার ঘাঁটাবে? বাদ দাও। যা শুনেছ তাই লেখো।

চন্দনকে অতিক্রম করে মন্থর পায়ে স্টাফরুমে এল সোমনাথ। প্রায় প্রতিটি চেয়ারই পূর্ণ আজ। চাপা স্বরে কী নিয়ে যেন তর্কবিতর্ক চলছিল ঘরে, সোমনাথকে ঢুকতে দেখেই থেমে গেছে অকস্মাৎ। কয়েক সেকেন্ডের জন্য গোটা ঘরে অখণ্ড নৈঃশব্দ্য। প্রায় সেই নির্মলের শোকসভার মতো। ঘরের সব ক'টা চোখ একসঙ্গে আটকেছে সোমনাথে। চোখ, না সার্চলাইট? সোমনাথ যেন ধাঁধিয়ে গেল।

একরাশ সিল্যুয়েটের মাঝে এসে বসল সোমনাথ। আবছাভাবে শুনতে পেল দেবল ডাকছে, —সোমনাথদা?

—উঁ?

—প্রিন্সিপালের সঙ্গে কথা হল?

—হুঁ।

—কী বললেন উনি? কী সিদ্ধান্ত হল?

সোমনাথ ভারী একটা শ্বাস ফেলল, —জানি না।

দেবব্রত আর মৃগাঙ্কও চলে এসেছে স্টাফরুমে। দেবব্রত বলল, —কোনও ডিসিশনই হয়নি। প্রিন্সিপাল দুটোর সময়ে বসছেন ইউনিয়নের সঙ্গে...

১৮২

জয়িতা বলল, —কেন? দুটো অবদি ওয়েট করবেন কেন? এখনই তো বসতে পারেন।

—এখন কয়েকটা ফোনটোন করবেন আর কী। মৃগাঙ্ক অর্থপূর্ণ চোখে হাসল, —বোঝেনই তো, ইউনিয়নেরও তো বাবা-জ্যাঠা আছে, তাদের সঙ্গে একটু কথা বলে নেবেন। যদি সেখান থেকে প্রেশার এলে ইউনিয়ন খানিকটা নরম হয়।

তথাগত অস্ফুটে বলল, —ওফ্, আবার সেই রাজনীতির খেলা?

মৃগাঙ্ক বলল, —রাজনীতি তো এসেই যাবে তথাগতবাবু। হাওয়ায় গাছের পাতা ডাইনে হেলবে, না বাঁয়ে, তাও তো এখন স্থির করে রাজনীতি। ক্লাস বয়কট আর তিনটে দিন চলুক, দেখবেন অপোজিশান পার্টির লোকাল লিডাররাও একটা ইস্যু পাওয়ার আনন্দে ধেইধেই নৃত্য শুরু করে দেবে। সোমনাথদার গায়ে বিদ্রোহীর তকমা এঁটে দিয়ে স্টুডেন্ট ইউনিয়নের এগেনস্টে মিটিং মিছিল পোস্টারে গোটা অঞ্চল ভরিয়ে দেবে। সোমনাথদা যে আদৌ রাজনীতির লোকই নন, ঘটনাটার যে আদৌ কোনও পলিটিকাল কালার নেই, এই সত্যিটা তারাও ভুলিয়ে দিতে চাইবে। অ্যান্ড দিস ইজ দা কালচার অফ আওয়ার টাইম। রাজনীতির লোকরা ছোঁক ছোঁক করছে কোত্থেকে কী ভাবে একটু ফায়দা তোলা যায়। সে কীই বা সরকার, কীই বা অপোজিশান। একদল পাওয়ারের নেশায় গুলি ফোলাচ্ছে, একদল পাওয়ারের আশায় মুঠো পাকাচ্ছে।

—লেকচারটা দারুণ হয়েছে। জয়িতা টিপ্পনী কাটল, —এবার কাজের কথাটা বলুন।

—কীই?

—ক্লাসটাস যদি নাই হয়, তবু কি কলেজে আসতে হবে?

তথাগত হেসে ফেলল, —কলেজ তো ছুটি ডিক্লেয়ার করেনি দিদিমণি।

—এ তো ভারী অন্যায় কথা। জয়িতার মুখে স্পষ্ট অসন্তোষ,

—বয়কটের নামে তো ছুটিই চলছে। ছেলেমেয়েদের। এমনিই তো অর্ধেক স্টুডেন্ট ক্লাসে আসে না, আন্দোলনের নামে বাকি অর্ধেকরও এখন পোয়াবারো। কলেজে ঢুকতে না পেরে সব তো গিয়ে চিত্রবাণীতে লাইন দিয়েছে। আমাদের কেন এসে ধর্মের নামে দশটা থেকে পাঁচটা বসে থাকতে হবে?

সীতাংশু মুচকি হাসল, —বসে আছেন কেন? চলে যান। আমার ডিপার্টমেন্টের পার্টটাইমার মেয়ে দুটো তো একটু আগে বেরিয়ে গেল।

—হ্যাঁঅ্যা, বেরোতে যাই, আর স্লোগান খেয়ে মরি।

—পেছনের গেটটা কী জন্য আছে, অ্যাঁ? ওটা খালি স্টুডেন্টদেরই কাজে লাগবে?

সোমনাথেরও আর কলেজে থাকতে ভাল লাগছিল না। এই ধরনের একটা পরিস্থিতির জন্য সে-ই যে দায়ী এ বোধটা তাকে সকাল থেকেই যথেষ্ট পীড়া দিচ্ছে। কিন্তু উঠতেও সংকোচ লাগে যে। চলে গেলেই তো ব্যঙ্গবিদ্রূপ শুরু হয়ে যাবে। ক্যাচাল বাধিয়ে কেমন কেটে পড়ল দ্যাখো! ধুৎ, কেন যে মিছিমিছি এরকম একটা বিশ্রী জট পাকিয়ে ফেলল? অভিজিতের লেকচারের সময়টাতে বাইরে গিয়ে প্রকৃতির শোভা দেখলেই তো ল্যাটা চুকে যেত। পুলকেশকে বলে আসবে সে ক্ষমা চেয়ে নিচ্ছে? ইস, নির্মলটা থাকলে আজ সঠিক পরামর্শ দিতে পারত।

বাইরের হট্টগোল কমেছিল একটু। নতুন উদ্যমে চালু হয়েছে স্লোগান। হরেক কিসিমের প্রসঙ্গ ঘুরপাক খাচ্ছে স্টাফরুমে। সহকর্মীদের মাঝে একা হয়ে বসে চেয়ারের হাতল চেপে দোলাচলে ভুগছে সোমনাথ। করে নেবে মিটমাট? যাবে? উঠবে এখন? না বসেই থাকবে?

কানের পাশে ফের দেবলের গলা, —কী এত ভাবছেন সোমনাথদা?

সোমনাথ কেঁপে উঠল। মাথা নাড়ল সজোরে, —কিছু না।

১৮৪

—আমি একটা সাজেশান দেব? শুনবেন?

—বলো।

—আপনি এখন বাড়িই চলে যান।

—কিন্তু... প্রিন্সিপাল দুটোর সময়ে মিটিংয়ে বসবেন, তখন যদি আমায়...

—ওরা কখন প্রিন্সিপালের কাছে আসবে, তার জন্য আপনি কেন হত্যে দিয়ে বসে থাকবেন?

—আমি থাকলে যদি একটা মিটমাট হয়ে যায়...

—আপনি থাকলে গণ্ডগোল তো বাড়তেও পারে। ছেলেমেয়েগুলো যে রকম উগ্র মেজাজে রয়েছে! ...প্রিন্সিপালের ওপর ছেড়ে দিন। মিটিংয়ে কী ডিসিশন হয় শুনে তখন নয় আপনি যা ভাল বোঝেন করবেন।

—বলছ? চলে যাব?

—হ্যাঁ, যান। আপনার মুখচোখ ভাল লাগছে না।

আরও মিনিট খানেক বসে থেকে মনের সঙ্গে যুদ্ধ চালাল সোমনাথ। তারপর নিঃশব্দে উঠে বেরিয়ে এসেছে পিছনের গেট দিয়ে। তিরিশ বছরের অধ্যাপক জীবনে এই প্রথম। চোরা একটা গ্লানি ছড়িয়ে যাচ্ছে সর্বাঙ্গে। ঘোরের মধ্যে স্টেশনে পৌঁছোল। আচ্ছন্নের মতো ট্রেনে চাপল। ভূতে পাওয়া মানুষের মতো এসে পৌঁছোল বাড়িতে।

মৃদুলা টিভি দেখছিল। দরজা খুলে অবাক, —কী হল? ভরদুপুরে ফিরে এলে যে?

সোমনাথ উত্তর দিল না। চটি ছেড়ে রবারের স্লিপার গলিয়ে সোজা শোওয়ার ঘর। মৃদুলা এসেছে পিছন পিছন, —তোমার কলেজের ঝঞ্ঝাট মিটল?

—নাহ্। সোমনাথ শার্ট ছাড়ছে। বলল, —এক গ্লাস জল খাওয়াবে?

—ঠান্ডা? না এমনি?

—ঠান্ডাই দাও। ...বড্ড তেষ্টা পেয়েছে।

মৃদুলা জল নিয়ে আসার আগেই সোমনাথ বিছানায়। তীব্র এক অবসাদে ছেয়ে যাচ্ছে শরীর। মস্তিষ্ক অবশ হয়ে গেছে।

মৃদুলা ঘরে ফিরে বলল, —শুয়ে পড়লে যে?

মাথা তুলে পুরো এক গ্লাস জল নিঃশেষ করল সোমনাথ। বলল, —বড্ড টায়ার্ড লাগছে, একটু চোখ বুজে থাকি।

মৃদুলার বুঝি সন্দেহ হল। ঝুঁকে কপালটা ছুঁয়েছে, —গা তো ছ্যাঁকছ্যাঁক করছে মনে হচ্ছে?

—ও কিছু না। রোদ্দুরে এলাম তো।

—দেখো, আবার কিছু বাধিয়ো না। সিজন চেঞ্জের সময়...!

—না, না, ঠিক আছি।

—কলেজে কী হল বললে না তা?

—পরে শুনো।

সোমনাথ পাশ ফিরে শুল। কয়েক সেকেন্ডের মধ্যেই জড়িয়ে এল চোখ। তন্দ্রা নামছে, আবার পিছলে পিছলে যাচ্ছে। ছেঁড়া ছেঁড়া ঘুমের মধ্যে একটা প্রকাণ্ড সুড়ঙ্গ দেখতে পাচ্ছিল সোমনাথ। নাকি কিছুই দেখতে পাচ্ছে না? মিশমিশে অন্ধকারকে সুড়ঙ্গ বলে ভ্রম হচ্ছে তার? অনেককাল আগে রানিগঞ্জে বেড়াতে গিয়েছিল সোমনাথ, এক বন্ধুর বাড়িতে। বন্ধুর সঙ্গে নেমেছিল এক কয়লাখনির খাদানে। মাথায় আলো বেঁধে। অন্ধকার কী নিকষ হতে পারে, বোঝানোর জন্য বন্ধু কয়েক সেকেন্ড নিবিয়ে দিয়েছিল আলোটা। সঙ্গে সঙ্গে মনে হয়েছিল বুঝি সে অন্ধ হয়ে গেল। এই সুড়ঙ্গসদৃশ অন্ধকারেও অবিকল সেই অনুভূতি। দৃষ্টিহীন সোমনাথ ঠেলে ঠেলে পেরোচ্ছে অন্ধকার। কালো। আরও কালো। আরও আরও কালো। অন্তহীন পথ। অন্তহীন আঁধার। হাঁপিয়ে যাচ্ছে সোমনাথ। এগোতে পারছে না আর। দূরে, বহু দূরে, একটা আলোর ফুটকি দেখা যায় কি? পা চলছে না সোমনাথের। থেমে গেছে। বসে পড়ল। আলোর বিন্দুর ওপার থেকে একটা পরিচিত হাসি ভেসে আসছে। নির্মল! হাসতে হাসতে নির্মল

১৮৬

বলল, কাম অন সোমনাথ, থেমে গেলে কেন? সোমনাথ কষ্ট করে উঠে দাঁড়াল আবার। গাঢ় তমিস্রা ভেদ করে হাঁটছে। টলে টলে। অন্ধকার যেন একটু তরল হল। তবু বেশি দূর যেতে পারল না সোমনাথ। পা কাঁপছে ভীষণ। পড়েই গেল মুখ থুবড়ে। এবার খুব কাছাকাছি কোথাও মিতুলের স্বর, —বাবা ওঠো। বাবা ওঠো।

সোমনাথ কষ্ট করে চোখ খুলল। প্রথমে আবছা আবছা, ক্রমে স্পষ্ট হয়েছে মিতুল। আলো জ্বলছে ঘরে। এখন সন্ধে? না রাত?

আবার মিতুলের গলা, —সন্ধেবেলা পড়ে পড়ে ঘুমোচ্ছ কেন?

সোমনাথ বিড়বিড় করল, —তুই কখন এলি?

—অনেকক্ষণ। ওঠো ওঠো, তোমার ফোন আছে।

—কার ফোন?

—তোমাদের প্রিন্সিপালের। বললেন খুব আরজেন্ট।

কোনওক্রমে উঠে বসল সোমনাথ। বিছানা হাতড়ে চশমা খুঁজে পরল চোখে। ড্রয়িং স্পেসে যাচ্ছে। নিজের শরীর নিজের কাছেই এত ভারী ঠেকছে কেন? অসময়ে ঘুমোনোর ফল?

দুর্বল হাতে রিসিভার তুলল সোমনাথ, —বলুন?

—আপনি তো স্ট্রেঞ্জ লোক মশাই! দিব্যি আমাকে না জানিয়ে কলেজ থেকে হাওয়া হয়ে গেলেন? এখন পড়ে পড়ে ঘুমোচ্ছেন?

—না... মানে... এই... জাস্ট একটু...

—কাজের কথা শুনুন। ওদের সঙ্গে বসেছিলাম। প্রচুর লড়ালড়ি হয়েছে। ইউনিয়নকে আমি অনেকটা সজুত করেছি। বলেছি, নো মোর কেঅস্, কাল থেকে ক্লাস। তবে হ্যাঁ, কিছু পেতে গেলে কিছু তো ছাড়তেও হয়। আমি ওদের কথা দিয়েছি আপনি ক্ষমা চাইবেন। যদি আপনি এক্ষুনি ক্ষমা না চান তা হলে গভর্নিং বডির তরফ থেকে আপনাকে একটা শোকজ

করা হবে। পুলকেশের গলা একটুক্ষণ থেমে রইল। আবার ফিরল দূরভাষে, —না, না, শোকজ শুনে নার্ভাস হওয়ার কিছু নেই। ওটা সাপও যাতে মরে লাঠিও না ভাঙে এমন একটা স্টেপ। আপনার মান বাঁচানোর জন্য। গভর্নিং বডি জাস্ট জানতে চাইবে আপনি অমন কাজ করেছেন কেন। আপনি জবাবে লিখে দেবেন মুহূর্তের উত্তেজনায় ব্যাপারটা ঘটিয়ে ফেলেছেন, এবং তার জন্য আপনি আন্তরিকভাবে দুঃখিত। ব্যস, চ্যাপটার উইল বি ক্লোজড। ...কী, শুনলেন তো?

—হুঁ।

—ওফ, এই বার্গেনিংটুকু করতে আমার কালঘাম ছুটে গেছে। যাক গে, বাইগনস্‌ আর বাইগন্স। কাল কলেজে আসুন, তখন ডিটেলে কথা হবে।

—আচ্ছা।

—আশা করি আমায় ডোবাবেন না। সলিউশনটা ক্যারি আউট করবেন। রাখছি।

টেলিফোন কেটে গেল। সোমনাথ তবু দাঁড়িয়ে আছে স্থাণুবৎ।

সামনে মিতুল। মুখে চোখে ঘোর উৎকণ্ঠা, —কী বলছিলেন প্রিন্সিপাল? কালকের ব্যাপারটা...?

—হুঁ। কোনও না কোনও ফর্মে ক্ষমা আমাকে চাইতে হবে।

—তুমি চাইবে ক্ষমা?

সোমনাথ আর্তনাদ করে উঠল, —না চেয়ে উপায়ই বা কী?

মিতুল কেমন অদ্ভুত চোখে দেখছে বাবাকে। এগিয়ে এসে সোমনাথকে ছুঁল।

ছুঁয়েই আঁতকে উঠেছে, —এ কী? তোমার গা যে জ্বরে পুড়ে যাচ্ছে।

মেয়ের হাতটা চেপে ধরে সোফায় বসে পড়ল সোমনাথ। হাসল একটু। বিবর্ণ মুখে। ভেতরে এত তাপ, বাইরে কি একটুও তা ফুটে বেরোবে না?

১৮৮

॥ চোদ্দো ॥

দুপুরবেলা স্বপ্ননিবাসে এসেছে তুতুল। একাই। বাবার শরীর নিয়ে ক'দিন ধরেই সে ভারী উদ্বিগ্ন ছিল, সকাল বিকেল খোঁজ নিয়েছে টেলিফোনে, বাড়িতে ভাসুর টাসুর এসে পড়ায় দেখে যেতে পারেনি সোমনাথকে। কাল ছেলে নিয়ে বহরমপুর ফিরে গেছে প্রণব, আজ তাই খেয়ে উঠেই সোজা এবাড়ি।

ড্রয়িংস্পেসে বসে কথা বলছিল মা মেয়ে। সোমনাথ ঘুমোচ্ছে, ডাকেনি তাকে। নাতির অদর্শনে মনটা একটু খুঁতখুঁত করছিল মৃদুলার। বলল, —রুপাইটাকে আনলেই পারতিস। ওকে দেখলেই তোর বাবার সব রোগ সেরে যেত।

—খেপেছ! ওকে নিয়ে এলে শান্তিতে দু'দণ্ড বসা যায়? এমনিই বাবার শরীর খারাপ, তার ওপর এসে বাবার ওপর অত্যাচার করবে...

দিব্যি পাকা গিন্নিবান্নির ঢঙে আজকাল কথা বলে তুতুল। দেখতে মজাই লাগে মৃদুলার। হেসে বলল, —তো কী আছে? তোর বাবা কি শয্যাশায়ী নাকি? হেঁটে চলে বেড়াচ্ছে, জ্বরটাও পরশু থেকে আর নেই... শুধু একটু দুর্বল, এই যা।

—প্রেশারের গণ্ডগোলটা তো আছে মা। বুকের ব্যথাটা তো পুরো যায়নি।

—হুম, ওগুলো নিয়েই তো চিন্তা। বয়সটাও তো ভাল নয়। তার ওপর দুম করে নির্মলবাবু ওভাবে চলে গেলেন, সেটাও মনের ওপর খুব চাপ ফেলেছে...

—আজ সকালে ডাক্তারবাবুর আসার কথা ছিল না?

—দেখে গেছেন। উনি তো একই রেকর্ড বাজিয়ে যাচ্ছেন। ভয়ের কিছু নেই। টেনশান থেকে প্রেশার ফ্লাকচুয়েট করছে। পেনটাও সম্ভবত অ্যানজাইনার। ওষুধে আস্তে আস্তে কমে যাবে। শুধু খেয়াল রাখতে হবে উত্তেজনাটা যেন না বাড়ে।

—যোগেন সরকারের ওপর অত ভরসা রাখা ঠিক নয় মা।

একটা ভাল কার্ডিওলজিস্ট কনসাল্ট করা উচিত।

—কিন্তু ইসিজিতে তো তেমন কিছু পাওয়া যায়নি!

—তবুও... রিস্ক নেওয়ার দরকারটা কী?

—মিতুলও অবশ্য সে কথাই বলছিল...

—কিন্তু একটা অ্যাপয়েন্টমেন্ট করে উঠতে পারেনি?

—আহা, ও বেচারার সময় কোথায়! সেই সক্কালবেলা বেরিয়ে যায়, হাক্লান্ত হয়ে ফেরে, এসেই আবার টিউশ্যনিতে ছুটছে...

—এখনও টিউশ্যনি করছে? স্কুল টিচারদের না প্রাইভেট পড়ানো বারণ?

—হুঁহ্, মাইনের দেখা নেই, তার আবার বারণ! এই তো, বিশ্বকর্মা পুজোর দিন থেকে অন্য কোন এক স্কুলে ঘর নিয়ে ক্লাস শুরু হয়েছে, কিন্তু আসল ব্যাপারটি নিয়ে কোনও উচ্চবাচ্য নেই।

—ঠিকই আছে। তোমার মেয়ে তো বেগার খাটতেই ভালবাসে। ...তবে খুব নীতির বড়াই করে তো, তাই আইনটা মনে পড়ে গেল আর কী।

—তুই দেখছি মিতুলের ওপর এখনও খুব চটে আছিস? সেদিন সত্যিই ও খুব টায়ার্ড ছিল রে।

—থাক মা, তোমার ছোটমেয়ের হয়ে আর সাফাই গেয়ো না। আমরা মোটেই ঘাসে মুখ দিয়ে চলি না। ও যে আমাদের পছন্দ করে না সেটা আমরা খুব বুঝি। তুতুল গাল ফোলাল, —আমাদের তো সবই খারাপ। আমাদের গাড়িতে চড়লে পাপ হয়, আমাদের সঙ্গে বেড়াতে গেলে সম্মানহানি হয়, আমাদের বাড়িতে যেতে ঘেন্না করে...

—বাড়াবাড়ি করিস না তুতুল। মিতুল তোদের খুবই ভালবাসে। কিন্তু ওর সময় কোথায় বল?

—সত্যিকারের টান থাকলে সময় ঠিক বেরিয়ে যায় মা। তুতুল উঠে ফ্রিজ থেকে একটা ঠান্ডা জলের বোতল বার করে

আনল। গলায় একটু জল ঢেলে বলল, —প্রতীক সেদিন সত্যিই খুব দুঃখ পেয়েছিল।

ঘুরে ফিরে তুতুল খালি ওই একই প্রসঙ্গে যায় কেন? অপরাধবোধ? নাকি নিজেকে আর নিজের বরকে ছাড়া কিছুই দেখতে পায় না তুতুল? এ-বাড়ির কারুর কোনও মনোকষ্ট নিয়েই সে বুঝি আর ভাবতে রাজি নয়! অন্তত তাদের আচরণে এ-বাড়ির কেউ যে দুঃখ পেতে পারে, এ যেন তুতুলের মগজেই আসে না। নাহ্, সত্যিই তুতুলটা পর হয়ে গেছে।

মাঝখান থেকে মৃদুলার হয়েছে যত জ্বালা। দুনিয়ার যার যত রাগ অভিমান সব এসে বর্ষাবে মৃদুলার ওপর। মৃদুলার কাজ হবে শুধু ব্যালান্স করে যাওয়া। একবার এদিককে আড়াল করো, একবার ওদিককে। আজ নয়, চিরকাল। বিয়ের পর থেকেই তো চলছে এই খেলা। একসময়ে দেওরকে নিয়ে কী অশান্তিটাই না গেছে। একটা পাঞ্জাবি মেয়েকে পছন্দ করে বসল দীপু, জানতে পেরেই শাশুড়ি রেগে কাঁই। সোজা ঘোষণা করে দিলেন, আমি থাকতে ওই মেয়ের সঙ্গে দীপুর বিয়ে দেব না, তাতে দীপু বাড়ি থেকে বেরিয়ে যায় তো যাক। ওদিকে দীপুও গুলি ফোলাচ্ছে, আমি কি কারুর পরোয়া করি? চিরটাকাল কি মা'র তাঁবে থাকব? দু'জনের কেউই এক ইঞ্চি সমঝোতায় যেতে রাজি নয়। ছেলে মা'র সঙ্গে কথা বলছে না, মা ছেলের মুখদর্শন করতে চাইছেন না, সে এক বিদিকিচ্ছিরি অবস্থা। সোমনাথ তাদের বোঝাবে কী, সে নিজেই কেঁপেমেপে একসা। শেষ পর্যন্ত মাঠে নামতে হল মৃদুলাকেই। শাশুড়ির কাছে গিয়ে রোমিলার গুণকীর্তন করছে, দেওরকে গায়ে মাথায় হাত বুলিয়ে সমঝাচ্ছে কোথায় বাধছে মা'র। দু'জনের কাছেই তখন যথেষ্ট অপ্রিয় হয়েছে মৃদুলা, দু'জনেই মেজাজ করত মৃদুলার ওপর। তারপর তো বিয়েটাও হল, আমে দুধে মিলেও গেল, মৃদুলার চেষ্টাটার কথা কেউ মনেও রাখল না।

তা সে নয় অন্য ধরনের ভারসাম্য বজায় রাখা। তুতুল মিতুল

সোমনাথের ব্যাপারটা তো একেবারেই আলাদা। এরা মৃদুলার একান্তই আপনার জন। সোমনাথ তার সবচেয়ে কাছের মানুষ, তুতুল মিতুল তার শরীরের অংশ। এদের মধ্যে কাকে ফেলবে মৃদুলা? ফেলা কি যায়? মৃদুলার কখনওই মনে হয় না তুতুল প্রতীকই সঠিক, সোমনাথ মিতুল অযৌক্তিক কিছু বলছে। কিংবা সোমনাথ মিতুলই ন্যায়ের ধ্বজাধারী, তুতুল প্রতীক ডুবে আছে পাঁকে। প্রতীক যথেষ্ট বুদ্ধিমান ছেলে। দায়িত্বশীলও। সে যা করে বুঝে শুনেই করে। নিজের পিঠ বাঁচিয়ে করে। সবাই যেখানে করেকম্মে খাচ্ছে, ওরাই বা বসে বসে আঙুল চুষবে কেন? যস্মিন দেশে যদাচার। সবচেয়ে বড় কথা, তুতুল খুব ভাল আছে, সুখে আছে। এতে মৃদুলা অখুশি হবেই বা কেন? আবার সোমনাথেরও যে কোথায় বেঁধে, মৃদুলা টের পায় না তা তো নয়। সংসারের মুখ চেয়ে তুচ্ছ টিউশ্যনিতে নেমে যে সোমনাথ মনে মনে অপরাধী হয়ে থাকত, অলীক বিপদের আশঙ্কায় প্রথম সুযোগেই ও পাট চুকিয়ে দিয়ে যে হাঁপ ছেড়ে বেঁচেছে, লাখ-দু'লাখ দেওয়া নেওয়ার খেলায় তার তো বাধো বাধো ঠেকবেই। যার যেমন প্রকৃতি। আর মিতুল তো বরাবরই বাপের পোঁ ধরা, বাপের মানে লাগলে সেও সে তিড়িংবিড়িং লাফাবে, এও তো অস্বাভাবিক নয়।

অতএব মৃদুলাকে হাইফেন হতেই হয়। তুতুলকে তুষ্ট করার সুরে মৃদুলা বলল, —পুরনো কথা কেন বারবার মনে করিস বল তো? সেদিন এসে আমি তো মিতুলকে বকাবকি করেছি। তোর বাবাকেও কম কথা শোনাইনি। সংসারে ওরকম অনেক ছোট বড় ঘটনা ঘটে, সব কি পুষে রাখলে চলে?

তুতুল কী বুঝল কে জানে, চুপ করে গেছে। গোঁজ মুখে একটুক্ষণ বসে থেকে বলল, —প্রতীকও কিন্তু বড় ডাক্তারের কথা বলছিল। যদি চাও তো ও একটা অ্যাপয়েন্টমেন্ট করে দিতে পারে।

—চাওয়া চাওয়ির কী আছে। বাবা তো তোরও। তুই কর না।

১৯২

—দ্যাখো, তাতে আবার কারুর যেন ইগোতে না লেগে যায়। বলতে বলতে চেন লাগানো বিগশপারটা খুলছে তুতুল। দু'খানা শাড়ি বার করে বলল, —তোমাদের কাঁথাস্টিচগুলো পড়েই ছিল। ফলস্ লাগিয়ে দিয়েছি।

গোটা শাড়িতে ছোট ছোট মাছ আর মঙ্গলঘটের খুদে খুদে নকশাওয়ালা তসরের শাড়িখানা আগে খুলল মৃদুলা। আঁচলেও ঠাসা কাজ, মানানসই সুতোয় বোনা। খুবই পছন্দ হয়েছে মৃদুলার, তবু না বলে পারল না, —এত গরজাস শাড়ি আমাকে কি আর মানায় রে তুতুল?

—কেন নয়? এখনও তোমার ফিগার বেশ ভাল আছে।

—ছাই আছে। কী মুটোচ্ছি দেখেছিস, থাইরয়েডে স্কিনটাও কেমন খসখসে হয়ে যাচ্ছে...

—তোমায় একটা আয়ুর্বেদিক লোশন এনে দেব। দাম দেখে চমকিয়ো না, মেখো। স্কিনের উপকার হবে।

—দূর, এই বয়সে আর চামড়া দিয়ে কী হবে? যেমন চলছে চলুক।

—সত্যি, তুমি না মা...! একদিন আমার সঙ্গে পারলারে চলো, দেখবে তোমার চেয়ে অনেক বেশি বয়সের মহিলারা কেমন ভুরু প্লাক করছে, ওয়্যাক্সিং করছে, চুলের ট্রিটমেন্ট করাচ্ছে, স্কিনের ট্রিটমেন্ট করছে...। সৌন্দর্যকে ধরে রাখতে জানাটাও একটা আর্ট।

মৃদুলা একটা দীর্ঘশ্বাস গোপন করল। দেখতে সুন্দর বলে এককালে মনে মনে যথেষ্ট অহংকার ছিল তার, কিন্তু বিয়ের পর সেই রূপ ধরে রাখার আর সুযোগ রইল কই? কিংবা সময়? তখন পারলারই বা ছিল ক'টা? তার ওপর ওই জাঁদরেল শাশুড়ি নিয়ে ঘর করা, তিনি তো লিপস্টিক মাখলেও ভুরুতে ভাঁজ ফেলতেন। হয়তো অল্প বয়সে স্বামী মারা যাওয়ার জন্যে তাঁর মনেও কোনও কমপ্লেক্স ছিল। আর তাঁর ছেলে? তিনি তো সাজলেও তাকাতেন না, না সাজলেও না।

মেয়ে দুটো হয়ে যাওয়ার পর মৃদুলাই বা রূপচর্চার মতো বিলাসিতার অবসর পেয়েছে কই? এখন তুতুলের কথাটথা শুনে মনে হয়, গেলে হয় একবার। কপালের হালকা বলিরেখাগুলো ঢেকে গেলে মন্দ দেখাবে না মৃদুলাকে। এখনও।

গোপন সাধ গোপন রেখে মিতুলের শাড়িখানা খুলল মৃদুলা। চকচকে চোখে বলল, —বাহ্, এটাও তো চমৎকার রে! রংটা কী ঝলমল করছে!

তুতুল সামান্য ঠোঁট বেঁকিয়ে বলল,—তোমার ছোটমেয়েকে বোলো, যদি ইচ্ছে হয় যেন পরে।

—পরবে না কেন? তুই ভালবেসে দিচ্ছিস...

—দ্যাখো আবার কী বাহানা জোড়ে। বলবে হয়তো রংটা ক্যাটকেটে।... তোমার ছোটমেয়েকে যত সহজ ভাবো তত সহজ কিন্তু নয় মা। মুখে এক, পেটে এক। তুতুলের ঠোঁট আরও একটু বেঁকল, —তুমি জানো, মিতুল এখন একটা ছেলের সঙ্গে ঘুরছে!

—যাহ্। কে বলল?

—আমি নিজের চোখে দেখেছি। নিউ মার্কেটের সামনে। রাস্তায় দাঁড়িয়ে ছেলেটার গায়ে একেবারে ঢলে ঢলে পড়ছিল।

— তাই নাকি? কে ছেলেটা?

—আমার মুখ দিয়ে বলিয়ো না মা। তোমার শুনতে ভাল লাগবে না।

—তুই চিনিস ছেলেটাকে?

—হাড়ে হাড়ে চিনি। বাজে ছেলে। চাকরি বাকরি কিছু করে না, নাটক করে বেড়ায়...। একসময়ে আমার পেছনে খুব লেগেছিল। এখন মিতুল তারই সঙ্গে হবনবিং চালাচ্ছে। আমি তো সেদিন তোমার মেয়েকে হাতেনাতে ধরেছি।

মৃদুলার তবু যেন বিশ্বাস হচ্ছে না। বলল,—কী বলছিস রে তুই? আমি তো ভাবতেই পারছি না। সারাক্ষণ তো দেখি স্কুল
১৯৪

স্কুল করে মাথা খারাপ করছে! বন্ধুদের ফোন এলেও তাদের সঙ্গে ওই একই গল্প! তা ছাড়া ছুটির দিনেও তো তেমন একটা বেরোতে টেরোতে দেখি না!

—বললাম তো, ও মুখে এক, পেটে এক। খুব চালু মেয়ে।... যাক গে যাক, তুমি আবার মিতুলকে এসব বলতে যেয়ো না। এমনিই তো আমাকে আজকাল ওর সহ্য হয় না, আরও খেপে যাবে। বলবে দিদি এসে চুকলি খেয়ে গেছে।

—কিন্তু... বলছিস ছেলেটা ভাল নয়...কোথায় কার পাল্লায় পড়ছে...

কথা শেষ হল না। টেলিফোন বাজছে। মৃদুলা উঠে গিয়ে রিসিভার তুলল, ফোনটা,—হ্যালো?

ও প্রান্তে পুরুষ কণ্ঠ,—একটু প্রফেসার সোমনাথ মুখার্জির সঙ্গে কথা বলতে পারি?

—উনি তো এখন ঘুমোচ্ছেন। আপনি...?

—আমি পুলকেশ কুন্ডু।

—ও আচ্ছা, নমস্কার।...উনি একটু আগেই খেয়ে শুয়েছেন। ডাকব?

—না না, দরকার নেই। সোমনাথবাবুর শরীর এখন কেমন?

—মোটামুটি। আগের চেয়ে ভাল। তবে খুব উইক হয়ে পড়েছেন। এখনও বাড়ি থেকে বেরোচ্ছেন না। নতুন কিছু কমপ্লিকেশানসও দেখা দিয়েছে।

—তাই নাকি? ডাক্তার দেখছেন?

—হ্যাঁ, আজও তো...। আরও কদিন ফুল রেস্ট দরকার।

—ও।... মোটামুটি কবে নাগাদ উনি জয়েন করবেন?

—তা তো ঠিক বলতে পারব না। হয়তো সেই পুজোর মুখে মুখে...

—ও। পুলকেশ একটু থেমে থেকে বলল,—আসলে ওঁকে একটা চিঠি দেওয়ার ব্যাপার ছিল... গভর্নিং বডির... খুব আরজেন্ট চিঠি...

মৃদুলা বুঝতে পেরে গেছে। বিরস গলায় বলল,—পাঠিয়ে দিন। ওঁর পক্ষে তো এখন গিয়ে নেওয়া সম্ভব নয়...।

—ও কে। আমি তা হলে স্পেশাল মেসেঞ্জার দিয়ে...। সোমনাথবাবুকে বলবেন, এমনি কোনও তাড়াহুড়ো নেই, চিঠিটা জাস্ট ওঁর কাছে পৌঁছে দেওয়াটা জরুরি ছিল। উনি তাড়াতাড়ি ভাল হয়ে উঠুন...। যদি কোনও প্রয়োজন হয় নিঃসংকোচে আমায় বলবেন।

টেলিফোন রাখার পর মৃদুলার মুখ দিয়ে প্রায় বেরিয়ে যাচ্ছিল, ঢ্যামনামো! অতি কষ্টে সামলাল নিজেকে। দাঁতে দাঁত চেপে বলল,—কী পাষণ্ড রে তোর বাবার কলেজের প্রিন্সিপালটা। নির্মলবাবু ঠিকই বলতেন। এইসব চামচে টাইপের লোকরা সাপের চেয়েও বিষাক্ত।

তুতুলের চোখ সরু,—কেন? কী হয়েছে?

—প্রিন্সিপাল স্বয়ং ফোন করে জানাচ্ছেন সোমনাথবাবুকে তিনি শো-কজের চিঠিটা পাঠাবেন! তাঁর নাকি হাত পা বাঁধা, না পাঠিয়ে উপায় নেই!

—সে কী? বাবা এত অসুস্থ, তার মধ্যে...?

—বোঝ, কী টাইপ!

—সেদিন টিভিতে ইন্টারভিউ দেখেই আমার মনে হয়েছে লোকটা সুবিধের নয়। কী রকম কায়দা করে জানিয়ে দিল, বাবা একসময়ে প্রাইভেট পড়াত। স্টুডেন্টদের সঙ্গে নাকি বাবার সম্পর্ক ভাল ছিল না! বাবাই নাকি স্টুডেন্টদের প্রোভোক করেছে, ছেলেমেয়েরা সব ধোওয়া তুলসীপাতা...!

—নিউজ পেপারে ইউনিয়নের ছেলেমেয়েরা যা স্টেটমেন্ট দিয়েছিল, হুবহু তার রিপিটেশান। টিভিতে শুনে তো মনে হচ্ছিল পুলকেশই বুঝি ছাত্রনেতা! কী এমন হয়েছে যে টিভি নিউজপেপারে বেরিয়ে গেল!

—কিচ্ছু করার নেই মা। খবরওয়ালারা আজকাল সব মুখিয়ে থাকে। কোথায় কোন স্যার কোন ছাত্রকে চোখ

রাঙিয়েছে, তার জন্য একটু অ্যাজিটেশান হল কি হল না, ওমনি নিউজ। রং চড়িয়ে, গপ্পো ফেঁদে, পাবলিককে তাতানোর ধান্দা।

—পাবলিকও তো তেমনি! কতটুকুনি একটা খবর বেরিয়েছিল, কারুর চোখে পড়ার কথা নয়, তবু যারা নজর করার ঠিক করে নিয়েছে। চারতলার নন্দগোপালবাবু তো বাড়ি বয়ে এসে কোয়্যারি করে গেল। ঠিক কী ঘটেছিল বলুন তো? সোমনাথবাবুর মতো শান্ত মানুষ হঠাৎ ছাত্র পেটাতে গেলেন কেন! কত যে ফোন এল সেদিন! একবার মিতুল তুলছে, তো একবার আমি। তোর বাবার যে তখন উঠে ফোন ধরারও ক্ষমতা নেই, এ-কথাও অনেকে বিশ্বাস করতে চায় না। কী সব কমেন্ট, যেন তোর বাবা খুন করে গা ঢাকা দিয়ে বসে আছে!... খুব ভাল করেছেন বউদি, এখন ক'দিন সোমনাথবাবুকে ফোনের ধারে কাছে আসতে দেবেন না!... সোমনাথবাবুর এখন বাইরের লোকের সামনে বেশি বেরোনো ঠিক নয়, কদিন ওঁকে আটকে রাখুন!... তুইই বল, তোর বাবার মতো ভালমানুষের এটাই কি প্রাপ্য ছিল?

—এইটেই প্রাপ্য ছিল মা। তুতুল জোর দিয়ে বলল,—প্রতীক তো বলে, এটা ভালমানুষির দুনিয়া নয়। মানুষ সোজা রাস্তায় চললেই গাড়ি চাপা পড়বে। এটা হল যেমন কুকুর তেমন মুগুরের যুগ। মুগুর না ধরতে জানলেই তুমি বোকা বনে থাকবে।

—হুম্, তাই তো দেখছি। মৃদুলা একটা শ্বাস ফেলল, —যাক গে, বাবা উঠলে তুই আবার শোকজ টোকজের কথা তুলিস না। পরে চিঠি এলে দেখা যাবে।

—কী হবে বলো তো মা? তুতুলকেও একটু যেন ম্রিয়মাণ দেখাচ্ছে এবার, —ওই বজ্জাত ছেলেমেয়েগুলোর কাছে বাবাকে কি তা হলে ক্ষমা চাইতেই হবে?

—মনে তো হচ্ছে। তোর বাবা তো ঝগড়াঝাঁটি চালিয়ে যাওয়ার লোক নয়। তা ছাড়া সামনে রিটায়ারমেন্ট, এ সময়ে

প্রিন্সিপাল, গভর্নিংবডিকে চটালে তো ওর চলবেও না। তোর পিসেমশাইও বলছিল, শত্রুতা জিইয়ে রেখে লাভ নেই। একটা অ্যামিকেবল সেটলমেন্ট হয়ে যাওয়াই ভাল।

—তা ঠিক। মিটিয়ে নেওয়াই মঙ্গল। পিসিরা কী বলছে?

প্রসঙ্গ ঘুরে গেল সামান্য। উঠে পড়ল তুতুলের পিসি পিসেমশায়ের কেরালা সফরের গল্প। সেখান থেকে তুতুলদের আসন্ন রাজস্থান ভ্রমণের প্রস্তুতির কথা। কোথায় কোথায় যাবে, ক'দিন করে থাকবে, মনে মনে তার একটা চার্ট করে ফেলেছে তুতুল, সবিস্তারে শোনাল মৃদুলাকে। শুনতে শুনতে মৃদুলার মনে হল রাজস্থানটা তার যাওয়া হয়নি, সোমনাথ অবসর নিলে তাকে ধরে বেঁধে একবার বেরিয়ে পড়তে হবে। পুজোর বাজার করা নিয়েও কথা হল খানিক। মৃদুলা জানাল কাল দুর্গাপুর থেকে ফোন এসেছিল, পুজোর সময়ে তুতুলের কাকা কাকিমারা এখানে এলেও আসতে পারে।

হালকা কাশির শব্দে গল্পে ছেদ পড়ল। সোমনাথ উঠে এসেছে ঘর থেকে। সাড়ে আটান্ন বছরের দীর্ঘদেহ একটু যেন নুয়ে পড়েছে। কাঁচাপাকা চুল উসকোখুসকো, গালে খোঁচা খোঁচা সাদা দাড়ি।

তুতুলকে দেখেই সোমনাথের চোখ জ্বলে উঠেছে,—এ কী রে, তুই কতক্ষণ?

—বহুক্ষণ। তুতুল হাসল,—তোমার ঘুম ভাঙার অপেক্ষায় বসে আছি।

—ওমা, আমি তো জেগেই ছিলাম। অল্প অল্প গলাও পাচ্ছিলাম। ভাবলাম পাশের ফ্ল্যাটের মিসেস রায় বুঝি তোর মা'র কাছে এসেছেন। বলতে বলতে সোমনাথ মৃদুলার দিকে ফিরল,—একটা ফোন বাজল না? কার ফোন ছিল?

—ওই একটা আজেবাজে। মৃদুলা দ্রুত বলে উঠল,—রং নাম্বার। তুমি এখন ফল খাবে? মুসুম্বির রস করে দেব?

১৯৮

—ধ্যাৎ, চা দাও। বেশ কড়া করে বানাও দেখি। কী রে তুতুল, তুইও তো খাবি?

—খাই। তুতুল ঘড়ি দেখল, —চা খেয়েই উঠব। ছেলেটা এতক্ষণে কী ধুন্দুমার করছে ভগবান জানে!

—তা তুই ওকে আনলি না কেন?

—এই নিয়েই তো ওকে বকাবকি করছিলাম। মৃদুলা বলল,—রুপাইকে আনলে আরও কিছুক্ষণ বসতে পারত।

—হুম। ছেলেটাকে কতদিন দেখিনি। সোমনাথ গিয়ে বসেছে বড় সোফায়। মেয়ের পাশটিতে, —মাঝে একদিন ওর হাঁটুতে লেগেছিল না? তোর মা বলছিল?

—ওর তো দিনরাত সর্বাঙ্গ ছড়ছে বাবা। হাঁটু কনুই থুতনি কপাল...কোথাও না কোথাও ব্যান্ডএড আছেই। এবার থেকে ভাবছি ওকে চেন দিয়ে বেঁধে রাখব।

সোমনাথ হো হো হেসে উঠল। অনেকদিন পর হাসছে জোরে জোরে। এ যেন সেই হাসি, যাতে রোগ সেরে যায়, টেনশান দূর হয়, আপনা থেকেই সুস্থ হয়ে ওঠে দেহমন।

মৃদুলা উঠে রান্নাঘরে যাচ্ছিল। খাবার টেবিলের সামনে দাঁড়িয়ে পড়ে বলল,—এই দ্যাখো, তোমার জন্য তোমার মেয়ে কী এনেছে আজ!

—কী?

তুতুল ফিক করে হাসল,—তোমার প্রিয় মিষ্টি। সরভাজা।

—কেন রোজ রোজ এসব আনিস রে তুতুল? সোমনাথের গলায় অনুযোগের সুর, —তুই কি এখানে পরের বাড়িতে আসিস? সব সময়ে ফরম্যালিটি করার কোনও মানে হয়?

সঙ্গে সঙ্গে তুতুলের মুখে ছায়া ঘনিয়েছে, —তোমাদের ভালবাসি বলেই আনি। আপত্তি থাকলে আর আনব না।

—আহা, এক-আধ দিন তো বাপের বাড়ি খালি হাতেও আসা যায়!

—অল রাইট। নেক্সট দিন তাই হবে।

আবার আঁধার নামছে নাকি? মৃদুলা ঝটপট ঢাল ধরল,—তুমি কী গো? মেয়েটা বড় মুখ করে তোমার জন্য এনেছে...

—আহা, আমি কি খাব না বলেছি? সোমনাথ মেয়েকে আলতো করে জড়িয়ে ধরেছে,—আমি তো খালি ওকে খ্যাপামো করতে বারণ করেছি।

আদরে গলেছে তুতুল। সোমনাথের গালে হাত বুলিয়ে দিয়ে বলল,—আমি কিন্তু আর একটা খ্যাপামো করব বাবা।

—কী রকম?

—মা'র সঙ্গে কথা হয়ে গেছে। আমি একজন ভাল কার্ডিওলজিস্টের ডেট নিচ্ছি। কোনও বাহানা চলবে না, তোমায় কিন্তু যেতে হবে।

—প্রয়োজন ছিল না রে। অ্যানজাইনা কিছু সিরিয়াস অসুখ নয়। অ্যানজাইনায় সহজে কেউ মরে না।

—মরার কথা বলবে না। কোথায় কী বাধিয়ে রেখেছ তার ঠিক আছে? প্রতীক বলছিল তোমার একটা থরো চেকআপ দরকার।

—করা যা খুশি। যাবে নয় কিছু অর্থদণ্ড। তবে কিছুই ডিটেক্টেড হবে না, আমি কিন্তু গ্যারান্টি করতে পারি।

যাক, বাপ মেয়ের মধ্যেকার মেঘটা কেটে যাচ্ছে। নিশ্চিন্ত হয়ে মৃদুলা সরে গেল। গ্যাসে কেটলি চড়িয়ে নিজের মনেই মুখ টিপে টিপে হাসছে। তুতুল আর প্রতীকে খুব ভাব। ভাব? না মিল? কথা বলার ধাঁচটাও এক রকম হয়ে গেছে আজকাল। দুটো বাক্য উচ্চারণ করেই প্রতীকের উদ্ধৃতি শোনায় তুতুল। প্রতীকও কথায় কথায় বলে, আপনাদের মেয়ে বলছিল...! রাজযোটক!

চায়ের সঙ্গে তুতুলের জন্য পোট্যাটো চিপ্‌স আর একটু চানাচুর নিয়ে এল মৃদুলা। কাপ শেষ করেই আবার ঘড়ি দেখছে তুতুল। একটু যেন ছটফটও করছে। মোবাইল বার

করে ঝপ করে একটা ফোনও করে নিল বাড়িতে। উঠেও পড়েছে।

তুতুল ব্যাগ কাঁধে নিতেই সোমনাথ হাঁ হাঁ করে উঠল, — আর দু'-চার মিনিট বোস না। মিতুলের সঙ্গে দেখা করে যা। এক্ষুনি এসে পড়বে।

—আজ নয় বাবা, নেক্সট দিন এসে অনেকক্ষণ থাকব। রুপাইটা ঠাকুমাকে খুব জ্বালাচ্ছে।

—কবে আসবি?

—দেখি। যে-কোনও দিন চলে আসব। প্রতীকও বলছিল, তোমায় দেখতে আসবে একদিন।

—আয় তবে।

তুতুল যাওয়ার পর মৃদুলার প্রথমেই মনে হল মিতুলের কথাটা সোমনাথকে বলবে কি? তুতুল যা বলে গেল তা তো বেশ আশঙ্কাজনক। মিতুলের যা বুনো ঘোড়ার গোঁ, জেদ ধরলে ওই ছেলেকেই ও বিয়ে করবে। কারুর আপত্তিতে কান দেবে না। তুতুলের দেওয়া সংবাদ পৌঁছোলে সোমনাথের উদ্বেগ উত্তেজনা বেড়ে যাবে না তো? যোগেন ডাক্তার পই পই করে বলেছে শান্ত রাখুন...। শো-কজের চিঠি কাল হোক, পরশু হোক, পৌঁছে যাবে। তখন একটা টেনশান তো হবেই। তার সঙ্গে আবার এই একটা! তার চেয়ে বরং মিতুলকেই আজ ধরবে সরাসরি। তাতেও সমস্যা। তুতুল তো আবার বলতে নিষেধ করে গেল। ক'দিন খর নজর রাখবে মেয়ের ওপর? প্রেমে পড়েও এতটুকু চিত্তবৈকল্য ঘটবে না, মিতুল কি সেই ধাতের মেয়ে? কিছুই কি আঁচ করা যাবে না? অবশ্য ছেলেমেয়ে কোথায় কী করে বেড়াচ্ছে, বাবা মা'র পক্ষে সবসময়ে আন্দাজ করাও কি সম্ভব?

সোমনাথ ঘরে গিয়ে আধশোওয়া হয়েছে। হাতে একখানা বাংলা উপন্যাস। মিতুল পাড়ার লাইব্রেরি থেকে এনে

দিয়েছে। রান্নাঘরে কাপডিশ নামিয়ে প্লেটে দু'খানা সরভাজা নিয়ে মৃদুলা ঘরে এল। খাটের কোণে বসে বলল,—তুতুল কী সুন্দর দুটো শাড়ি এনেছে গো।

সোমনাথ বই থেকে চোখ তুলল। দেখছে মৃদুলাকে।

মৃদুলা চোখ নাচাল,—কোনওটাই হাজার দু'-আড়াইয়ের কম নয়।

—হুম্‌।

মৃদুলা প্লেট বাড়িয়ে দিল,— নাও, মেয়ের আনা মিষ্টি একটা খাও।

সোমনাথ তেমন উৎসাহ দেখাল না। বলল,—ভাজা মিষ্টি, আমার কি সহ্য হবে?

—এক-আধটা খেতেই পারো। মৃদুলা সরভাজায় কামড় বসাল,—উমস্‌, খাঁটি গাওয়া ঘি। দারুণ টেস্ট। অমৃত।

—বয়স তো অনেক হল। সোমনাথের চোখ ফের বইয়ের পাতায়। মন্দ্রস্বরে বলল, —এবার লোভটা একটু কমাও।

কথাটা যেন জোর ঝাপটা মারল মৃদুলাকে। কেঁপে গেল মৃদুলার হাত। প্লেটটা আস্তে করে নামিয়ে রাখল বিছানায়। সোমনাথ তাকে ওই ভাবে বলল? ওই ভাবে? সোমনাথ? বত্রিশ বছর একসঙ্গে ঘর করার পরও? মৃদুলার লোভ? আচমকা বাষ্পে ছেয়ে যাচ্ছে চোখ। কী লোভ তার মধ্যে দেখেছে সোমনাথ? কবে শাড়ি গয়নার জন্য আবদার জুড়েছে সে? বিয়ের সময়ে ক'পয়সা সোমনাথ মাইনে পেত? হাসিমুখে তার হাঁড়ি ঠেলেনি মৃদুলা? ছোট ছোট শখগুলোকেও তো গলা টিপে মেরে ফেলেছে। আলাদা সংসার করার কী তীব্র আকাঙ্ক্ষা ছিল তখন, মুখ ফুটে প্রকাশ করেছে কোনওদিন? একান্তেও? শাশুড়ি নিয়ে, দেওর ননদ নিয়ে, তাদের সমস্ত বায়নাক্কা মিটিয়ে, কাটায়নি দিনের পর দিন? দেওর ননদ নয় চলে গেছে বহুদিন, কিন্তু শাশুড়ি? তাঁর দাপটের কাছে নিজের ছোট ছোট ইচ্ছেগুলোকেও কি

বিসর্জন দেয়নি মৃদুলা? কত অজস্র শৌখিন জিনিস আজীবন হাতছানি দিয়ে এসেছে, জোর করে চোখ বুজে থেকেছে সে। যেটুকু স্বাচ্ছন্দ্য চেয়েছে, সে তো সোমনাথের মেয়ে দুটোর জন্যই? সন্তানের জন্য মায়ের চাওয়াটা কি লোভ? বিয়ের পরেই শাশুড়ি বলেছিলেন, আমার ছেলেটা একটু গেঁতো, তাকে ঠেলে ঠেলে চালাতে হয়...। সোমনাথকে ধাক্কা মেরে মেরে, সাহস জুগিয়ে, মাথার ওপর একটা ছাদের ব্যবস্থা করেছে মৃদুলা, এও কি লোভ? মেয়েরা কষ্ট না পাক, সুখে থাক, এইটুকু প্রার্থনা বুকে বয়ে বেড়ানোও কি লোভ? সেদিন তাকে বেলুড়মঠ নিয়ে যাওয়ার সময়ে তুতুলের চোখ খুশিতে জ্বলজ্বল করছিল, ওই আনন্দটুকু উপভোগ করার বাসনাও কি লোভ?

সোমনাথ তো সব জানে। সব। তবু সোমনাথ এই রকমটা ভাবে।

সোমনাথ বইতে মগ্ন। মৃদুলা ধীর পায়ে ব্যালকনিতে এসে দাঁড়াল। রেলিং ধরে দেখছে আকাশ। শরতের নীলে মেঘ জমছে। পাঁশুটে মেঘ।

লম্বা একটা শ্বাস পড়ল মৃদুলার। মানুষটা তাকে চিনলই না!

।। পনেরো ।।

ক্লাস সিক্সের তেরোটা মেয়েকে আধঘণ্টা ভূগোল পড়িয়ে এসে কাঠের নড়বড়ে চেয়ারটায় বসেছিল মিতুল। চন্দ্রনাথ মেমোরিয়াল স্কুলের অফিসঘরের কোণটিতে। এখানেই তাদের জন্য বরাদ্দ হয়েছে একটা টেবিল, চারটে চেয়ার আর একটা আধভাঙা আলমারি, এটাই এখন মাটিকুমড়া বালিকা বিদ্যালয়ের অফিস কাম টিচারস রুম।

পলাশপুরের এই স্কুলটা অবশ্য বেশ বড়সড়ই। পেল্লাই সাইজের দোতলা বিল্ডিং আছে একখানা, আছে একটা পুরনো একতলা বাড়িও। আগে পুরনোটাতেই স্কুল বসত, এখন সেখানে প্রধান শিক্ষকের ঘর, স্টাফরুম, লাইব্রেরি, অফিস। দোতলা বাড়িটায় ছেলেদের ক্লাস হয় বলে মিতুলদের সেখানে ঠাঁই মেলেনি, একতলা বাড়ির ছোট ছোট দুটো ঘর পরিত্যক্ত পড়ে ছিল, ওই ঘরদুটোই জুটেছে মেয়েদের কপালে। সংসারে যেমন জোটে আর কী! একটায় ফাইভ, অন্যটায় সিক্স। স্কুলের মেয়াদ মাত্র দু'ঘণ্টা। এগারোটা থেকে একটা। চন্দ্রনাথের টিফিনটাইম একটা চল্লিশ, তার আগেই পাততাড়ি গুটোতে হয় মিতুলদের। চন্দ্রনাথের কর্তৃপক্ষ এরকমই চুক্তি করেছে সনৎ ঘোষের সঙ্গে।

তা যাই হোক, নেই মামার চেয়ে কানা মামা তো ভাল। স্কুল অস্থায়ী হোক আর যাই হোক, হাটে-মাঠে ফ্যা ফ্যা করে ঘোরাটা তো বন্ধ হয়েছে। কেরামতি দেখাল বটে সনৎ ঘোষ। প্রমাণ করে দিল রাজনীতির লোক চাইলে কিছু ভাল কাজও করতে পারে। পিছনে উদ্দেশ্য যাই থাক, ক্ষমতা প্রদর্শন কী প্রতিপত্তি বাড়ানো, পঞ্চায়েত অফিসে নোটিস টাঙিয়ে, গ্রামে গ্রামে লিফলেট বিলি করে, হাটে হাটে মাইকে প্রচার চালিয়ে, মাত্র কদিনে বত্রিশটা মেয়ে জোগাড় করে ফেলল তো। ভাঙা বছরে এতগুলো ছাত্রী জোটানো মুখের কথা? বামুনঘাটা মুন্সিডাঙা গিয়ে পড়াশুনো চালানো যাদের পক্ষে সম্ভব নয় তারাই উৎসাহভরে যোগ দিয়েছে স্কুলে। এসেছে জনা বারো পুরনো ছাত্রীও। যখন সোনাদিঘিতে স্কুল বসত, সেই তখনকার। ফাইভ-সিক্সের তুলনায় বয়সটা হয়তো তাদের একটু বেশিই, তবে কী আর করা, মাঝের বছরগুলো নষ্ট হওয়ার জন্য তারা তো আর দায়ী নয়।

মুনমুন আর অপর্ণা ক্লাস নিচ্ছে এখন। দুটো তো মোটে

শ্রেণী, দু'জন পড়াতে গেলে একজনকে তো গালে হাত দিয়ে বসে থাকতেই হয়। বসে বসে তালবেতাল ভাবছিল মিতুল। শো-কজ নোটিস হাতে আসার পর থেকে বাবা যেন কেমন গুম মেরে গেছে। মনের জোর বাবার চিরকালই কম, কী যে করবে এখন কে জানে! বাবার জায়গায় মিতুল হলে দেখে নিত একহাত। ...মা'র মুখেও কদিন ধরে হাসি নেই। বাবার চিন্তায়? তার জন্য মিতুলের সঙ্গে ভাল করে কথা বলে না কেন? রাত্রে অকারণে মিতুলের ঘরে ঢুকে বই গোছাচ্ছে, অথচ প্রশ্ন করলে বেসুরো উত্তর! দিদি এসেছিল মঙ্গলবার, মাকে কিছু উলটোপালটা লাগিয়ে গেছে নাকি? কাঁথাস্টিচের শাড়ি দুটো নিয়েই বা মা তেমন উচ্ছ্বাস দেখাল না কেন?... নাহ্, ভেবে ভেবে থই পাচ্ছে না মিতুল।

টেবিলের অপর পারে রেখা সেনগুপ্ত। ভুরু কুঁচকে কী যেন হিসেব কষছে। বেচারা বড়দিদিমণিটির দশা সবচেয়ে সঙ্গিন। ডি-আই অফিস কি কলকাতা যেতে হল তো ভাল, নইলে সারাক্ষণ বসে কেরানির কাজ করো, নয় মন দিয়ে খবরের কাগজ মুখস্থ।

কাজ থামিয়ে চোখ পিটপিট করল রেখা। হিসেবটা মিতুলকে বাড়িয়ে দিয়ে বলল, —এই, এটা একবার চেক করে দ্যাখো তো।

কাগজে আলগা চোখ বুলিয়ে মিতুল বলল,—কী এত যোগ বিয়োগ করেছেন?

—দেখছিলাম, আজ পর্যন্ত স্কুলের কত আয় হল। ভরতি হয়েছে মোট বত্রিশজন... অ্যাডমিশন ফি বাবদ মাথা পিছু একশো... মানে বত্রিশশো। প্লাস বিল্ডিং ফি পঞ্চাশ টাকা করে মোট ষোলোশো। মাইনে কুড়ি ইনটু বত্রিশ... ছশো চল্লিশ। তা হলে মোট হল গিয়ে...

—সত্যি রেখাদি, পারেনও বটে। রোজ রোজ এই এক হিসেব কেন যে করেন?

—না ভাবছিলাম... স্কুলের অ্যাপ্রুভাল যতদিন না আসে... স্কুলের ইনকাম থেকে যদি তোমাদের অন্তত শ'দুই করেও দেওয়া যায়...! ওই ছাত্রীদের মাইনের টাকা থেকে যতটুকু হয় আর কী। ফরমাল অ্যাপ্রুভাল পেয়ে গেলে তখন তো আর ছাত্রীদের মাইনে থাকবে না, ততক্ষণ পর্যন্ত ওই টাকাটা এভাবে যদি ইউটিলাইজ করি...

হায় রে, কোথায় ন' হাজার প্লাস পাওয়ার কথা, সেখানে দুশো...!

মিতুল টেরচা গলায় জিজ্ঞেস করল,—দেবেন যে, সনৎ ঘোষের পারমিশান নিয়েছেন?

রেখা মুখটাকে গ্রাম্ভারি করল,—সব বিষয়ে সেক্রেটারির অনুমতির তো প্রয়োজন নেই সুকন্যা।

—কী জানি, সনৎ ঘোষের টোন শুনে তো মনে হয় আমরা ওর বাড়ি ঝি খাটতে এসেছি। কাজের লোক মাইনে পাবে, কর্তার স্যাংশান লাগবে না?

রেখা আরও ভারী করল মুখটাকে,—শোনো সুকন্যা, হেডমিস্ট্রেসের নিজস্ব কিছু ফিনানশিয়াল পাওয়ার থাকে। আপাতত তোমাদের গাড়িভাড়া বাবদ এ-টাকা আমি গ্রান্ট করতেই পারি। পরে যদি কোনও সমস্যা হয়, তোমাদের মাইনের টাকা থেকে কেটে নিলেই হবে।

—থাক না রেখাদি, মিছিমিছি জটিলতায় যাওয়ার দরকার কী?

—পুজোর মুখ তো...। অপর্ণাও বলছিল। জাস্ট একটা সাময়িক বন্দোবস্ত।

—এই ব্যবস্থাই যে পারমানেন্ট হয়ে যাবে না সে গ্যারান্টি আপনি করতে পারেন?

—অত নিরাশ হচ্ছ কেন? দেখছ তো সনৎ ঘোষ কেমন উঠে পড়ে লেগেছে। এবার কিছু একটা নিশ্চয়ই হবে।

—কিন্তু সনৎ ঘোষ যেভাবে চাইছে, আমি তো সেভাবে

এগোতে রাজি নই রেখাদি। ও যে শাগরেদকে দিয়ে ঠারেঠোরে শোনাচ্ছে, দিদিমণিরা মিলে হাজার পঞ্চাশ টাকা দিলেই অ্যাপ্রুভাল বেরিয়ে যাবে... ও পাঠশালায় তো আমি পড়ব না।

কথায় কথায় গলা ঈষৎ চড়ে গেছিল মিতুলের, আড়চোখে ঘরের বাকি লোকগুলোকে দেখে নিল একবার। চন্দ্রনাথ মেমোরিয়ালের তিনজন স্টাফ বসে এ-ঘরে। মিতুলদের বাক্যালাপ শোনার জন্য সর্বক্ষণ সজাগ হয়ে থাকে তাদের কান। এখনও একজন তাকাচ্ছে টেরিয়ে টেরিয়ে। মিতুন ঝুঁকল সামান্য, স্বর খাদে নামিয়ে বলল,—একটা কথা বলব রেখাদি?

—কী?

—এখন কিন্তু স্কুলের অ্যাপ্রুভাল আসাটাই আমার কাছে আর মুখ্য ব্যাপার নয়। ভোগান্তি তো অনেক গেল, না হয় আরও যাবে। আমি দেখতে চাই এই সিস্টেমে একজন সাধারণ মানুষ হিসেবে, সমস্ত আইনকানুন মেনে চাকরি পেয়েও, কোনও অসাধু পন্থা অবলম্বন না করে সার্ভিসলাইফ শুরু করা যায় কিনা।

—কিন্তু সুকন্যা, সরকারের গন্ধ যেখানে আছে সেখানেই তো...। সরকারি চাকরি পাওয়ার ব্যাপারটাই ধরো না। পুলিশ ভেরিফিকেশানের জন্য কিছু গচ্চা যায় না?

—আমি ওসব জানতে চাই না। আমি নিজেকে দিয়ে দেখতে চাই।

রেখা হেসে ফেলল। মিতুলকে সে এতদিনে মোটামুটি চিনে গেছে। স্মিত মুখেই বলল,— আমি তো বলছি না তুমি টাকা দাও। জাস্ট উদাহরণ দিলাম।... সত্যি বলতে কী, আমার সন্দেহ আছে সনৎ ঘোষ আদৌ টাকা নিয়ে ডি আই অফিসে ঢালবে কিনা। বড় জোর স্কুলের একটা ফান্ড বানাবে। আজ হোক, কাল হোক, বিল্ডিং বানানোর খরচা তো গভর্নমেন্ট দেবেই, তার আগে ফান্ডের টাকায়

২০৭

একটা-দুটো ঘর হয়তো তুলে নেবে। পরে যখন গ্র্যান্ট এল, ওই টাকা ফিরে গেল ফান্ডে। আর যাতায়াতটুকুর মধ্যে কিছু অ্যামাউন্ট হয়তো এদিক-ওদিক... মানে এ পকেট-সে পকেট...। আরও মজার কথা শুনবে? আমার কাছে তো সরাসরি চাইতে পারে না, তাই সেদিন ইনিয়েবিনিয়ে বলছিল, ম্যাডাম, গ্রামে মেয়েদের জন্য স্কুল করা তো মহৎ কাজ, এম এল এ সাহেবকে বলুন না কিছু ডোনেশান তুলে দিতে।

—বলেছে আপনাকে?

—তা হলে আর বলছি কী। আমিও ঘুরিয়ে নাক দেখিয়ে দিয়েছি। বলেছি, আপনি সরাসরি গিয়ে ধরুন।

—ভাবুন তা হলে, লোকটা কী ধান্দাবাজ!

—তবু কিন্তু বলছি লোকটা অ্যাপ্রুভালের জন্য আপ্রাণ লড়বে। নিজের তাগিদেই। ওর এখন সাপের ছুঁচো গেলার হাল। বিশ্বম্ভর তো মুখিয়ে আছে। সনৎ যদি স্কুল পাকাপাকি ভাবে দাঁড় করাতে না পারে, বিশ্বম্ভর ওর ভুট্টিনাশ করে ছেড়ে দেবে না? শুধু এই স্কুল ইস্যুতেই গরম হয়ে যাবে সামনের পঞ্চায়েত ইলেকশান। গ্রামের রাজনীতি কী জিনিস তা তো জানো না...!

খুব জানে মিতুল। সে তো বালিতে মুখ গুঁজে নেই। শহুরে রাজনীতি যদি জিলিপি হয়, গ্রামে চলে অমৃতির প্যাঁচ। স্বাদ অতিশয় কিটকিটে।

মিতুল মাথা দুলিয়ে বলল,—সে এখানে যা চলে চলুক, আমি কিন্তু আর বেশি দিন হাত গুটিয়ে বসে থাকব না। অনেক সহ্য করেছি, স্ট্রেট এবার কোর্টে কেস ঠুকে দেব। চাকরি দিয়েছে, মাইনে দেবে না, স্কুল নেই... মামদোবাজি নাকি? প্রথম যেদিন জয়েন করেছি, সেদিন থেকে পুরো স্যালারি আমার চাই। সব্বাইকে জড়িয়ে দেব মামলায়। শিক্ষা দপ্তর, স্কুল সার্ভিস কমিশন, ডি আই অফিস, ম্যানেজিং

কমিটি, সনৎ বিশ্বম্ভর কাউকে আমি ছাড়ব না।

—বাচ্চাদের মতো কথা। রেখা হাসছে—আইনের দরজা খোলা আরও কঠিন সুকন্যা। কড়া নাড়তে নাড়তে আঙুল খসে পড়ে যাবে। সরকারি লোক যত অন্যায়ই করুক, তার তো ব্যক্তিগত দায় নেই। সে ঠ্যাং নাচাবে, তার হয়ে তো লড়বে গভর্নমেন্ট। সরকারি উকিল। খরচাও তার নয়, সরকারের। অর্থাৎ পরোক্ষভাবে তোমার আমার। এদিকে তোমাকে কিন্তু গাঁটের কড়ি খরচ করে ক্রমাগত ফুলিয়ে যেতে হবে তোমার উকিলবাবুর পেট। বছরের পর বছর কোর্টে দৌড়োদৌড়ি করবে। কম করে বদলাতে হবে একশোটা চপ্পল। হাঁ করে তাকিয়ে তাকিয়ে দেখবে দু'তরফের উকিলে কেমন লুকোচুরি চলে। এ প্রেজেন্ট তো ও অ্যাবসেন্ট, ও হাজির তো এ বেপাত্তা। দু'জনেই উপস্থিত তো জজসাহেব ছুটি নিয়েছেন। তোমার উকিল কিন্তু ডেট পড়লেই ফিজ্‌টি বুঝে নেবে, অথচ কেস এগোবে শামুকের গতিতে। রায় বেরোলে অবশ্যই গভর্নমেন্ট হারবে, তবে তাতেও তোমার কোনও লাভ নেই। সরকার তখন তোমাকে নাকে দড়ি দিয়ে নিয়ে যাবে উচ্চতর ন্যায়ালয়ে। সেখানে হারলে আরও উঁচুতে। আবার হারলে আরও উঁচুতে। শেষ পর্যন্ত যদি তোমার দম থাকে, এবং তুমি যদি জিতেও যাও, তখনও দেখবে যে লোকগুলোর ওপর ক্ষুব্ধ হয়ে তুমি যুদ্ধ ঘোষণা করেছিলে তারা কিন্তু হারেনি। হেরেছে গভর্নমেন্ট। অর্থাৎ ঘুরিয়ে ফিরিয়ে সেই তুমি আমি। আর সেই লোকগুলো তখনও একভাবে ঠ্যাং নাচিয়ে চলেছে। কী বুঝলে?

মিতুল থতমত মুখে বলল,—তা হলে বলছেন কোথাও গিয়ে লাভ নেই? কিছু করার নেই? এত বড় একটা অবিচার হজম করে নিতে হবে?

—কী করা যাবে বলো সুকন্যা, এটাই আমাদের সিস্টেম। গ্র্যানাইট পাথরের মতো শক্ত। হৃদয়হীন। আমার

হাজব্যান্ডকেও আমি কথাটা বলি। এককালে তো খুব বড় বড় বুলি কপচাত। বলত, সিস্টেমে ঢুকে সিস্টেমটাকে ভেঙে দেবে! এখন নিজেরাই চাকায় ঢুকে গেছে।

—শুনে কী বলেন?

—কখনও অন্যমনস্ক হয়ে যান। কখনও গম্ভীর। বুঝতে পারি, ভেতরে খচখচ থাকলেও উনি এখন নেশায় পড়ে গেছেন। অজস্র রকম সুযোগ সুবিধে, স্তাবকরা সবসময়ে দাদা দাদা করছে, সাধারণ মানুষ দরজায় এসে হাত কচলায়, যাকে তাকে হম্বিতম্বি করতে পারেন... এ সবের মোহ যে কী মারাত্মক। সিস্টেমটা মনুষ্যত্বকে নিংড়ে নেয় সুকন্যা।

রেখার মুখচোখ কেমন উদাস হয়ে গেছে। উদাস? না করুণ? মিতুল রেখাকে দেখছিল। নিঃসন্তান এই মহিলা স্বামীর কাছ থেকেও কত দূরে সরে গেছে! একাকীত্বের তাড়নাতেই বুঝি মাইনেকড়ি না পেয়েও এই স্কুলটা গড়ার জন্য মরিয়া হয়ে উঠেছে রেখাদি। স্বপ্নভঙ্গের বেদনা এভাবেই ভুলতে চায়। বেচারা।

ড্রয়ারে কাগজপত্র ঢুকিয়ে রাখছে রেখা। দুঃখ মাখানো হাসি হেসে বলল,—তোমার ক্লাস তো শেষ, তুমি এবার রওনা দাও না।

—আর একটু ওয়েট করি। একটা বাজুক। সবাই নয় একসঙ্গেই বেরোব।

—বোসো তা হলে। আমি একটু মুনমুন অপর্ণার ক্লাসে রাউন্ড মেরে আসি।

—যান।

রেখা চলে যেতে টেবিলে পড়ে থাকা খবরের কাগজটা টানল। চোখ বোলাচ্ছে বাঁধাধরা সংবাদে। আমেরিকার একতরফা ইরাক আক্রমণের টুকিটাকি। প্রায় বিনা বাধায় দখল হয়ে যাচ্ছে একটা দেশ...! কাশ্মীরে ফের জঙ্গি হানা। দুই প্রতিবেশী দেশের রেষারেষি বাড়ানোর নিষ্ঠুর

২১০

রাজনৈতিক লীলাখেলা...! মসজিদ মন্দির নিয়ে চাপান উতোর চলছে অযোধ্যায়। ধর্মের সুড়সুড়ি দিয়ে মানুষকে খেপিয়ে তোলার চরম নোংরামি...! বিহারে কন্যাসন্তানদের মেরে ফেলা হচ্ছে আঁতুড়ে। কুশিক্ষা আর কুপ্রথার কী ভয়ংকর ছবি...! রাজনৈতিক প্রতিহিংসা চরিতার্থ করতে বাস থামিয়ে গণধর্ষণ। মধ্যযুগীয় বর্বরতা! সময় এগোচ্ছে, না পিছোচ্ছে...!

—নমস্কার দিদিমণি।

মিতুল কাগজ থেকে দৃষ্টি সরাল। যমগোদা এক ব্রিফকেস হাতে পাশে এসে দাঁড়িয়েছে বছর চল্লিশেকের একটি লোক। মুখে বেশ গদগদ ভাব।

কাগজ মুড়ে রাখল মিতুল,—বলুন?

—আমি কলকাতার প্রতিমা পাবলিশার্স থেকে আসছি। শুনলাম মাটিকুমড়া বালিকা বিদ্যালয় আবার চালু হয়েছে...আমাদের কোম্পানির পাঠ্যপুস্তকগুলি যদি আপনারা একটু দেখেন... সব বিষয়ের বই আছে আমাদের...ইতিহাস ভূগোল অঙ্ক প্রকৃতিবিজ্ঞান জীববিজ্ঞান কর্মশিক্ষা... আমাদের বই এ অঞ্চলের অনেক স্কুলেই চলছে... চন্দ্রনাথ মেমোরিয়ালের বুকলিস্টেও আপনি আমাদের ঘরের বই পাবেন... আমরা কোনও ভুঁইফোড় প্রকাশক নই, পঁয়তাল্লিশ বছরের পুরনো প্রতিষ্ঠান... আপনার যদি বিশ্বাস না হয়, আমি কয়েকটা স্কুলের পুস্তকতালিকাও এনেছি...

খোনা সুরে গড়গড় করে বলে চলেছে লোকটা। কালও এরকম এক প্রকাশকের লোক এসেছিল। সেও প্রায় একই সংলাপ আউড়ে গেছে। ক্লাস শুরু হওয়ার এক-দেড় সপ্তাহের মধ্যে কী করে যে এরা খবর পেয়ে গেল কে জানে!

মিতুল বলল,—দাঁড়ান দাঁড়ান, আমাদের তো এখনও স্কুল সেভাবে তৈরি হয়নি।

—তবু দেখুন না একবার। আপনাদের তো বই লাগবেই।

চন্দ্রনাথ মেমোরিয়ালের তালসিড়িঙ্গে টাইপিস্টটা বলে উঠল,—দেখতে পারেন দিদিমণি। এরা আমাদের চেনা লোক।

সঙ্গে সঙ্গে লোকটার মুখে বিগলিত হাসি। ব্রিফকেস রাখল টেবিলের ওপর। খুলে বই বার করতে করতে বলল,—শুধু ফাইভ-সিক্সই এনেছি, পছন্দ আপনার হবেই। বলেই গলা নামিয়েছে,—পছন্দ না করিয়ে আমরা ছাড়িই না।

মিতুলের ভুরুতে ভাঁজ পড়ল। মাটিকুমড়ায় পড়াতে এসে কত কিছুই না জানতে পারছে। কলকাতার প্রকাশকদের এইসব প্রতিনিধিরা নাকি এভাবেই চক্কর মারে স্কুলে স্কুলে। নিজেদের ছাপানো পাঠ্যপুস্তক স্কুলে ধরানোর জন্য নাকি কিঞ্চিৎ লেনদেনেরও প্রথা আছে। যতগুলো বই বুকলিস্টে তুলতে পারবে, তত ইনটু একশো-দুশো করে থোক একটা টাকা ধরিয়ে দিয়ে যাবে শিক্ষক-শিক্ষিকাদের। ভাগাভাগিতে বহু জায়গায় প্রধান শিক্ষক-শিক্ষিকারও নাকি বখরা থাকে। আশ্চর্য, এইসব প্রকাশকরা কি লোক লাগিয়ে চিরুনি তল্লাশি চালায়? নইলে এই অসময়ে এদের কাছে খবর পৌঁছোয় কী করে? ডি আই অফিসই বলে দেয় নাকি? কে জানে এখান থেকেও তাদের হয়তো টু পাইস আমদানি হয়!

রেখা এসে গেছে। মিতুল হাঁপ ছেড়ে বাঁচল। বলল,—এই তো বড়দিদিমণি। ...ওঁর সঙ্গে কথা বলুন।

রেখা লোকটাকে জরিপ করতে করতে বসল চেয়ারে। ঠোঁটে একটা চোরা হাসি টেনে বলল, —আমাদের স্টুডেন্টসংখ্যা এখন কত জানেন? কত কষ্ট করে অত দূর থেকে সব আসছেন, পড়তায় পোষাবে তো আপনাদের?

লোকটার তাম্বুল রঞ্জিত বত্রিশ পাটি দাঁত বেরিয়ে গেল,—আজ কম আছে, কাল বেড়ে যাবে। প্রথম থেকেই আমাদের বই যদি স্কুলে চালু থাকে...

—বুঝলাম।

—বইগুলো একবার দেখুন না বড়দিমণি। ভূগোল বইটা লিখেছেন এক অধ্যাপক। কলকাতার কলেজের। এই স্ট্যান্ডার্ডের বই আপনি পশ্চিমবাংলার কোনও প্রকাশকের ঘরে পাবেন না।

—বটে?

রেখা বইটা হাতে নিল। চশমা ঠিক করে পাতা উলটোচ্ছে। তখনই দরজায় চন্দ্রনাথের পিয়োন,— সুকন্যাদিদিমণি, আপনাকে একজন খুঁজছেন।

—আমাকে?

—আপনার নামই তো বললেন। হাতে বড় ফোলিওব্যাগ আছে।

মিতুল হকচকিয়ে গেল। কে রে বাবা? তার চেনাজানা কেউ পাঠ্যবইয়ের প্রকাশনা খুলেছে নাকি? না বন্ধুবান্ধব কেউ প্রকাশকের ঘরে চাকরি নিল?

টানা লম্বা বারান্দাটায় এসে মিতুল হতবাক। অতনুদা! দাঁড়িয়ে আছে ঘাসবিহীন ফুটবল মাঠটার এক পাশে।

সেদিনের সেই ঘটনার পর থেকে অতনু আর যোগাযোগ করেনি। হঠাৎ অ্যাদ্দিন পর এত দূরে এসে হাজির হয়েছে যে?

মিতুলকে দেখেছে অতনু। বেশ সপ্রতিভ ভঙ্গিতেই এগিয়ে এল। একগাল হেসে বলল,—তুমি যে এর মধ্যেই স্থানান্তরিত হয়ে গেছ বুঝতে পারিনি। খুব ঘুরপাক খেলাম যাহোক। প্রথমে গেলাম মাটিকুমড়া, সেখানে গিয়ে দেখি সব ভোঁ ভাঁ। এক বুড়ো বলল তোমরা নাকি আরও দু'কিলোমিটার সরে গেছ। ভাগ্যিস সঙ্গে ভ্যানরিকশাটা ছিল, ধানখেতের হাওয়া খেতে খেতে সোজা চলে এলাম এখানে।

—কী কাণ্ড! তুমি আমার সঙ্গে দেখা করতে...?

—বামুনঘাটায় এসেছিলাম। ডিলারের কাছে। হঠাৎ মনে হল তুমি তো কাছাকাছি আছই... একটা চান্স নিয়ে দেখি...

২১৩

—ও। পিয়োন ছেলেটা ড্যাবড্যাব চোখে তাকিয়ে, তার কৌতূহলটাকে ঝলক দেখে নিয়ে মিতুল বলল,—একটু দাঁড়াও। আসছি।

রেখাকে বলে, ভ্যানিটিব্যাগ কাঁধে ঝুলিয়ে, বেরিয়ে এল মিতুল। দোতলা বিল্ডিংটায় ছেলেদের জোর হল্লাগুল্লা চলছে। বারান্দাতেও দাপাদাপি করছে ছেলেরা। একদল হইহই করে নেমে এল ন্যাড়া মাঠে, ফুটবল নিয়ে দৌড়োচ্ছে। মাঠটা পেরিয়ে এসে মিতুল বলল, —ভ্যানরিকশা আছে? না ছেড়ে দিয়েছ?

—মাথা খারাপ! এই ঢোলগোবিন্দপুরে এসে ওই বাহন হাতছাড়া করি! এখানে আসতে আসতে তোমার পায়ের ধুলো নিতে ইচ্ছে করছিল। এতটা ভেতরে তুমি রোজ আসো, বাপস্!

—না স্যার। মাটিকুমড়া ঘুরে এসেছ বলে ওরকম মনে হচ্ছে। এখান থেকে বাসরাস্তার একটা শর্টকাট রুট আছে। হেঁটেই মেরে দেওয়া যায়।

স্কুলের সামনে দিয়ে মেঠো পথ চলে গেছে গ্রামের ভেতর। রাস্তার ধারে ঝাঁকড়া আমগাছ রয়েছে বেশ কয়েকটা। একটা গাছের ছায়ায় অপেক্ষা করছিল তেচাকা, কথা বলতে বলতে মিতুল গিয়ে উঠে পড়ল পাটাতনে। দিব্যি অভ্যস্ত ভঙ্গিতে বাবু হয়ে গুছিয়ে বসেছে। মুখে অনাড়ষ্ট ভাব, কিন্তু ভেতরে কুলকুল করছে অস্বস্তি। অতনুদা এখানে কেন? শুধুই বামুনঘাটায় এসেছিল, তাই...? সেদিন দিদি চলে যাওয়ার পর যেন পাথরের স্ট্যাচু বনে গিয়েছিল অতনুদা। খানিকক্ষণ পর মাথা নিচু করে বলেছিল, আমি চলি। মিতুলের বলতে ইচ্ছে হয়েছিল, দিদির বিষতিরকে আমল দিয়ো না। দিদিকে মিথ্যে প্রমাণ করার জন্য স্বচ্ছন্দ হও, স্বাভাবিক হও। কিন্তু ওই মুহূর্তে বলা কি যায়?

এতদিনে তা হলে ধাক্কাটা সামলাতে পারল অতনুদা?

গড়াতে শুরু করেছে ত্রিচক্র যান। চালককে কোন রাস্তায় যেতে হবে তার নির্দেশ দিয়ে মিতুল বলল,—খুব জোর সারপ্রাইজ দিয়েছ কিন্তু...

অতনু বসেছে পা ঝুলিয়ে। সিগারেট ধরানোর চেষ্টা করছে। পরপর তিনটে কাঠি নষ্ট করল, সফল হয়েছে চতুর্থ বারে। লম্বা ধোঁয়া ছেড়ে বলল,—তোমাকে চমকাতে গিয়ে জোর ফ্যাসাদে পড়েছিলাম।

মিতুল গ্রীবা হেলাল,—কী রকম?

—ভুল করে ছেলেদের স্কুলের স্টাফরুমে ঢুকে পড়েছিলাম। সেখানে সুকন্যা মুখার্জির নাম বলতেই যেভাবে পনেরো জোড়া চোখ আমায় অ্যাটাক করল। তারপর তো শুরু হল সি বি আই-এর জেরা। অন্তত পাঁচজন ঘুরিয়ে ফিরিয়ে সেম প্রশ্ন করে যাচ্ছে!... কে আপনি? কোত্থেকে আগমন? সুকন্যা মুখার্জি আপনার কে হয়? তাকে আপনি কদ্দিন চেনেন? তিনিই কি আপনাকে ডাক পাঠিয়েছিলেন, নাকি স্বইচ্ছায় এসেছেন?

মিতুল হাসতে হাসতে বলল,—ওফ্, ও ঘরটা তো একটা চিড়িয়াখানা! যা এক একটা স্যাম্পল্ ওখানে! আমাদের চারজনকে নিয়ে ওদের যে কত কিউরিয়োসিটি!

—আহা, ওদের নিস্তরঙ্গ জীবনে তোমরা ঊর্মিমালা হয়ে এসেছ...

—কাব্য কোরো না। পিত্তি জ্বলে যায়। আমাদের পাস্ট প্রেজেন্ট আর ফিউচারই ওদের একমাত্র গবেষণার টপিক। আমাদের হেডমিস্ট্রেসের যে বাচ্চা হয়নি তাই নিয়েও ওরা ভেবে আকুল। একদিন ইনডাইরেক্টলি রেখাদিকে জিজ্ঞাসাও করেছিল রেখাদি ডাক্তার টাক্তার দেখিয়েছে কিনা।

—তা ওই সব কৌতূহলী বেড়ালরা সব একসঙ্গে স্টাফরুমে বসে কেন? একটা বাজার আগেই টিফিনটাইম?

—আরে না। ওটা একটা অন্য কেস। চন্দ্রনাথের টিচাররা

এখন আর ক্লাস নিচ্ছে না। বিশ্বকর্মাপুজোর দিনই ছেলেদের বলে দিয়েছে, যা তোদের পুজোর ছুটি হয়ে গেল।

—যাহ্। এরকম বলা যায় নাকি?

—বলেছে। স্টাফরুমে বসে বসে ওরা গেঁজায়, তর্কাতর্কি চেঁচামিচি দলাদলি করে, যে যার পার্টির হয়ে গলা ফাটায়, তারপর সময়মতো কেটে পড়ে।

—আর ছাত্ররা হুল্লোড় করে? নেচে বেড়ায়?

—এরকমই তো চলছে। অফিসিয়ালি পুজোর ছুটি পড়েনি, তাই স্কুলই এখন ওদের মৌজমস্তির জায়গা।

—বাহ্, বাহ্। হেডমাস্টারও কিছু বলেন না?

—তিনি ভয়ে জুজু। তিন মাস মাইনে পায়নি টিচাররা, তিনি স্টাফরুমে উঁকি দিলেই মাস্টাররা বেত নিয়ে তেড়ে আসবে।

—তাই বলো। তিন মাস উইদাউট পে। তা হলে তো ক্লাস না নেওয়াই স্বাভাবিক। ...কিন্তু মাইনে পায়নি কেন?

—আসেনি, তাই। এরকমই তো আজকাল রেওয়াজ। গভর্নমেন্টের টাকা নেই। যখন আসবে, তখন পাবে। বামুনঘাটা থেকে বাসে আসতে আসতে একদিন একজন সিনিয়র টিচার বলছিল, চাকরি পেতে গুনে গুনে এক লাখ টাকা দিতে হয়েছিল দিদিমণি, তিন বিঘে জমি বেচতে হয়েছিল বাবাকে, ঠিকঠাক মাইনে না পেলে পড়াব কেন!

—বটেই তো। লেজিটিমেট গ্রিভান্স। পেটে কিল মেরে পড়ানো যায়?

—তুমি যা ভাবছ তা নয়। দু'-চারজনকে বাদ দিলে বেশির ভাগ স্যারেরই স্কুলটা সাইড ইনকাম। পেট চালানোর জন্য চাষবাস আছে, জমিজমা আছে, দোকানপাট আছে, কেউ বা শ্যালো ভাড়া দেয়, কেউ ভাড়া খাটায় ট্র্যাক্টর...। আর মাদুর চাটাইয়ের ব্যবসা তো আছেই।

—মাদুর? সে তো মেদিনীপুর বাঁকুড়ার কুটিরশিল্প! এ অঞ্চলেও হয়?

২১৬

মিতুল হেসে গড়িয়ে পড়ল। বুঝি বা একটু বেশিই হাসছে। বেশি প্রগল্ভ। বলল,—এ-মাদুর বাংলার সর্বত্র হয় অতনুদা। মাদুর ইজ আ টেকনিকাল টার্ম। মানে প্রাইভেটে ছাত্র পড়ানো। কম সংখ্যায় পড়ালে মাদুর, বেশি ছাত্র পড়ালে চাটাই।

—ওহ্‌, হো, তাই বলো!

পলাশপুরের মাটির রাস্তা ছেড়ে সুরকি বিছোনো পথে উঠেছে ভ্যানরিকশা। চলছে খানাখন্দে ঠোক্কর খেতে খেতে। পলাশপুরের এদিকটায় পাটের চাষ হয় খুব, ক'দিন আগেও রাস্তার দু'ধার উঁচু উঁচু গাছে প্রায় ঢাকা পড়েছিল। পাট কেটে নেওয়ার পর মাঠগুলো ফাঁকা ফাঁকা। দূরে দেখা যায় ধানখেত। ধানগাছের সবুজ ফিকে হয়েছে খানিকটা। এখন সেখানে ফুটে আছে কাশফুল, দোল খাচ্ছে হাওয়ায়। পথে ছোট্ট একটা জলাভূমি পড়ল, জলার পাড়ে কাশের জঙ্গল এত ঘন যে জায়গাটা পুরো সাদা হয়ে গেছে। পিড়িং পিড়িং পাখি উড়ছে এলোমেলো। দোয়েল ফিঙে শালিক চড়ুই ডাকছে। পিক পিক পিক। এই সময়ে, শরতের এই নির্জন দুপুরে পৃথিবীটাকে কী যে মেদুর লাগে!

চারপাশটা দেখতে দেখতে অতনুর সঙ্গে গল্প করছিল মিতুল। অতনুই প্রশ্ন করছে। মিতুলের স্কুল নিয়ে। হাত মুখ নেড়ে নেড়ে উত্তর দিচ্ছে মিতুল। বাসস্টপে এসে ভ্যানরিকশা থেকে নামতেই সহসা ফুরিয়ে গেল কথা। আকাশ দেখছে অতনু। ছেঁড়া ছেঁড়া ফেনা মাখা আশ্বিনের আকাশ। মিতুলের চোখ দূরে। বহু দূরে। নিউ মার্কেটের সামনে।

অসহজ ভাবটা ফিরে আসছিল মিতুলের। কেন যেন মনে হচ্ছে কিছু একটা বলতে এসেছে অতনু। যেন এতক্ষণ ধরে শুধু উপক্রমণিকা ভাঁজছিল। কী বলতে পারে? তোমার দিদির আচরণের জন্য আমি দুঃখিত? লজ্জায় তোমায় একটা ফোনও করতে পারিনি? কাকে বলবে? দিদিরই বোনকে?

২১৭

নাকি শুনতে চায় দিদির বেচালপনায় কতটা মরমে মরে আছে মিতুল?

বাস এসে গেল। উঠেছে দু'জনে। নীরবে। মুন্সিডাঙায় হাট ছিল আজ, বাসে বেশ ভিড়। তার মধ্যেই বসার জায়গা পেয়ে গেল মিতুল, অতনু ঠায় দণ্ডায়মান।

বামুনঘাটায় নেমেই আবার সিগারেট ধরাল অতনু। বাসস্টপের উলটো দিকে বামুনঘাটা থানা। বড়সড় এক চা-দোকান আছে থানার দোরগোড়ায়। সাইনবোর্ড ঝুলছে, কেষ্ট কেবিন। অতনু চোখের ইশারায় দেখাল দোকানটাকে,—গলা ভেজাবে নাকি?

মিতুল লঘু গলাতেই বলল,—কেন, ধোঁয়াতে গলা ভিজছে না?

অতনু যেন সামান্য অপ্রস্তুত। আমতা আমতা করে বলল,—আমি কি বেশি সিগারেট খাচ্ছি?

—খাচ্ছই তো। হেঁয়ালি আর পছন্দ হচ্ছিল না মিতুলের। সরাসরি বলল,—এনি টেনশান?

—না, এমনি। অতনু ঢোঁক গিলল। কী একটা কথা বলতে গিয়েও চলে গেল অন্য কথায়,—তোমার বাবার ব্যাপারটা কী হল? মিটেছে?

মিতুল চোখ ঘুরিয়ে তাকাল, —তুমি জানো ঘটনাটা?

—একদিন কাগজে দেখেছিলাম।

—তখন ডিটেলে জানতে ইচ্ছে হয়নি?

—না মানে....

—ইজিলি একটা ফোন করতে পারতে। মিতুল গম্ভীর হল, —দ্যাখো অতনুদা, এসব সংকোচের আমি মানে বুঝি না। সেদিন দিদি যা করেছে তার জন্য দিদিরই লজ্জিত হওয়া উচিত। তুমি কুঁকড়ে আছ কেন?

অতনু নার্ভাস মুখে বলল, —সরি।

—সরি-ই বা কীসের জন্য? অতনুর কাচুমাচু মুখ দেখে

২১৮

মিতুল হেসে ফেলল, —তোমার ফোন না করাটাও তেমন অস্বাভাবিক কিছু নয়। বরং ওই মুহূর্তে আমাদের এমব্যারাস না করে তুমি হয়তো ভালই করেছ।

অতনু থম মেরে রইল একটুক্ষণ। বুঝি এবার কী বলবে ভাবছে। সিগারেট ফেলে দিল। পা দিয়ে চেপে চেপে নেবাচ্ছে। আচমকা বলে উঠল, —জানো, তোমার দিদি আমায় ডেকেছিল।

—বলো কী? কবে?

—পরশু রাত্রে হঠাৎ ফোন। প্রথমে একপ্রস্ত কিছু মনে কোরো না, কিছু মনে কোরো না। তারপরই ঝুলোঝুলি, প্লিজ কাল দুপুরে একবার আমার বাড়িতে এসো, তোমার সঙ্গে খুব জরুরি কথা আছে।

—তার মানে অনুতপ্ত হয়েছে?

—অনুতাপ শব্দটা তোমার দিদির অভিধানে নেই মিতুল।

—তা হলে হঠাৎ ডাকাডাকি কেন? সামনাসামনি আর এক প্রস্ত গালিগালাজ করতে?

—না বাড়িঘর দেখাতে। নিজের ঐশ্বর্য দেখাতে। আমাকে বিয়ে না করে ও যে কত সুখে আছে, সেটাই শো করতে। স্রেফ বোঝাতে চাইছিল তাকে ওই প্রাচুর্যে রাখার ক্ষমতা আমার ছিলও না, হবেও না কোনওদিন। বোঝানো কেন, মুখের ওপর শুনিয়েও তো দিল।

—অদ্ভুত তো! কী লাভ হল তোমায় শুনিয়ে?

—ওর কতটা লাভ হল জানি না, তবে আমার হয়েছে। অতনু মৃদু হাসল, —অনেক দিন মনে মনে একটা ধন্দ ছিল, তোমার দিদি কি আমায় আদৌ ভালবাসত কোনওদিন? জবাবটা কাল পেয়ে গেলাম। বাসত। ভালবাসত বলেই ভেতর থেকে জ্বলছে। নিজেকে জোর করে সুখী প্রতিপন্ন করে আমায় জ্বালাতে চাইছিল। যাকে ও একদিন ছেঁড়া রুমালের মতো ফেলে দিয়েছে, সে যে এখন আর তার বিরহে কাতর নয়, এই নির্মম সত্যিটা ও কিছুতেই সহ্য

২১৯

করতে পারছে না। সেদিন আমাদের দু'জনকে একসঙ্গে দেখার পর থেকে হিংসে ওকে তাড়িয়ে মারছে।

একে কি ভালবাসা বলে? নাকি অধিকারবোধ? হাতছাড়া হয়ে যাওয়ার ক্ষোভ?

মিতুল মাথা নাড়ল, —হুম। দিদিটা বোকা আমি জানি। কিন্তু এত বোকা আমার ধারণা ছিল না। কী করে ভাবতে পারল তোমার আমার মধ্যে সেরকম কোনও সম্পর্ক হয়েছে?

—হয়নি, না?

কথাটা বলেই মুখ ঘুরিয়ে নিয়েছে অতনু। কিছুতেই আর মিতুলের চোখে চোখ রাখছে না। তাকাচ্ছে এদিক-ওদিক। ভান করছে অন্যমনস্কতার। দেখছে গাছপালা, দেখছে রাস্তা, দেখছে চলমান মানুষ অথবা কিছুই না।

মিতুলের কাছে একটু একটু করে স্পষ্ট হচ্ছিল ছবিটা। নিউ মার্কেটের সামনে অবাঞ্ছিত কাণ্ডটা ঘটে যাওয়ার পর অতনুর দীর্ঘ নীরবতা, কাল দিদির বাড়ি গিয়েই ছুটতে ছুটতে এই দেখা করতে আসা, জোর করে অস্বচ্ছন্দ ভাব কাটানোর প্রয়াস, এই মুহূর্তের অপ্রতিভ ভঙ্গি, সবই যেন এক সুতোয় গাঁথা। কী বলে ওই সুতোয় গাঁথা মালা?

মিতুল কষে ধমকাল নিজেকে। এইসব ন্যাকা ন্যাকা রোম্যান্টিকতাকে প্রশ্রয় দেওয়া তোমায় মানায় না মিতুল। কী চাও তুমি, অ্যাঁ? রামবুদ্ধু দিদিটার সন্দেহ কি সত্যি প্রমাণ করে ছাড়বে?

আশ্চর্য, ধমকটায় তেমন জোর ফোটে না কেন? দুটো অকিঞ্চিৎকর শব্দ বেজেই চলেছে মিতুলের বুকে। জলতরঙ্গের মতো। নাকি ও কোনও অচিন পাখির ডাক? বুঝতে পারছে না মিতুল। সত্যিই কিছু বুঝতে পারছে না। নিজেকে কেন যে হঠাৎ অচেনা লাগছে এখন?

হয়নি, না? নাকি হয়েছে?

২২০

॥ ষোলো ॥

ট্রেন থেকে নেমে শান্ত পায়ে হাঁটছিল সোমনাথ। অনেকদিন ছুটিতে কাটল, প্রায় তিন সপ্তাহ, আর কত বিশ্রাম নেওয়া যায়! আজ ক্লাস হয়ে পুজো ভেকেশান পড়বে, আজ তো জয়েন না করলেই নয়।

সোমনাথ এখন অনেকটাই সুস্থ। বুকের চাপ ভাবটা নেই, ব্যথাও নেই বললেই চলে, দুর্বলতাও না থাকারই মতো। ডাক্তার এখন তাকে হাঁটতে বলেছে নিয়মিত। দিনে অন্তত মাইল দুয়েক। হৃদয়ের কলকবজা মোটামুটি ঠিকই আছে, তবু ওই হাঁটাটা নাকি বুড়িয়ে আসা হৃদযন্ত্রের জন্য অতি মূল্যবান পথ্য।

ডাক্তার দেখানো নিয়ে নাটক কিছু হল বটে বাড়িতে। মৃদুলার বোন ভগ্নিপতির সঙ্গে হাতিবাগানের এক কার্ডিওলজিস্টের দারুণ চেনাজানা, জামাইবাবু কাম প্রাক্তন মাস্টারমশাইকে দেখতে এসে মন্দিরা প্রায় টানতে টানতে সোমনাথকে নিয়ে গেল তার চেম্বারে। শুনেই তুতুলের মুখ হাঁড়ি। প্রতীক যে এদিকে পাঁচশো টাকা ভিজিটের সুবোধ সেনের সঙ্গে অ্যাপয়েন্টমেন্ট করে ফেলেছে তার কী হবে! অগত্যা মেয়ের মান ভাঙাতে সুবোধ সেনের কাছেও ছোটো। হাইফাই মেয়েজামাইয়ের হাইফাই বন্দোবস্তে মন থেকে সায় না পেলেও। আহা মেয়ে তার যেমনই হোক, সন্তান তো বটে। বাবাকে নিয়ে তার উদ্বেগটাও তো খাঁটি। তা ছাড়া ইচ্ছেঅনিচ্ছে, ভাললাগা মন্দলাগা, তৃপ্তিঅতৃপ্তি, সব মিলিয়েই তো সংসার। এ এক অনন্ত আপস, নিরন্তর বোঝাপড়া। তুতুল প্রতীকের জীবনধারা তো সোমনাথ চাইলেই বদলে যাবে না। সুতরাং নিজের পছন্দ অপছন্দগুলো বুঝিয়ে দেওয়া, আর মনে মনে কষ্ট পাওয়া ছাড়া সোমনাথের আর কীই বা ভূমিকা থাকতে পারে এখন?

২২১

পথের দু'ধারে দোকানপাটে ভালই ভিড়। এগারোটা বাজতে না বাজতে জমে উঠেছে পুজোর বাজার। হবেই তো, চতুর্থী বলে কথা, তার ওপর রবিবারটা মাটি হয়েছে বৃষ্টিতে। টানা ঝিলের ওপারে ফাঁকা মাঠ, সেখানে প্যান্ডেল বাঁধার কাজ চলছে জোর। গির্জা বানাচ্ছে। সেন্ট পল্‌স ক্যাথিড্রালের অনুকরণে। এখানেও পৌঁছে গেল কলকাতার ঢেউ!

ঝিলটা পেরিয়ে এসে সোমনাথের চোখ আটকেছে সামনে। অভিজিৎ আসছে! একা। সোমনাথকে দেখেই রাস্তা টপকে ওপারে চলে গেল। ঘাড় ঝুঁকিয়ে হাঁটছে।

কী যে হয়ে গেল সোমনাথের, গলা উঠিয়ে ডাকল, —অভিজিৎ?

চমকে মাথা তুলেছে ছেলেটা। ফ্যাকাশে মুখে তাকাল।

সোমনাথ ফের ডাকল, —এদিকে শোনো।

পায়ে পায়ে এল অভিজিৎ। চোখ তুলছে না। খারাপ লাগল সোমনাথের। তার সঙ্গে চরম অসভ্যতা করেছে বটে ছেলেটা, তবু ছাত্র তো। শত্রু তো নয়।

সোমনাথ স্বাভাবিক স্বরে জিজ্ঞেস করল, —পার্ট ওয়ানের মার্কশিট এসেছে কলেজে?

— হ্যাঁ স্যার। অভিজিৎ ঢক করে মাথা নাড়ল, —কাল এসেছে।

—তোমার ইতিহাস অনার্স না?

—হ্যাঁ স্যার।

—কেমন হল রেজাল্ট?

—ভাল নয়। অভিজিতের ফের ঘাড় হেঁট, —ফরটি-থ্রি পারসেন্ট।

—এত কম?

—থার্ড পেপারটা খুব খারাপ হয়েছিল স্যার। এতক্ষণে আড়ষ্ট অভিজিৎ খানিকটা সহজ যেন,—কিচ্ছু কমন পাইনি। মাত্র তিনটে কোয়েশ্চেন অ্যাটেমপ্ট করেছিলাম।

সারাক্ষণ ইউনিয়নবাজি করলে এই হালই হয়। আজকাল তো সেরা ছেলেরা বড় একটা ইউনিয়ন নিয়ে মাতে না, এখন কলেজের মাঝারি বা ওঁচারাই লিডার। পতঙ্গের মতো এরা ঝাঁপ দেয় রাজনীতির আগুনে। আশায় থাকে রাজনীতির সুবাদে আখের গুছিয়ে নেওয়ার। কিন্তু সেই সৌভাগ্যই বা ক'জনের কপালে জোটে? পুড়ে ছাই হওয়াটাই এদের নিয়তি। অভিজিৎও নেহাতই সাধারণ মানের ছাত্র, স্টাফরুমে শুনেছে সোমনাথ। এই ছেলেটার কপালে কী আছে? মায়া হয় ভাবলে, বড্ড মায়া হয়।

নিজের ক্ষণিকের ভাবনায় নিজেই চমকাল সোমনাথ। এ কার ভাষায় চিন্তা করছে সে? নির্মল! হঠাৎ নির্মল কথা বলে ওঠে কেন?

সোমনাথ গলা ঝেড়ে বলল,—ভাল করে খাটো। পার্ট-টুতে পারসেন্টেজ না বাড়াতে পারলে চলবে?

আবার ঢক করে মাথা নাড়ল অভিজিৎ। সোমনাথ আর কথা না বাড়িয়ে হাঁটা শুরু করেছে। কী যেন মনে হতে ঘুরে তাকাল একবার। ছেলেটা দাঁড়িয়ে আছে এখনও। সোমনাথের আহ্বানটা এখনও বোধহয় পরিপাক করতে পারেনি। আজ অভিজিৎ এত সভ্য, এত শালীন, যে বিশ্বাসই হয় না ওই ছেলেই অমন উগ্র আচরণ করেছিল! দলের মধ্যে থাকলেই কি অভিজিৎদের রূপ পালটে যায়? নৈতিকতা মূল্যবোধ সংস্কার ঝাপসা হয়ে আসে? একা মানুষের হৃদয়বৃত্তি ভোঁতা করে দেওয়ার জন্যেই কি দলের উদ্ভব? ওই অভিজিৎই যে কলেজে সাঙ্গোপাঙ্গদের মধ্যে পড়লে অন্য মূর্তি ধারণ করবে তাতে কোনও সংশয়ই নেই। দল থাকলেই নেতা জন্মাবে। নেতা মানেই ক্ষমতা। যত ছোট গণ্ডির মধ্যেই হোক, অভিজিৎ খানিকটা ক্ষমতা হাতে পেয়েছে তো। ওই হাতিয়ারই তো রং বদলে দেয় মানুষের।

আশ্চর্য, এও তো সেই নির্মলেরই কথা! নির্মলের ভূত কি

২২৩

আজ ঘাড়ে চেপে বসল সোমনাথের?

ভাবতে ভাবতে কলেজ গেট। ভাবতে ভাবতে স্টাফরুম। পরিচিত চেয়ারে বসতেই একটা চোরা অস্বস্তি। মনে পড়ে গেল শো-কজের চিঠিটা ঘাপটি মেরে আছে ফোলিওব্যাগের গুহায়। আজ, ছুটির আগের দিন, ওই নিয়ে আর উচ্চবাচ্য হবে কি?

স্টাফরুম আজও চাঁদের হাট। কে নেই! সোমনাথকে দেখেই কুশল প্রশ্নের ঝড় বয়ে গেল যেন। সঙ্গে শরীর স্বাস্থ্য নিয়ে কাঁড়ি কাঁড়ি উপদেশ। মুখে একটা হাসি ধরে রেখে উত্তর দিচ্ছিল সোমনাথ। ফাঁকে ফাঁকে চলছে লেখা, জয়েনিংয়ের চিঠি।

তথাগত পিছনে এসে দাঁড়িয়েছে। ঝুঁকে নিচু গলায় বলল,—রাস্তায় আপনাকে তখন অভিজিৎ ধরেছিল কেন সোমনাথদা?

সোমনাথ কলম থামাল। আলগাভাবে বলল,—ধরেনি তো। আমিই ওকে ডাকলাম। জিজ্ঞেস করছিলাম ওর রেজাল্ট কেমন হল। ...আপনি দেখলেন কোত্থেকে?

—রিকশায় পাস করছিলাম।

—ও।

তথাগত আরও ঝুঁকল। প্রায় কানে কানে বলল,—গুড ট্যাক্টিকাল মুভ। বাবা বাছা করে সম্পর্কটা ইজি করে ফেলুন। অভিজিৎ আর ক'টা দিনই বা থাকবে, জাস্ট কায়দা করে টাইমটা পাস করিয়ে দিন।

এরকম একটা গূঢ় বাসনা নিয়েই কি সোমনাথ ডেকেছিল অভিজিৎকে? নাহ্, সোমনাথ মানতে পারল না। ঝোঁকের মাথাতেই তো হঠাৎ...। অবশ্য কারণ ছাড়া কার্য হয়, একথা কে-ই বা বিশ্বাস করবে!

তবে তথাগতর পরামর্শ থেকে একটা ব্যাপার পরিষ্কার, কলেজে এখন এই খাতেই বইছে আলোচনা। নইলে স্বপনই বা সেদিন এক সুরে গাইবে কেন?

গত রবিবার বাড়িতে এসেছিল স্বপন। সোমনাথকে দেখতে। বলছিল, কেন এত দুর্ভাবনা করছেন? পরিস্থিতি এখন মোটামুটি পিসফুল, ছেলেমেয়েরা দিব্যি ক্লাসটাস করছে, পুজোর আগে মুখটা দেখিয়ে আসুন, ছুটির পর তানানানা করে আরও কয়েকটা দিন কাটিয়ে দিন। পুজোর পর দুটো মাস পার করে দিতে পারলেই তো ব্যস, এসে যাবে ইউনিয়নের ইলেকশান। ছাত্র সংসদের বডি চেঞ্জ হবে, অভিজিৎও উইল বি আউটগোয়িং অ্যান্ড নোহোয়্যার। বুঝছেন তো ব্যাপারটা? আপনার কেসও তখন কফিনে। আরে, বোফর্স বাবরির মতো ঘ্যামা ঘ্যামা কমিশনের কবরে ঘাস গজিয়ে গেল, আর এ তো তুচ্ছ একটা চড় মারার ঘটনা!

নাহ্, জবাবটা লিখে না আনা বোধহয় সোমনাথের খুব একটা মূর্খামি হয়নি। পুজোটা তো শান্তিতে কাটুক, তারপর নয় দেখা যাবে।

বাইরে এখন প্রবল শরৎ। আমেজটা ছড়িয়ে আছে স্টাফরুমেও। পুজো পুজো গন্ধে ম ম করছে ঘর। ছেলেমেয়েরা প্রায় আসেইনি কলেজে, ক্লাসে যাওয়ারও আদৌ চাড় নেই অধ্যাপক অধ্যাপিকাদের। চলছে এলোমেলো গুলতানি। প্রতিমা নিয়ে, প্যান্ডেল নিয়ে, পুজোর বাজার নিয়ে, বেড়াতে যাওয়া নিয়ে...। এসে পড়ছে সদ্য প্রকাশিত পার্ট ওয়ানের রেজাল্টের প্রসঙ্গও।

রবিকে ডেকে জয়েনিং লেটারখানা অফিসে পাঠিয়ে দিল সোমনাথ। হেলান দিয়েছে চেয়ারে। তেষ্টা পাচ্ছে অল্প অল্প। জলের জগ শর্মিলার সামনে। চাইল।

এগিয়ে দিয়ে শর্মিলা বলল, —কোথাও একটু ঘুরে আসুন না সোমনাথদা। চেঞ্জ হবে। আপনি কিন্তু বেশ রোগা হয়ে গেছেন।

সোমনাথ হাসল, —এখন হবে না। পুজোয় ভাই আসছে। ...আপনি যাচ্ছেন নাকি কোথাও?

—উপায় নেই। মেয়ের সামনে মাধ্যমিক...। খেলতে

গিয়ে ওর অনেকগুলো দিন বরবাদ হয়েছে। ভাবছি সামনের বছর আন্দামান যাব।

—আন্দামান জায়গাটা খুব সুন্দর। পাহাড় জঙ্গল সমুদ্র...

—গেছেন আপনি?

—নাহ্। দেখি যদি রিটায়ারমেন্টের পর সম্ভব হয়...

রবি ফিরেছে স্টাফরুমে। সোমনাথকে বলল,—মাইনের চেকটা তাড়াতাড়ি নিয়ে আসুন। ক্যাশ আজ জলদি বন্ধ হয়ে যাবে।

—হুম, যাই। মাইনেটা তো পড়েই আছে।

সোমনাথ উঠল। অফিসে ঢুকেই পুলকেশের মুখোমুখি। বড়বাবুকে কী যেন বোঝাচ্ছিল পুলকেশ, সোমনাথকে দেখেই তার চোখ বড় বড়,—আপনি এসেছেন? কই, আমার ঘরে এলেন না তো?

সোমনাথ সাদা মিথ্যে বলল,—এই তো, মাইনেটা নিয়েই যাচ্ছিলাম।

—আসুন। আমি ঘরে আছি।

সোমনাথ একটু চাপে পড়ে গেল। পুলকেশের মুখ না দেখে দিনটা তা হলে পার করা গেল না? কোনও মানে হয়?

সোজা প্রিন্সিপালের ঘরে অবশ্য গেল না সোমনাথ। চেক নিয়ে স্টাফরুম। ফোলিওব্যাগে ঠিক করে রাখল চেকটা। তারপর ব্যাগটা তুলে নিয়ে পুলকেশের চেম্বারে।

এক তাড়া কাগজে সই করছিল পুলকেশ। মুখ তুলে বলল,—শরীর এখন পুরোপুরি ফিট?

পাশের চেয়ারে ব্যাগ রেখে বসল সোমনাথ,—আছি একরকম। বেটার।

আবার পুলকেশের স্বাক্ষরে মন। কলম চলছে দ্রুত। শেষ করে বেল বাজাল। সুরথ এসে নিয়ে গেল কাগজপত্র। সদ্য কেনা পুরু গদি মোড়া রিভলভিং চেয়ারখানা ঈষৎ কোনাচে করে বসল পুলকেশ। বলল,—এনেছেন তো চিঠিটা? দিন।

২২৬

সোমনাথ অপ্রস্তুত মুখে বলল,—না মানে... আজই কি...?

—আপনি তো আচ্ছা ইরেসপনসিবল লোক মশাই। পুলকেশ অপ্রসন্ন হল,—চিঠিতে লেখা ছিল সাতদিনের মধ্যে জবাব দিতে হবে, আপনি অসুস্থ বলে গভর্নিং বডিতে আমি আপনার হয়ে প্লিড করলাম, আপনিও ওভার টেলিফোন কথা দিলেন জয়েন করেই উত্তর দিয়ে দেবেন...!

বলব না বলব করেও সোমনাথ বলে ফেলল,—আর কি রিপ্লাই দেওয়ার দরকার আছে?

—নেই? সিনিয়র টিচার হয়ে এ কী বলছেন আপনি? অফিসিয়ালি আপনাকে শো-কজ করা হয়েছে, গভর্নিং বডিকে আপনি উত্তরই দেবেন না? ইউ আর ডিফায়িং ইয়োর এমপ্লয়ার? এ তো ইনসাবর্ডিনেশান!

—না না, তা বলছি না। ভাবছিলাম সিচুয়েশান তো কুল ডাউন করে গেছে...

—সে তো সমুদ্রে গর্জনতেল ঢেলে রেখেছি বলে। ওটা সমুদ্রের আসল চেহারা নয়। কীভাবে ওদের ঠান্ডা করা হয়েছিল তা যদি জানতেন! কলকাতা থেকে ফোন না এলে থোড়াই ওরা বয়কট তুলত। ওই ফোনটি করানোর জন্য আমাকে কত কাঠখড় পোড়াতে হয়েছে জানেন! রাজ্য কমিটির নেতাকে দিয়ে ওদের অল ইন্ডিয়া প্রেসিডেন্টকে বলিয়ে...। যাক গে, এসব কথা তো আপনার শুনে লাভ নেই। একটা সিম্পল কথা অন্তত বুঝুন। আপনি উত্তর না দিলে গভর্নিং বডিকে অগ্রাহ্য করা তো হয়ই, প্লাস আমাকেও ফলস্ পজিশানে ফেলা হয়। যাঁরা আমার রিকোয়েস্টে মধ্যস্থতা করে সাময়িক ভাবে ব্যাপারটা মিটিয়েছিলেন, তাঁদের কাছে আমার মান থাকবে? পুলকেশ থমকাল। রগ টিপছে। অস্ফুটে বলল, বোঝেন না আমার অবস্থাটা?

এই প্রথম বুঝি পুলকেশের ওপর করুণা জাগছিল সোমনাথের। অত দামি কুর্সিতে বসেও কী অসহায়! যারা

তাকে চেয়ারটা উপহার দিয়েছে, তাদের ভয়ে কাঁটা হয়ে আছে বেচারা। এমন কম্পমান দশায় রাখা যাবে বলেই কি পুলকেশ কুন্ডুদের বসানো হয় এইসব পদে? আসল ক্ষমতা থাকবে অন্যত্র, দড়ি বাঁধা পুতুল হয়ে নাচবে পুলকেশরা! অভিজিৎরা!

ওফ্, আবার নির্মল! আজ কি নির্মল কিছুতেই ছাড়বে না সোমনাথকে?

সোমনাথ বড় করে শ্বাস টানল। ফুসফুসে খানিকটা বাতাস ভরে নিয়ে বলল, —দিন তবে কাগজ। এখনই চুকিয়ে দিই।

—এই তো। বি সেন্সেবল্। পুলকেশের গলা পলকে নরম। ড্রয়ার থেকে খান তিন-চার সাদা পাতা বার করে দিয়ে মোলায়েম স্বরে বলল,—আমি আপনাকে ছোট হতে বলছি না। লিখে দিন সেদিন শরীরটা ভাল ছিল না, সাডেনলি মাথাটা গরম হয়ে গিয়েছিল, আকস্মিক উত্তেজনায়...অ্যান্ড ইউ আর সরি ফর দ্যাট ইনসিডেন্ট। ধরি মাছ না ছুঁই পানি গোছের বয়ানে জাস্ট কয়েকটা লাইন। একটা ফরমাল রেকর্ড থাকবে, এই মাত্র।

সোমনাথ কলম খুলে মাথা নামাল কাগজে। কী লিখবে? কী ভাবে লিখবে? হঠাৎই মিতুলের মুখ ভেসে উঠেছে চোখের সামনে। কাল রাত্তিরে ব্যালকনিতে দাঁড়িয়ে মিতুলকে প্রশ্নটা করেছিল সোমনাথ। ত্বরিত জবাব দিয়েছিল মিতুল, আমাকে জিজ্ঞেস করছ কেন বাবা, নিজেকে প্রশ্ন করো। তোমার কনসেন্স যা বলবে, তাই করবে।

কলমে আঙুল চাপল সোমনাথ। ইংরিজি নয়, শুদ্ধ বাংলায় সম্ভাষণ করল পরিচালন সমিতির সভাপতিকে।...মাননীয় মহাশয়, বিগত চোদ্দোই সেপ্টেম্বরের অনভিপ্রেত ঘটনাটির জন্য আমি আন্তরিক ভাবে দুঃখিত। তবে আমি কণামাত্র অনুতপ্ত নই। কারণ আমি বিশ্বাস করি দুর্বিনীত ছাত্রকে শাসন করার অধিকার শিক্ষকের আছে। অভিজিৎ ছাত্র সংসদের

সম্পাদক হতে পারে, কিন্তু আমার চোখে সে ছাত্রই। ভবিষ্যতে আবার কোনও ছাত্র যদি ওই ধরনের অবিনয়ী উদ্ধত আচরণ করে, আমি তাকে তখন একই শাস্তি দেব। শ্রদ্ধা সহ...

চিঠির শেষে নিজের নামটি লিখে তারিখ বসাল সোমনাথ। এগিয়ে দিল পুলকেশকে।

পড়তে পড়তে পুলকেশ হাউমাউ করে উঠেছে,—এসব কী আজেবাজে কথা লিখেছেন?

সোমনাথ স্থির চোখে তাকাল—ভুল তো কিছু লিখিনি। আমি যা বিশ্বাস করি...

—হ্যাং ইওর বিশ্বাস। পুলকেশ দাঁত কিড়মিড় করছে। চিবিয়ে চিবিয়ে বলল,—জানেন এর ফল কী হতে পারে?

—জানি। ইউনিয়ন হয়তো আবার ক্লাস বয়কটের ডাক দেবে।

—তা হলে? জেনেও আপনি...?

সোমনাথ চুপ।

পুলকেশের চোখ তীক্ষ্ণ হল,—সেই বিশৃঙ্খল অবস্থার দায়িত্ব কিন্তু সম্পূর্ণ আপনার থাকবে সোমনাথবাবু।

—তখন নয় আবার প্রেসকে ডেকে চিঠিটা দেখাবেন। প্রেস ছাপুক। আপনারা তো জনগণে বিশ্বাস করেন, জনগণই নয় বিচার করবে ঠিক করেছি, না ভুল করেছি।

—এটা কি একটু বেশি হিরোইজম্ হয়ে যাচ্ছে না সোমনাথবাবু? ভুলে যাচ্ছেন, সামনে আপনার রিটায়ারমেন্ট? গভর্নিং বডিকে চটালে কী কী হতে পারে আন্দাজ করতে পারছেন? পেনশান পেপার পড়ে থাকবে, লিভ রিফিউজডের টাকাটাও পাবেন না...। ইউনিয়ন যদি গণ্ডগোল না-ও করে, গভর্নিং বডি এই চিঠি প্রসন্ন মনে নেবে? আপনার কি মগজে আছে, স্টুডেন্ট ইউনিয়নের সেক্রেটারি হওয়ার সুবাদে অভিজিৎ গভর্নিং বডির মেম্বার?

সোমনাথ উত্তর দিল না। ব্যাগ হাতে ঝুলিয়ে লম্বা লম্বা পায়ে বেরিয়ে আসছে ঘর থেকে। শুনতে পেল পিছনে গজরাচ্ছে পুলকেশ,—আচ্ছা ঢ্যাঁটা লোক তো! নিজের ক্ষতিটাও বুঝছে না! একটা বছর পর যখন পেনশানের জন্য ফ্যা ফ্যা করে ঘুরতে হবে, তখন টের পাবে।

সোমনাথের ঠোঁটে একটা হাসি ফুটে উঠল। বিষণ্ণ, কিন্তু নির্ভার হাসি। সারাটা জীবন তো লাভই খুঁজেছে সোমনাথ। শামুকের খোলে গুটিয়ে থেকে। প্রতি পদে মুখ বুজে আপস করে করে।

এবার নয় তার মাশুল চোকাবে সোমনাথ। একবার আপস না করে। অন্তত একটি বার।

———————